La Atracción Hacia el Mismo Sexo y el Evangelio

Una historia personal de la transformación en Cristo

Steve Ham

Las citas bíblicas fueron tomadas de la Reina-Valera 1960 ® © Sociedades Bíblicas en América Latina, 1960. Usado con permiso.

© 2018
EB-501
ISBN 978-1-944839-30-7

Editorial Bautista Independiente
3417 Kenilworth Blvd
Sebring, FL 33870

www.ebi-bmm.org
(863) 382-6350

Printed in the USA

Contenido

Prefacio

En el verano del 2001, Ann y yo tuvimos la oportunidad de tener un estudio bíblico con el hermano de una amiga, la cual juntamente con su marido son una pareja muy cercana a nosotros. El joven inició el encuentro y programamos reuniones en nuestro hogar una vez a la semana para estudiar juntos el libro de Romanos, el cual le interesaba a él conocer más. Ann y yo estábamos casados apenas un año y medio, y vimos la oportunidad evangelística como una respuesta a nuestra oración. Lo que pasa es que los amigos nuestros, aunque bien queridos, eran y siguen siendo católicos y sin evidencia de conocer al Señor. Ann y yo hemos orado por ellos por muchos años y se puede imaginar el gozo que tuvimos cuando recibimos la petición del hermano de la amiga.

Después que pasaron dos estudios, el joven dejó de venir y cortó toda comunicación. Nosotros estábamos bien preocupados por él y a la vez preocupados de que le habíamos hecho alguna falta u ofensa. No estábamos seguros y al cabo de un tiempo inquirimos de él con nuestros amigos. Nuestra amiga nos contó que su hermano estaba bien desencantado con nosotros y que no podía entender cómo podíamos llamarnos cristianos. Lo que pasó fue que en la segunda reunión estudiamos el segundo capítulo de Romanos y le expliqué que la homosexualidad es un pecado sexual e incluido en la descripción del corazón depravado del hombre que hace el apóstol Pablo, por el cual requiere arrepentimiento. Sin saber que el joven se identificaba como gay, proseguimos a explicar lo que dice la Palabra acerca del pecado de la homosexualidad. Ese día perdimos una oportunidad evangelística y una oportunidad de formar una amistad con aquel joven, aunque gracias al Señor seguimos siendo amigos de la pareja. El joven ha seguido en su manera de vivir y aun ha contratado un matrimonio gay. Reflexionando en lo que ocurrió en esa ocasión puedo apreciar más lo que escribe Steve Ham en este libro y siento mucho no haber tenido este recurso en ese entonces.

Cuando leí las primeras páginas, me di cuenta de que la situación que experimentamos Ann y yo era y sigue siendo común entre los cristianos del siglo XXI. En el caso de Steve fue algo particularmente inquietante porque fue su propio hijo, Dave, que sentía atracción hacia el mismo sexo. Me vi yo lidiando con aquel joven de la misma manera que Steve se vio lidiando con su situación cotidiana. Y me temo que nuestra mutua reacción es la obstinación por defecto de muchos cristianos hoy día—pudiera ser la misma reacción que usted ha tenido o tendría ante una situación similar. Sin embargo,

Peter, el pastor juvenil que intervino en la situación de Steve y Dave, explica cómo Juan 1:14 es el punto de partida. Jesucristo vino no solo lleno de verdad, sino "de gracia y de verdad". Peter observa que la verdad no es lo único que se necesita en situaciones que involucran una atracción hacia el mismo sexo, o como en el caso de Ann y yo con aquel joven, de una persona que se identifica como gay. Sino que necesitamos ser saturados de la gracia de Dios para el largo camino que se espera en estas situaciones.

El libro esta lleno de emoción pura y cruda, porque no solamente nos cuenta el proceso de consejo bíblico de una vida que deja la atracción hacia el mismo sexo, sino también es una conversación entre un padre y un hijo que se aman y que aman al Señor. Sin embargo, es refrescante ver en nuestra era un libro que se mantenga firme en lo que dice la Biblia acerca de la homosexualidad. Steve no le cede el paso al pecado. Él presenta la realidad del homosexualismo sin transigir la Palabra de Dios ni titubear en sus convicciones. Sin embargo, vemos un proceso crudo y verdadero en la consejería bíblica especialmente cuando Dave nos cuenta que su primer paso fue buscar en la escrituras maneras que justificarían la atracción hacia el mismo sexo. Pero lo alentador fue que él por sí mismo buscó la escrituras. La Palabra de Dios comenzó su efecto en el corazón de Dave. Steve nos explica que la confianza entre él y su hijo comenzó a forjarse por medio de la verdad objetiva de la Palabra de Dios.

Lo completo de este libro es la verdadera exposición en lo que es virilidad y feminidad bíblica y una dirección basada en la Palabra de Dios en la distinción de los géneros sexuales. La humanidad fue creada a la imagen de Dios y esa realidad es acompañada con el hecho de que la humanidad fue creada hombre y mujer (Génesis 1:26-28). Steve declara esta plena verdad y muestra en el capítulo 6 cómo estas verdades han sido ofuscadas por la psicología moderna y, en ciertos círculos, por el cristianismo occidental que por razones de relevancia cultural han aceptado el pensamiento posmoderno que al homosexualismo no se le puede llamar pecado. No es así en este libro y vemos cómo el consejo bíblico, firme en la Palabra de Dios, facilita una transformación en el pecador. ¿Por qué? Porque es la gracia de Dios obrando por medio del poder del evangelio lo que trae convicción de pecado y transformación en el corazón del pecador. La gracia de Dios obrando por medio de la Palabra de Dios es donde ocurre la renovación de la mente, como nos dice Romanos 12:2. La esperanza para el que tiene atracción hacia el mismo sexo no se encuentra en terapia psicológica sino en el poder del evangelio.

En la última parte de este libro el desafío para el cristiano es bien definido y agudo. Steve nos ayuda a identificar lo que es ser un padre bíblico —un padre que reconoce primeramente que él es un pecador. La verdad no se puede declarar sin la gracia de Dios porque toda persona —sin excepción alguna— es un pecador que necesita la gracia de Dios y el poder del evangelio para reconocer su pecado y volverse al Señor. Esto tiene consecuencias grandes para la iglesia del Señor también. Como dice Steve, el que se declara "yo soy gay" requiere de la iglesia una respuesta que se interesa por el corazón de un pecador. La iglesia —y el cristiano en particular— debe siempre tener como su guía la persona de Cristo Jesús. Es Cristo por medio del poder del evangelio que abrió los ojos de Dave y convirtió su corazón. Es Cristo por medio del poder del evangelio que ablandó el corazón de Steve y lo formó como un padre capaz de guiar a su hijo y toda su familia en los caminos del Señor. Es Cristo por medio del poder del evangelio que nos hace entender que el evangelio es más que una herramienta de evangelización. Es el fundamento del discipulado y el consejo bíblico que efectúa cambios verdaderos en la vida diaria de aquel que es aconsejado.

Es Cristo por medio del poder del evangelio que nos muestra lo frágil e inútil que somos y cuánto necesitamos de la gracia de Dios para vivir en santidad como debe la que debe existir en la iglesia de Cristo.

Quizás algún día el Señor nos conceda a Ann y a mí la oportunidad de hablar de nuevo con el joven que conocimos en el 2001. En ese día, yo espero poder expresarle cuánto yo siento haberme expresado de la manera en que lo hice en ese entonces; poder pedirle que me perdone por enfocarme solamente en el pecado y no preocuparme por el corazón de este pecador; poder decirle que aunque la Palabra de Dios no ha cambiado y la homosexualidad sigue siendo una ofensa a un Dios santo, cuánto yo sigo amando a este joven y mi deseo es que la gracia de Dios lo alcance y el poder del evangelio abra su corazón y produzca arrepentimiento. Yo espero poder decirle que Cristo lo ama y que yo lo amo también. Quizás ese día nunca llegue, sin embargo, me gozo porque la verdad del evangelio de Cristo sigue obrando en mi corazón, y lo que Steve, Dave y Peter han expresado en este libro es evidencia de que hay esperanza en la persona de Jesucristo.

David Casas, PhD.
Presidente
Colegio Bíblico Berea

Capítulo 1

Y Esto Erais Algunos

Decir que estábamos preocupados es decir poco. Habíamos notado algunos cambios muy perceptibles en nuestro hijo, David. De algún modo había desarrollado algunos comportamientos que nos llevaban a sospechar que algo estaba mal. La manera en la que hablaba, su postura, su rechazo a la idea de cortarse el cabello, y su tendencia a que sus pares fueran muchachas, estaban alertando a mi esposa (Trish) y a mí en gran manera. Era evidente que mi hijo, *mi* hijo, podía estar luchando con cuestiones de género y posiblemente también de su sexualidad. Esto no podía ser verdad.

El Llamado

Durante los meses del verano de 2010, después de que David hubiera vuelto de un campamento, llamé a Peter, el pastor de jóvenes de nuestra iglesia. Al mismo tiempo, Peter estaba organizando su propia reunión con David y pensando cómo conversar conmigo. Estaba muy preocupado sobre esta conversación y oraba sobre cómo abordar el tema. Mi reputación me precedía. Era conocido como la clase de hombre que tiene en claro el blanco y el negro, lo correcto y lo errado. ¿Cómo podría este hombre que a cualquier precio priorizaba la verdad y la autoridad, tratar con la noticia, y cómo reaccionaría en relación con su hijo?

Llamé a Peter después de descubrir que él ya le había pedido a David que se encontraran. Quería saber por qué. Yo también estaba muy preocupado.

En este momento debe estarse preguntando por qué simplemente no hablé con David directamente. La respuesta es simple: Tendría que haberlo hecho, pero no lo hice por mi propio pecado. Mi preocupación al mirar a David no se relacionaba con lo que estaba pasando en su vida, estaba más preocupado por cómo sus acciones dañaban mi imagen. Él estaba actuando de una manera que a mí no me agradaba y podía llevar a que las personas cuestionaran mi capacidad como padre. Así que, mis discusiones con David tendían a ser pequeños comentarios que mostraban mi desagrado y con los cuales solo esperaba que se cambiara su comportamiento superficial y visible. Creo que el apóstol Pablo llamaría a esto "provocar a ira" (Efesios 6:4).

La homosexualidad es pecado. Esto era claro en nuestro hogar, y David lo sabía. Entonces, ¿por qué estaba actuando de tal manera que se pudiera poner en duda su sexualidad? ¿Por qué no tuviera la suficiente hombría para comportarse como el hijo que debía ser? ¿No se lo había enseñado con suficiente claridad?

Mi llamada a Peter desencadenó mi peor pesadilla. De hecho, David le había revelado a uno de sus amigos cercanos del campamento que estaba luchando con la atracción hacia el mismo sexo. Sabiamente, este amigo se lo había dicho a Peter, quien ya sospechaba que había un problema, y Peter me lo comunicó a mí. Durante el trascurso de estos eventos, David también se acercó a mí para contarme su lucha. Aunque yo ya sospechaba que estaba batallando con la atracción hacia el mismo sexo, de todas maneras, estaba en *shock*. Si no hubiera sido por la gracia de Dios, un amigo y pastor amoroso y un hijo que me perdonó, este hubiera sido el momento en que todo se hubiera echado a perder.

Las Leyes de Nuestra Propia Tierra

Tiene que ser honesto al hacerse esta pregunta: Si su hijo o hija estuviera luchando con la atracción hacia el mismo sexo, o aun si estuviera involucrado en actividades homosexuales, ¿cuál sería su reacción? Si está leyendo este libro porque quiere que quede claro que la homosexualidad es pecado, solo debe leer el capítulo dos. Ese capítulo le dará algunos puntos para argumentar y seguir adelante. Aun puede evitarse el trabajo de leer ese capítulo si realiza una búsqueda de palabras relacionadas con la *homosexualidad* en la Biblia. Si lee los textos de las Escrituras sin excusas descubrirá que queda bien claro que la homosexualidad es pecado; caso cerrado (Génesis 18:20; 19:5; Levítico 18:22; 20:13; Romanos 1:26-27; 1 Timoteo 1:10; 1 Corintios 6:9-10). La Palabra de Dios es clara, y ahora tiene todo lo que necesita para establecer las leyes en su propia tierra (su hogar).

Como padres, somos buenos para trasmitir el mensaje de que algo "está mal". Los pastores y maestros muchas veces enfatizan lo mismo en relación a la cultura y el mundo en el cual vivimos. El tema del comportamiento homosexual o "casamiento" entre personas del mismo sexo muchas veces encabeza esta lista. Y aunque sin duda debemos estar al tanto de las influencias culturales que nos rodean (y a nuestros hijos) todos los días, las reacciones despectivas son demasiado prominentes. Son nuestros hijos quienes ven esas reacciones, y son esas reacciones las que pueden determinar la motivación de su hijo al hablar abiertamente con usted sobre su problema, si lo tiene.

En Romanos 5:16-17, el apóstol Pablo escribe:

Y con el don no sucede como en el caso de aquel uno que pecó; porque ciertamente el juicio vino a causa de un solo pecado para condenación, pero el don vino a causa de muchas transgresiones para justificación. Pues si por la transgresión de uno solo reinó la muerte, mucho más reinarán en vida por uno solo, Jesucristo, los que reciben la abundancia de la gracia y del don de la justicia.

Hay dos aspectos evidentes en Romanos 5. Por un lado, está la condenación en el mundo por Adán. El pecado reina y lo vemos todos los días en las noticias, en los medios de comunicación y a nuestro alrededor. No nos debería sorprender, sin embargo, demasiadas veces caemos en la tentación de hablar solo de aquello que despreciamos y nos indigna. Ahora considere que su hijo o hija adolescente oye que en la iglesia o en otro evento cristiano se repiten esos mismos comentarios. Oyen a menudo y con claridad que este o aquel pecado es horrible y repugnante. Puede ser que oigan con frecuencia que es por esos fracasos morales que la sociedad está en un descenso empinado y constante. ¿Qué pasa si uno de esos jóvenes necesita acercarse para decirle que está siendo tentado por este pecado "repugnante" en su propia vida? ¿Cuál es la reacción que probablemente esperará de usted? ¿Nuestros hijos verán accesibilidad o condenación en nuestras actitudes?

El otro lado de la moneda de Romanos 5 es la esperanza. En un hombre, Adán, fuimos condenados, pero en un hombre, Jesús, encontramos la esperanza de la salvación. Romanos 5 nos ayuda a entender que, por lo menos a los cristianos, no nos debería sorprender que el mundo sea pecaminoso. La naturaleza pecaminosa que nos rodea se extiende a toda la humanidad. Es en este punto donde muchos hijos verán más a menudo que sus padres cristianos los están apuntando con el dedo. Sin embargo, ¿cuántas veces oyen nuestros hijos en la misma frase que nos impacta que Dios haya derramado su gracia a través de la fe en Cristo como respuesta a nuestros problemas? ¿Cuántas veces señalamos a la cruz en comparación con la corrupción? ¿Y cuán seguido oyen nuestros hijos compasión por los perdidos en vez de desprecio por los condenados? La verdad más asombrosa es que Cristo vino a un mundo perdido para salvar a los pecadores. Esto me incluye a mí y lo incluye a usted.

Nuestro hogar es sagrado. Queremos protegerlo de la seducción del mundo, lo cual es perfectamente comprensible. En nuestra lucha por combatir las filosofías paganas manifiestas en nuestros días, es muy tentador desarrollar una cultura parental basada en la ley. Al hacerlo, fácilmente podemos imponer la ley en nuestra propia tierra tan exhaustivamente que no quede espacio para la gracia. Debemos tener la misma actitud que el apóstol Pablo:

Pero por la gracia de Dios soy lo que soy; y su gracia no ha sido en vano para conmigo, antes he trabajado más que todos ellos; pero no yo, sino la gracia de Dios conmigo (1 Corintios 15:10).

Antes de su conversión, Pablo era perseguidor de la iglesia. ¿Cómo se lo podría incluir entre los apóstoles y darle la tarea de predicar el evangelio? La respuesta es la gracia. En 1 Corintios 15, Pablo les recuerda a los corintios el mismo mensaje del evangelio. Debe de haber sido increíble para él, sabiendo que una vez había sido un fariseo responsable por el cumplimiento de la ley, y que por eso, había perseguido a Cristo. Todo había cambiado para Pablo. Por la gracia de Dios, estaba trabajando incansablemente por el evangelio procurando la salvación de los perdidos. Pablo no solo había tenido su propio encuentro con el evangelio de la gracia, sino que ahora se consideraba recipiente de la gracia en cada situación. Si queremos desarrollar una cultura parental basada en la gracia, es aquí que debemos comenzar. Los padres creyentes deben recordar constantemente que son recipientes de la gracia.

La gracia del evangelio es el elemento central de una buena predicación bíblica, y estoy agradecido por poder sentarme bajo la enseñanza de un pastor que enfatiza esta verdad. Desafortunadamente, hay muchos púlpitos en los cuales el énfasis más fuerte, a la vista de los fracasos de la cultura, es el llamado a la moralidad. Estar bajo tal influencia puede impactar el ambiente de nuestros hogares muy fácilmente, produciendo una mentalidad que promueve "la ley de nuestra propia tierra". En su libro *Why Johnny Can't Preach*, T. David Gordon explora un análisis del púlpito moderno y sus problemas para alcanzar a las personas de manera eficaz. Sugiere que un aspecto primordial es cuántos pastores se concentran en una predicación "moralista". Esto se define como el consejo moral (haz el bien, sé bueno) que no procede de un contexto redentor. En cuanto al deber del pastor de ver que las personas vengan a la fe y crezcan en ella, Gordon señala que "la fe no se construye uniéndose a las guerras culturales y criticando lo que está mal en nuestra cultura. La fe se construye a través de la exposición cuidadosa y detallada de la persona, el carácter y la obra de Cristo".[1]

La cuestión ante nosotros es evaluar si nuestros hogares se han transformado en púlpitos moralistas. Es importante hacerse esta pregunta, particularmente a la luz de cómo nuestros hijos percibirán nuestras reacciones cuando se enfrenten con sus propias tentaciones y pecados morales. Gordon aun dice: "Tal moralismo es tan común en los púlpitos norteamericanos que cuando en una conversación casual un individuo intenta corregir el comportamiento de otro, no es inusual oír la respuesta: '¿Así que me vas a predicar ahora?' Las personas han llegado a asociar la predicación con el mejoramiento moral (o reprimenda moral); no asocian la predicación con la proclamación de la suficiencia de la persona de Cristo y su obra para salvar perpetuamente a aquellos que vienen a Dios a través de él".[2]

¿Cómo es el ambiente en su hogar? ¿Es de condenación moral o de proclamación del evangelio? ¿Pueden sus hijos acercarse a usted con las verda-

---

1   T. David Gordon, *Why Johnny Can't Preach: The Media Shaped the Messengers* (New Jersey: P&R Publishing, 2009), 76.
2   Ibid. 80, cita Hebreos 7:25.

deras tentaciones y el pecado en su vida? ¿Verá su hijo que su preocupación principal es la exaltación de Cristo y su evangelio y que esto guía sus palabras y acciones? Puede ser que su hijo o hija nunca aborde el tema de la atracción hacia el mismo sexo, pero no por eso disminuye la necesidad de que su hogar sea un ambiente centrado en Cristo y en el evangelio. Debemos alejarnos de "las leyes de nuestra tierra" para representar el reino de Cristo. Su reino está construido por la gracia.

El Pecado es Común a Todos

Cuando Pablo escribía a los corintios, se dirigía a una iglesia que estaba impregnada de problemas pecaminosos. Entre otras cosas, había asuntos de inmoralidad sexual, litigios en materia civil, idolatría, orgullo y avaricia. Pablo es un gran ejemplo de cómo un representante del reino de Cristo debería responder ante tal pecado. En 1 Corintios 10:6-13, les da una lección sobre la historia de Israel para explicar el pecado en el contexto de Cristo:

> Mas estas cosas sucedieron como ejemplos para nosotros, para que no codiciemos cosas malas, como ellos codiciaron. Ni seáis idólatras, como algunos de ellos, según está escrito: Se sentó el pueblo a comer y a beber, y se levantó a jugar. Ni forniquemos, como algunos de ellos fornicaron, y cayeron en un día veintitrés mil. Ni tentemos al Señor, como también algunos de ellos le tentaron, y perecieron por las serpientes. Ni murmuréis, como algunos de ellos murmuraron, y perecieron por el destructor. Y estas cosas les acontecieron como ejemplo, y están escritas para amonestarnos a nosotros, a quienes han alcanzado los fines de los siglos. Así que, el que piensa estar firme, mire que no caiga. No os ha sobrevenido ninguna tentación que no sea humana; pero fiel es Dios, que no os dejará ser tentados más de lo que podéis resistir, sino que dará también juntamente con la tentación la salida, para que podáis soportar.

Quizás ya haya notado que Pablo de hecho señala que el pecado tiene su castigo. Por supuesto, es un error seguir en la inmoralidad sexual, las quejas, la idolatría o probar a Cristo. No subestimemos la advertencia en este pasaje, más bien, observémosla más de cerca. En el versículo 4, Pablo primero explica que es Cristo quien estaba presente con los israelitas en el desierto: "y todos bebieron la misma bebida espiritual; porque bebían de la roca espiritual que los seguía, y la roca era Cristo". También señala que fue Cristo a quien los israelitas probaron.

Considerando que Pablo está hablando a una iglesia que es predominantemente gentil, es importante notar que tanto Israel en el desierto como los gentiles tienen el mismo Salvador, y ambos pecan contra el mismo Dios. Hay una continuidad explícita entre Israel y la iglesia de Corinto en este sentido, y el factor que los une es Cristo. Las consecuencias del pecado de

Israel son una advertencia para la iglesia de Corinto, la cual estaba viviendo en un momento crucial. No podían tomar el pecado de manera leve, y si lo hacían, poco tiempo después vendría la caída. Habiendo establecido esto, Pablo hace una sorprendente declaración: "No os ha sobrevenido ninguna tentación que no sea *humana*" (1 Corintios 10:13, énfasis añadido).

Corinto recibe la misma advertencia porque está en la misma situación. Cristo es el mismo, el pecado continúa teniendo las mismas consecuencias, y la iglesia enfrenta los mismos patrones pecaminosos. En lugar de mirar la inmoralidad sexual de los israelitas con indignación o aun decir que "obtuvieron lo que merecían", Pablo nos recuerda que aquello que los tentó a ellos a pecar también nos tienta a nosotros. Ser tentado es humano, y aquello que nos ha sobrepasado a todos en diferentes momentos de nuestra vida, es común a todos. Pablo continúa mostrando que todo el pueblo de Dios también tiene el mismo Salvador, ya sea a través de los sacrificios de los animales que apuntaban hacia él como en el cumplimiento del sacrificio una vez y por todos.

El pecado, incluyendo la inmoralidad sexual, es humano. Pablo dice que es tan común al hombre como las quejas o como probar a Cristo. Es triste que tantos padres hayan renegado de sus propios hijos o hayan cortado todo contacto con ellos basados en algo que es común al hombre. Pablo no dice que debemos aceptar el pecado. Al contrario, su advertencia está basada en la ira de Dios sobre el pecado. Pero no perdamos un punto muy importante: la ira de Dios cae sobre algo que es común a todos los hombres. Aquí, Pablo me está hablando a mí y a usted.

Si tendremos un ambiente en el cual abunde la gracia, debemos entender que el pecado es humano, todo pecado. Tenemos la tendencia a disculpar lo que consideramos pecados pequeños, como las quejas, y transformamos los "pecados grandes", como el comportamiento homosexual, en monstruos enfurecidos. Podemos involucrarnos en la murmuración y aun así indignarnos ante la atracción hacia el mismo sexo. El pecado como el comportamiento homosexual es considerado uno de los más repugnantes en la iglesia. Esto muchas veces significa que la persona que lucha con la atracción hacia el mismo sexo vive en un ambiente en el cual tiene demasiado temor de buscar ayuda, mientras que alguien que está abiertamente involucrado en la murmuración es ignorado (Santiago 1:6; 3:6-9). Quizás podríamos preguntar cuántas iglesias se han dividido por la homosexualidad en comparación con la murmuración.

El Dr. Kevin Carson trata con algunos puntos muy importantes en un caso de estudio de consejería bíblica sobre un joven que estaba luchando con el pecado de la homosexualidad. Estos son algunos de los comentarios seleccionados para observar a la luz de 1 Corintios 10:13:

> Jason esperaba que lo descartara por tener un pecado repugnante. Yo quería que supiera que lo veía como una persona que luchaba como yo y que necesitaba la gracia de Dios para cambiar.

Quería que tuviera esperanza en el hecho de que aunque se sentía quebrantado, no estaba más dañado que los demás. Su pecado no lo relegaba a la periferia o al margen de la humanidad. Más bien, su vivencia era una parte común de la experiencia humana.[3]

Ver el pecado de esta forma significa ver la homosexualidad en el contexto correcto. El pecado es nuestro problema en común como humanos, y al pensar en este problema, debemos recordar que no hay tentación para la cual Dios no provea la salida. Aquello que es común a todos podemos vencerlo en Cristo.

Pablo erradicó cualquier habilidad de pararnos sobre nuestras plataformas de superioridad. En la misma carta a los corintios, en el capítulo seis, Pablo discute un contexto similar usando el tema del litigio entre creyentes. En los primeros ocho versículos de 1 Corintios 6, Pablo trata con el problema de los creyentes que llevan sus disputas a las cortes mundanas. Aclara que es fracaso moral si un cristiano lleva a otro a juicio. En vez de pleitear en un tribunal, sería mejor sufrir el agravio o ser defraudado. Pero algunos en la iglesia tenían una actitud que se enfocaba en ellos mismos. Esta preocupación por sí mismos por sobre los demás había causado que el nombre de Cristo fuera arrastrado en los tribunales. Todo se complicaba. Pablo señala que ellos mismos habían agraviado y defraudado a otros (1 Corintios 6:8). Quizás muchos de nosotros aún recordamos aquel dicho antiguo que oíamos de nuestras madres: "Cuando señalas con tu dedo a alguien, recuerda que hay otros cuatro que te señalan a ti". Existe hipocresía cuando un pecador ignora su propio pecado para señalar el pecado de los otros. Es demasiado fácil olvidar lo que Jesús predicó: "¿O cómo dirás a tu hermano: Déjame sacar la paja de tu ojo, y he aquí la viga en el ojo tuyo?" (Mateo 7:4). Un ejemplo extremo de esta hipocresía no es solo ignorar nuestro propio pecado sino que como cristianos lo hagamos frente a los ojos del mundo.

Más adelante, Pablo nos da una lista de comportamientos pecaminosos que son característicos de los injustos que no heredarán el reino de Dios.

¿No sabéis que los injustos no heredarán el reino de Dios? No erréis; ni los fornicarios, ni los idólatras, ni los adúlteros, ni los afeminados, ni los que se echan con varones, ni los ladrones, ni los avaros, ni los borrachos, ni los maldicientes, ni los estafadores, heredarán el reino de Dios (1 Corintios 6:9-10).

A continuación viene un trago amargo: "Y esto erais algunos..." (1 Corintios 6:11).

Una traducción literal de esta declaración diría lo siguiente: "Y algunos de ustedes eran estas cosas (και ταυτα τινες ἠτε)". Aunque Pablo dice que la congregación era *algunas* de estas cosas y no *todas*, no podemos decir que

---

3   Stuart Scott y Heath Lambert, eds., *Counseling the Hard Cases* (Nashville, TN: Broadman & Holman, 2012), 241-242.

este pasaje de las Escrituras no se aplica a nosotros, aun si el pecado en particular con el cual luchamos no se encuentra en esa lista. Diciendo esto, es muy improbable que cualquier ser humano no haya por lo menos luchado con la avaricia o la codicia. Realmente es probable que la lista de Pablo no excluya a nadie en nuestras congregaciones. Sin embargo, el punto no es considerar el porcentaje de personas de la congregación que ha cometido cualquiera de los pecados de la lista. Aunque solo una persona fuera culpable, el punto es claro.

A medida que avanzamos en el pasaje, vemos que Dios salvó a aquellos que una vez estaban asociados con los vicios de la lista.

> Y esto erais algunos; *mas ya habéis sido lavados, ya habéis sido santificados, ya habéis sido* justificados *en el nombre del Señor Jesús, y por el Espíritu de nuestro Dios* (1 Corintios 6:11, énfasis añadido).

Al considerar el contexto de la declaración de Pablo, podríamos decir algo así: Si piensa que tiene algo contra su hermano y que eso le da el derecho de usar toda la justicia que proporciona la ley para recibir resarcimiento, está equivocado. Usted mismo es culpable de hacerle daño a su hermano. Aun más, si piensa que la persona que está llevando a juicio debe recibir su merecido por su pecado contra usted, está equivocado. Cualquiera que haya pecado contra Dios no recibió la justicia merecida cuando fue salvo en Cristo. ¿Qué tal de esos pecados de la lista? Hay hermanos y hermanas cristianos a su alrededor que están en esa lista. Probablemente usted también lo está. Cristo los salvó y ellos han recibido gracia y misericordia. ¿Cristo no debía haberlo hecho? ¿Piensa usted que su posición de superioridad les proporciona a los demás la misericordia y la gracia de Cristo? ¿Piensa que este pecador que está frente a usted está fuera del alcance de la gracia? ¿Y qué tal de aquel que ha sido salvo de un pecado sexual, aun del pecado homosexual? Usted es un hipócrita. Usted también recibió gracia, ¿o se le ha olvidado?

Demasiadas veces este tipo de discurso hipócrita me pertenecía. Aunque nunca oraría así, tenía la actitud del fariseo que oraba diciendo que estaba feliz por no ser como los otros pecadores. En mi hogar, aun frente a mi hijo, a menudo tenía los cuatro dedos apuntándome a mí mientras hablaba de temas como la homosexualidad. Con frecuencia he tenido que recordarme a mí mismo que los cristianos son salvos por gracia. Últimamente tiendo a enojarme con quienes señalan a otros. Aun así, debo recordar que así era yo. Cuando observamos a cualquier individuo, debemos mirarlo a través de estos lentes bíblicos. Esto éramos algunos de nosotros. No hay espacio para dedos que señalan con superioridad. Todos necesitamos a Cristo. Cualquiera de nosotros que haya recibido la gracia de Dios debe estar interesado en buscarla para los demás seres humanos.

Hay también un gran propósito evangelístico en estos versículos, y Charles Spurgeon lo predicó elocuentemente en el año 1882:

Si nadie fuera salvo excepto los mejores, los que nunca han ofendido abiertamente, entonces los criticones nos dirían: "Su religión es muy pobre; sirve para la persona moral, sobria y casta, pero ¿de qué le sirve a un pobre mundo caído donde hay tantos verdaderos pecadores del tipo más vil?" Pero el Señor parece haber dicho: "Extenderé mi mano, y salvaré a algunos de los mayores pecadores, para que a través del tiempo, se sepa que mi evangelio puede llevar a cabo la salvación de todo tipo de pecadores, aun los más degradados. No importa cuán caídos o depravados sean, no pueden haber ido más allá del alcance del evangelio de mi Hijo". ¿No es éste un hecho glorioso?[4]

Spurgeon también sugiere que esta verdad nos debería impulsar a entablar contacto con las personas con confianza por causa del evangelio:

También estoy seguro de que Dios salva a algunos de estos viles pecadores a propósito para animar a los predicadores del evangelio. Les diré un secreto. Nosotros, los ministros, muchas veces somos un grupo de hombres pusilánimes, y si no tenemos muchos convertidos vamos con lágrimas al Maestro: "¿Quién ha creído nuestro mensaje?" Y cuando lo hacemos, entra alguien que había sido un borracho, o una persona no casta o un ladrón, y oímos lo que Dios ha hecho por él a través de nuestro pobre y débil ministerio, y le damos la mano. Después, él llora y nosotros también, y no sabemos quién es el mayor pecador de los dos, él por su iniquidad abierta o nosotros por nuestra falta de fe.[5]

Deberíamos darle las gracias a Spurgeon por su relato humilde de sí mismo como ministro de la Palabra de Dios. Cuando damos por perdidos a los pecadores por nuestra impresión de su pecado, estamos mostrando falta de fe en el poder transformador del evangelio.

Tenemos una encrucijada delante de nosotros. Podemos señalar y condenar de una manera farisaica y sin fe, o podemos entrar en contacto con personas y proclamar el evangelio con la plena fe de que Dios es capaz de hacer, de manera inmensurable,más de lo que podríamos esperar o imaginar. Esto comienza con nuestra actitud sobre el hecho de que el pecado es común a todos y que la necesidad de todo ser humano es Cristo.

Sí, Algunas Razones lo Dificultan

De todos los temas que la iglesia enfrenta hoy, uno de los más difíciles con el que tenemos que tratar es cómo responder ante el comportamiento homosexual y la atracción hacia el mismo sexo. Se ha vuelto costumbre que

---

4 C. H. Spurgeon, *The Metropolitan Tabernacle Pulpit: Sermons Preached by C. H. Spurgeon*, tomo XLVI (Texas: Pilgrim Publications, 1977), 66.
5 Ibid., 67.

las comedias de televisión promuevan el estilo de vida homosexual. Los debates legislativos son siempre intensos ya que se orientan hacia un sentido falso de aceptación y tolerancia de la homosexualidad y una redefinición del matrimonio. Los campus universitarios están dando prioridad a la enseñanza de aceptación y tolerancia de la diversidad sexual. Aun en las escuelas primarias públicas ese adoctrinamiento está presente.

El Dr. Al Mohler, presidente de Southern Baptist Theological Seminary, ha relatado tales situaciones:

> Solo pregúntenles a Rob y Robin Wirthlin, los padres de un alumno de siete años en la escuela primaria Joseph Estabrook, en Massachusetts. El hijo de los Wirthlin volvió a casa hablando sobre una lección de la escuela basada en el libro *King & King*, una parábola sobre el casamiento homosexual. En la historia, el joven príncipe decide que quiere casarse con aquel a quien ama, quien resulta ser otro príncipe. "Mi hijo solo tiene 7 años" comentó esta madre preocupada. "Al presentarles este tipo de temas a una edad tan temprana, están adoctrinando a nuestros hijos. Intencionalmente están presentándolo como normal, y no es un valor que nuestra familia apoye".[6]

Mohler además declara: "Se les ha enseñado a los niños que no hay familias normales, y que las estructuras de todas las familias son igualmente válidas. A aquellos que piensan de otra manera les falta sensibilidad hacia (ya lo adivinaste) la diversidad familiar".[7]

No estoy sugiriendo, ni por un minuto, que debemos ignorar la mayor presión cultural que sufren los padres cristianos y sus familias. A medida que nuestros hijos interactúan con una sociedad esencialmente pagana, son influenciados por la cosmovisión de los sistemas paganos, y estos sistemas *son* paganos. Recientemente, el pastor de mi iglesia le recordó a la congregación que hay una gran diferencia entre lo secular y lo pagano. Mientras que la palabra *secular* denota indiferencia y una sociedad que no está atada a una cosmovisión religiosa, la palabra *pagano* denota la búsqueda del hedonismo. Es un alejamiento activo de la verdad cristiana y aun un antagonismo hacia ella. Esta es una descripción mucho más exacta del tipo de cultura a la cual están expuestos nuestros hijos. Uno de los esfuerzos del adoctrinamiento que provienen de esta cultura, especialmente en el mundo occidental, es el de la diversidad sexual. No estaríamos subestimando la situación si dijéramos que la proclamación de este mensaje es *intensa*.

Sin embargo, dentro de esta cultura debemos siempre recordar que hay individuos. Nuestro llamado a entender el pecado como algo común a todos y el poder del evangelio no mengua. Por supuesto, debemos estar conscientes de esta presión y enseñarles a nuestros hijos como es debido. Pero como padres cristianos, necesitamos enseñarles a nuestros hijos lo correcto, lo in-

---

6 R. Albert Mohler, Jr., *Culture Shift: The Battle for the Moral Heart of America* (Nueva York: Multnomah, 2011), 53-54.
7 Ibid., 54.

correcto *y* la respuesta bíblica. También debemos vivir esa repuesta frente a ellos.

Cuando Pablo estaba exhortando a Timoteo para que tratara con temas difíciles en la iglesia de Éfeso, le dijo: "Ninguno tenga en poco tu juventud, sino sé ejemplo de los creyentes en palabra, conducta, amor, espíritu, fe y pureza" (1 Timoteo 4:12). La iglesia de Éfeso vivía en una cultura complicada, al igual que nosotros. Timoteo no debía evitar la instrucción, sino ayudar a la iglesia a permanecer firme en medio del mundo como la luz del evangelio. Tenía que hacerlo, no solo con contenido, sino también con una proclamación y una vida que estuvieron llenas del Espíritu. Pablo además instruyó a Timoteo: "Ten cuidado de ti mismo y de la doctrina; persiste en ello, pues haciendo esto, te salvarás a ti mismo y a los que te oyeren" (1 Timoteo 4:16). Una vez oí a un predicador comentar algo en cuanto a este versículo, diciendo algo así: "Es posible saber qué es lo correcto sin tener la sazón necesaria para ayudar a otros a saber lo que es correcto. Es posible usar la doctrina no como una espada de doble filo sino como un puñal con el cual solo hieres a otras personas".

La presión cultural nos tienta en gran manera para reaccionar con las armas erróneas. Tenemos una espada de doble filo para que prevalezca la verdad, y al mismo tiempo, somos llamados a evidenciar el fruto del Espíritu (Gálatas 5:22-26). No somos llamados a dar golpes cortantes con un puñal como para introducir la condenación de nuestro propio juicio en la vida de los otros. Somos llamados a permanecer firmes, pero amables, a rechazar la mala doctrina, y a la vez ser cordiales. Más que nada somos llamados a enfocarnos primordialmente en el evangelio, en todas las cosas para la gloria de Dios a través de nuestro Señor Jesucristo. Somos demasiados los que perdemos el equilibrio. Necesitamos restaurar el equilibrio en nuestras familias y comunidad eclesiástica si nos vamos a ayudar mutuamente con el pecado sexual y si hemos de alcanzar a una comunidad bombardeada con el adoctrinamiento pagano. Recordemos, no es sorprendente que el mundo sea pecaminoso; sin embargo, es increíble que Dios nos haya dado gracia en la persona y obra de Cristo Jesús.

Creados a Imagen de Dios

¿Alguna vez se le ocurrió pensar que cada ser humano es creado a imagen de Dios? Quizás debamos recordar esta verdad. No hay otra doctrina de las Escrituras que como ésta me motive a mirar al hombre con ojos de respeto. Si tenemos el entendimiento correcto de esta doctrina tendremos una de las herramientas más poderosas necesarias para establecer una ética verdaderamente cristiana. Y esta verdadera ética cristiana es la que más necesitará si su hijo adolescente viene ante usted con sus luchas de pecado.

No somos animales. La cosmovisión evolucionaria de nuestra cultura pagana está en conflicto con este primer punto. Nuestros instintos no evolucionaron de criaturas como los simios. Por otra parte, no somos una colección de moléculas que no tienen ni más ni menos valor que las otras moléculas que forman la presencia material de todo el universo.

Génesis 1:26 declara: "Entonces dijo Dios: Hagamos al hombre a nuestra imagen, conforme a nuestra semejanza; y señoree en los peces del mar, en las aves de los cielos, en las bestias, en toda la tierra, y en todo animal que se arrastra sobre la tierra". Este pasaje nos dice muy claramente que el hombre y la mujer fueron creados a imagen de Dios y son distintos a toda otra criatura en el relato de la creación. Nosotros, hombre y mujer, somos conocidos como la humanidad. Solo la humanidad puede demostrar los atributos comunes específicos que compartimos con nuestro Creador. Entre otras cosas, podemos amar, razonar, ser responsables, y demostrar gracia, misericordia y justicia. Además, somos increíblemente racionales. En el principio, fuimos creados para reflejar la gloria de nuestro Creador obedeciendo todo lo que nos había dado con el propósito de llevar a cabo nuestra tarea como portadores de su imagen. Tendríamos dominio, llevaríamos fruto y nos multiplicaríamos por toda la tierra; trabajaríamos y cuidaríamos del jardín y obedeceríamos su mandato de no comer del árbol prohibido (Génesis 1—2). La humanidad, como portadora de su imagen creada a la perfección, debía expandir la gloria de Dios en adoración a través de toda la tierra, desde el punto central del jardín del Edén hasta todos los confines de la tierra. El mandato de reflejar la gloria de Dios por todo el mundo es algo que hace eco a lo largo de todas las Escrituras como tema, y no hay otro lugar donde sea más visible que en Mateo 28 en la Gran Comisión de predicar el evangelio a todas las naciones.

De todas las criaturas que Dios creó sobre la tierra, solo el hombre tuvo el honor más alto de ser creado a su imagen. No hay nada ni nadie a quien adorar sino a Dios nuestro Creador. Anthony Hoekema lo dice así: "Dios no quiere que sus criaturas hagan imágenes de él, ya que él ya ha creado una imagen de sí mismo. Una imagen que vive, anda y habla".[8]

Como portadores de su imagen, fallamos. En los primeros tres capítulos de la Biblia, leemos sobre la rebelión del ser humano. En vez de que la adoración perfecta del Creador se expandiera por un mundo perfecto, ambos, Adán y Eva se rebelaron contra él. Nuestros primeros padres marcaron el camino que seguiría todo ser humano. La humanidad había pasado de ser reflejo de la gloria de Dios a objeto de su ira, y nuestra capacidad de llevar su gloriosa imagen a través del mundo había sufrido un gran golpe que nosotros mismos le dimos.

Cuando David vino para hablar conmigo sobre sus tentaciones en el área de la atracción hacia el mismo sexo, él estaba experimentando Génesis 5:3: "Y vivió Adán ciento treinta años, y engendró un hijo a su *semejanza, conforme a su imagen*, y llamó su nombre Set". Tal como Adán fue creado a *imagen y semejanza* de Dios, ahora Set nacía a *semejanza y a imagen* de Adán. Creo que

---

8   Anthony Hoekema, *Created in God's Image* (Grand Rapids, MI: Eerdmans, 1986), 67.

hay una comparación increíble entre las palabras de Génesis 5:3 y Génesis 1:26 que, en parte, declara: "Entonces dijo Dios: Hagamos al hombre a nuestra *imagen, conforme a nuestra semejanza"*, pero en Génesis 5:3 los dos términos están invertidos. Adán fue creado a "imagen" y a "semejanza", mientras que Set nació a "semejanza" e "imagen". Creo que esta inversión está allí para llevarnos a observar que hay una diferencia. Algo había cambiado en la imagen de Adán a Set. Eso era el pecado. Adán no estaba transfiriendo la imagen perfecta con la cual había sido creado. No, Adán estaba transfiriendo un espíritu rebelde y un corazón pecaminoso. Set iba a ser a imagen de su padre, y esto iba a continuar así, muestra de lo cual era David de pie frente a mí.

Mi hijo es el reflejo del espíritu pecaminoso y rebelde que se encuentra en mí. Su fracaso como portador de la imagen de Dios era igual al mío. Lo heredamos, y seguimos su patrón voluntariamente. Sin embargo, aunque con una posición rebelde, David estaba de pie frente a mí como alguien cuyo valor no lo determinaba su pecado, sino el hecho de que había sido creado a imagen de Dios.

Hay muchos ejemplos en las Escrituras en los que el valor del hombre se determina por el hecho de ser creado a imagen y semejanza de Dios, aun en su estado de corrupción. Podríamos considerar Génesis 9:6, donde dice que quien tome una vida humana (ya sea otro humano o animal) tendrá la pena máxima porque Dios hizo al hombre a su propia imagen. O podríamos considerar Santiago 3:8-9. Al tratar el tema de la lengua, Santiago dice: "pero ningún hombre puede domar la lengua, que es un mal que no puede ser refrenado, llena de veneno mortal. Con ella bendecimos al Dios y Padre, y con ella maldecimos a los hombres, *que están hechos a la semejanza de Dios"* (énfasis añadido). En reverencia a su Creador, nadie debiera encontrarnos hablando mal sobre otras personas.

Mi hijo estaba de pie frente a mí. Luchaba con el pecado y era una presa fácil para el adoctrinamiento de nuestra cultura pagana. Sin importar cuál fuera el pecado con el cual estaba tratando, él era un reflejo de mi propia pecaminosidad. Pero él tiene inmenso valor como alguien que fue creado a imagen de Dios. Si mi actitud de superioridad, o mi ira hubieran recaído sobre él, aun solo con mi lengua, yo le hubiera faltado el respeto a nuestro Creador.

David no necesitaba mi ira. Él, como yo, necesitaba un mediador. Necesitaba a alguien que pudiera traer transformación. Aunque todo padre quiere ser esa persona para sus hijos y así limpiarlos, no podemos. Nosotros mismos somos portadores fracasados de la imagen de Dios y, tal como nuestros hijos, nuestra única esperanza está en aquel que nos ha mostrado lo que es llevar la imagen perfecta, y quien ha hecho algo con respecto a nuestra rebelión.

Él es la imagen del Dios invisible, el primogénito de toda creación. Porque en él fueron creadas todas las cosas, las que hay en los cielos y las que hay en la tierra, visibles e invisibles; sean tronos, sean dominios, sean principados, sean potestades; todo fue creado por medio de él y para él (Colosenses 1:15-16).

El cual, siendo el resplandor de su gloria, y la imagen misma de su sustancia, y quien sustenta todas las cosas con la palabra de su poder (Hebreos 1:3).

Porque a los que antes conoció, también los predestinó para que fuesen hechos conformes a la imagen de su Hijo, para que él sea el primogénito entre muchos hermanos (Romanos 8:29).

Mi ética humana y cristiana es inmensamente importante como padre. Me dice que todos somos portadores de la imagen de Dios, que hemos fallado y que mi hijo también es un reflejo de mí en su propia rebelión. Me dice que mi hijo, al igual que todo otro ser humano, tiene un enorme valor y que mi Creador debe ser reverenciado en la manera en la que actúo, reacciono y hablo con David. Me dice que tener verdadero amor por mi hijo es ayudarlo a ver la verdad de su pecado y señalarle nuestra única esperanza, Jesucristo. Me dice que nuestra única esperanza está en la cruz, donde quien llevó la perfecta imagen tomó nuestro lugar para que nosotros también fuéramos transformados a su imagen a través del arrepentimiento y la fe. La ética no conoce límites de pecado, ni en estilo ni en magnitud. Esta ética es para todos en todo tiempo y en toda circunstancia, incluyendo a David.

Pensamientos Finales

Mientras estamos en el camino de la consideración de nuestras batallas en el mundo de la confusión sexual, primero debemos librar la batalla de nuestras propias actitudes. Si no tenemos una visión bíblica cuando miramos a nuestros hijos o a cualquier otro ser humano pecador, estamos en un camino peligroso. En este tema, no hay espacio para una actitud de superioridad. Si usted es así (y la posibilidad es que haya muchos lectores en esta posición), le imploro que se coloque de rodillas y busque la gracia y la misericordia de Dios a través de nuestro Señor Jesucristo. Hay tanta esperanza para usted como la hay para cualquier pecador.

El día que mi mundo como padre cambió, tuve un breve momento de oportunidad entre la llamada telefónica con el pastor Peter y mi conversación con David. Por la gracia de Dios, tuve tiempo para evaluar la situación y darme cuenta de que necesitaba abrazar a mi hijo, mostrarle amor, y ser un padre centrado en el evangelio. Elegí aferrarme al evangelio en vez de dictar la ley en mi propio hogar, pero también tenía que arrepentirme por tener un espíritu condenador. Desde nuestra primera conversación sobre esta lucha, David y yo viajamos por el camino de la gracia, lleno de baches de fracaso. Algunos de esos fracasos eran de David, y algunos eran míos. Sin embargo, no ha sido un tiempo para lamentarse. Dios ha usado este viaje para acercarme a él y a mi hijo.

La Perspectiva de David

La primera vez que confesé mi lucha con la homosexualidad a un amigo, no estaba arrepentido por mi pecado, solo lo desaprobaba. Sabía que lo que estaba haciendo estaba mal, pero no sabía a dónde ir o qué pasos tomar para que desapareciera. Le había pedido a Dios tantas veces que quitara mi pecado antes de que me lastimara, pero Dios no funciona así. Mi amigo me aconsejó a tener el coraje de hablar con alguien que me pudiera ayudar, como mi papá. Pero eso era muy difícil, demasiado doloroso, y demasiado peligroso. No sabía exactamente cómo reaccionaría, aunque estaba casi seguro de que me daría una bofetada con la Biblia con el intento de cambiarme.

Por la gracia de Dios, no lo hizo. Mi papá me dio una Biblia y me dijo que me amaba, mientras al mismo tiempo me señalaba la cruz de Jesucristo, quien es mi única esperanza, y la tuya, para tener verdadera libertad de todo pecado. Sabía que la Palabra de Dios transformaría mi vida, por eso no me mostró la Palabra de Dios de tal manera que me permitiera continuar con mi desaprobación del pecado sin tomar ninguna acción. Me alejé de la conversación con mi papá sabiendo que me amaba, sabiendo que Dios me amaba, y sabiendo que no estaba solo en la lucha contra el pecado.

La Perspectiva de Peter

Por la providencia divina, David se lo confesó a un alumno a quien yo había aconsejado y que también había luchado con la atracción hacia el mismo sexo. Él se me acercó poco tiempo después de su conversación con David para que supiera lo que había sucedido, esperando que pudiera ayudarlo. La conversación confirmó las preocupaciones que había tenido con relación a David por algún tiempo. Aunque no estaba preparado para oír lo que oí ese día, solo suspiré. Estaba aliviado por saber que mis sospechas no habían sido infundadas. *Gracias, Señor*, oré. *Quizás ahora podamos comenzar.*

Mi plan era hablar con David, avisarle que sabía todo, ofrecerle esperanza y ayuda, animarlo a hablar con sus padres, y después esperar que pudiéramos seguir adelante. Aun al escribir ahora, en el papel parece un buen plan. Estaba sentado en el estacionamiento de un supermercado en una tarde lluviosa cuando sonó el teléfono y apareció el número de Steve. Esto me llevó a sospechar que el Señor tal vez tuviera otro plan. Juan 1:14 nos dice que Dios el Padre se gloría en su Hijo quien está "lleno de gracia y de verdad". Steve conoce la verdad pero la verdad sola no era suficiente. Jesús, el Verbo hecho carne, está lleno de gracia y lleno de verdad. Solo en la unión de ambos encontramos esperanza y ayuda para la gloria de Dios. Teníamos un largo camino por delante. Descansando en su gracia, firmes en su verdad, contesté el teléfono.

Capítulo 2

Llámelo por su Nombre

Era una palabra que ni podía pronunciar. Cambiaba las frases y buscaba palabras alternativas, cualquier cosa para evitar el uso de la palabra con "H" con relación a mi hijo. Aun cuando David ya había estado varias semanas en consejería bíblica, yo todavía luchaba en mi mente para identificar su pecado con la homosexualidad. Si David hubiera tenido un problema con la mentira, el robo, el engaño o la murmuración, hubiera sido mucho más fácil para mí hablar sobre eso. Finalmente llegué a la conclusión de que las Escrituras tratan con todo pecado abiertamente. Era tiempo de que dejara de tratar con este tema basándome en mi propio criterio para calificar el pecado, y que comenzara a definirlo bíblicamente. Solo tenía que decirlo: David estaba luchando con el pecado de la homosexualidad, aun si solo era a nivel de la atracción hacia el mismo sexo y no del comportamiento homosexual.

La batalla individual de David con el pecado era importante. David no solo era tentado y tenía sentimientos traicioneros, sino que también vivía en un mundo que constantemente ratifica esos sentimientos como algo que vale la pena explorar. Los mensajes encontrados nunca son de ayuda para los jóvenes, pero los padres cristianos de David entender que éstos son inevitables en nuestro mundo. Por un lado, David había recibido la enseñanza y entendía que la Biblia describe la homosexualidad como pecado. Por otro lado, la cultura en la cual vivimos propaga un mensaje completamente diferente. Hay una presión constante en los medios de comunicación, en el ámbito político y en la cultura en general para normalizar el comportamiento homosexual. La aprobación del casamiento entre personas del mismo sexo ha crecido como también la desaprobación de la terapia reparadora. Hay intolerancia del estándar bíblico para las verdades fundamentales y también un número creciente de eruditos que están dispuestos a interpretar de una manera diferente las enseñanzas bíblicas a favor de las uniones homosexuales. Hay leyes para complacer a niños de edad primaria que declaran ser transgénero. Hay nuevas traducciones de la Biblia designadas específicamente a ser neutrales en cuanto al sexo y una nueva traducción para complacer a la comunidad homosexual. Hay un número creciente de líderes eclesiásticos que aprueban públicamente las uniones homosexuales. Constantemente se apela a diferentes estudios intentando confirmar una relación entre la genética y la homosexualidad lo cual ha resultado en la muy usada y popular frase: "Yo nací así". En el ambiente de hoy, cualquiera que se oponga a la homosexualidad es culpable de ser un fanático intolerante y del mayor grado de discriminación.

Imagine si fuera un joven viviendo en esta cultura mientras lucha con la atracción hacia el mismo sexo. Más vale tener una buena razón para creer que la homosexualidad es pecado, y para confiar en el libro del cual tomamos ese mensaje. También más vale que haya una solución real para el problema, y la hay. Estos temas serán explorados en los próximos dos capítulos. Mientras se podrían escribir, y fueron escritos, libros enteros sobre cada uno de estos vastos tópicos, por lo menos debemos armarnos con una defensa básica de integridad bíblica. Después de todo, es en la Palabra de Dios que encontramos la solución para los mayores problemas de todo ser humano. Esta no es una batalla por la sexualidad bíblica, sino una batalla por la esperanza del evangelio. Aunque nuestros jóvenes puedan defender verdaderamente la integridad de las Escrituras, aun así están en riesgo. No es suficiente decir que la homosexualidad es pecado. Tampoco es suficiente decir que el sexo solo está permitido dentro de los límites de un matrimonio monógamo heterosexual. Ni siquiera es suficiente decir que Dios manda que el matrimonio sea entre un hombre y una mujer. La respuesta para la homosexualidad no es solo la heterosexualidad y el casamiento bíblico. No, la cruz de Cristo es la respuesta para la homosexualidad y para todo pecado.

¿Qué es el Pecado?

Simplemente, el pecado es un problema de la humanidad. Si usted es humano, ha pecado y no puede escapar ni a su poder, ni a sus consecuencias. Nadie puede hacerlo. A través de los tiempos, los teólogos han debatido sobre la naturaleza y los efectos del pecado, y no es un tema que se agotará pronto. Pero hay una claridad bíblica en el debate: o es blanco o es negro. Es allí donde debemos comenzar.

El primer pecado humano ocurrió en el contexto de una excelente creación.[1] Dios le dio a Adán un mandamiento claro en Génesis 2:17:

> Y mandó Jehová Dios al hombre, diciendo: "De todo árbol del huerto podrás comer; mas del árbol de la ciencia del bien y del mal no comerás; porque el día que de él comieres, ciertamente morirás".

El jardín del Edén era el paraíso central de la creación de Dios que era muy buena, y era muy diferente al mundo que vemos hoy. Adán no recibió el mandato en el contexto de un mundo que gemía, lleno de dolor y sufri-

---

1 La frase "era bueno en gran manera" refleja el carácter del Creador como una descripción de la finalidad de su obra. La descripción bíblica del carácter de Dios no es menos que la perfección.

miento como el que el apóstol Pablo describe en Romanos 8:22, sino que Adán comprendió el mandato de Dios en el contexto de una creación funcional y perfectamente ordenada. La importancia de este punto será estudiada de una forma más global en el capítulo tres, pero por ahora señalaremos que el pecado trae consecuencias. Esto significa que en el momento en el cual Dios le dio su advertencia a Adán, aún no había ninguna consecuencia por el pecado. Todo lo que Adán hiciera en desobediencia a la ley de Dios traería imperfección a una creación perfecta. Lo que vemos hoy es imperfección, la imperfección como resultado de lo que sucedió en Génesis 3:1-6.

> Pero la serpiente era astuta, más que todos los animales del campo que Jehová Dios había hecho; la cual dijo a la mujer: ¿Conque Dios os ha dicho: No comáis de todo árbol del huerto? Y la mujer respondió a la serpiente: Del fruto de los árboles del huerto podemos comer; pero del fruto del árbol que está en medio del huerto dijo Dios: No comeréis de él, ni le tocaréis, para que no muráis. Entonces la serpiente dijo a la mujer: No moriréis; sino que sabe Dios que el día que comáis de él, serán abiertos vuestros ojos, y seréis como Dios, sabiendo el bien y el mal. Y vio la mujer que el árbol era bueno para comer, y que era agradable a los ojos, y árbol codiciable para alcanzar la sabiduría; y tomó de su fruto, y comió; y dio también a su marido, el cual comió así como ella.

Nuestros primeros padres le prestaron atención a una criatura en vez de oír a su Creador, y en efecto negaron el reinado de Dios en aras del suyo propio. Robert L. Reymond describe que:

> Ellos, en efecto, permitieron que Satanás redujera la Palabra de Dios, a lo sumo, a una mera hipótesis, y en el peor de los casos, a una mentira; en este caso, la invalidez de la cual se podía demostrar mediante pruebas científicas. Sin embargo, esto significa que el centro de la autoridad para el hombre se había desviado de Dios y estaba sobre él. Adán y Eva llegaron a creer que debían ser su propia autoridad, que mediante su experiencia tenían el derecho de determinar por sí mismos lo que era verdadero y lo que era falso. Por supuesto, el hecho de que ellos hayan "experimentado" deja en claro que en el momento en el que comieron ya habían creído que la hipótesis de la serpiente con relación al árbol era verdadera, porque si hubieran creído que su experimento los llevaría a la muerte no lo hubieran intentado.[2]

Satanás es una serpiente manipuladora y engañosa, y es adecuado que la serpiente con su lengua dividida haya sido usada para caracterizarlo desde que él la usó en el jardín del Edén. De ninguna manera su maldad reduce la

---

2   Robert L. Reymond, *A New Systematic Theology of the Christian Faith* (Nashville, TN: Thomas Nelson, 1998), 445.

responsabilidad de Adán y Eva de adorar y obedecer a Dios. Ellos creyeron en la mentira, y Satanás sabía algo sobre el poder de la proclamación de la Palabra. Calvino declara:

> Hay dos puertas de entrada, o sea, los dos oídos que recibieron la voz de Satanás. Fue así que ganó dominio sobre toda la raza humana. Entonces ¿qué se puede hacer? Hay que reparar tal maldad de la misma manera; nuestros dos oídos deben oír la Palabra de Dios, y esa Palabra debe entrar viva en nosotros y habitar allí y fortificarnos de tal manera que la maldad no pueda entrar. Debemos recordar eso, porque vemos que el diablo tuvo poder sobre la pareja porque ganó entrada a través de esas dos ventanas o puertas malditas: sus oídos.[3]

Desde su sumisión a la mentira de la serpiente en el jardín, el pecado ha sido nuestro problema como humanos de dos maneras. Primero, somos pecadores por naturaleza. Desde que Adán le pasó la naturaleza pecaminosa a Set hasta que yo le pasé mi naturaleza pecaminosa a David, somos propensos a rebelarnos contra Dios.

> ...por cuanto todos pecaron, y están destituidos de la gloria de Dios (Romanos 3:23).

> He aquí, en maldad he sido formado, y en pecado me concibió mi madre (Salmo 51:5).

> Por tanto, como el pecado entró en el mundo por un hombre, y por el pecado la muerte, así la muerte pasó a todos los hombres, por cuanto todos pecaron (Romanos 5:12).

Los pastores puritanos del siglo XVII quizás hayan escrito más extensamente sobre el pecado y cómo vencerlo que los cristianos de cualquier otro período de la historia. Estudiaban las Escrituras para entender la profundidad, el origen y los efectos del pecado, y exhortaban a sus congregaciones con pasión para que hicieran morir o mataran el pecado. Pasajes como los de Romanos 5 eran particularmente interesantes porque Pablo enseñó claramente el origen y la naturaleza del pecado en la humanidad. Especificó que aun sin la ley mosaica, aquellos que vivieron en el tiempo entre Adán y Moisés que no pecaron de la misma manera que Adán, aun eran responsables por su pecado.

> ...pues antes de la ley, había pecado en el mundo; pero donde no hay ley, no se inculpa de pecado. No obstante, reinó la muerte desde Adán hasta Moisés, aun en los que no pecaron a la manera de la transgresión de Adán, el cual es figura del que había de venir (Romanos 5:13-14).

---

3 John Calvin, *Sermons on Genesis Chapters 1-11*, trad. Rob Roy McGregor (Edimburgo: Banner of Truth, 2009), 235.

Estos versículos indican con claridad que sin importar las transgresiones reales cometidas, todo hombre está bajo la maldición del pecado porque todo hombre es pecador por naturaleza. Sobre todo en los escritos de los puritanos vemos que ellos están de acuerdo con esta verdad. Los puritanos sabían y entendían que esto significaba que a través de Adán el pecado había sido imputado a toda la humanidad con una única excepción, Jesús. En un buen resumen de la posición puritana, Beeke y Jones escriben: "En otras palabras, cuando Adán pecó, al mismo tiempo todos los hombres pecaron en Adán quien los estaba representando. Por lo tanto, la imputación de la culpa de Adán a su descendencia fue efectuada de inmediato, simultáneamente con el pecado, y no a través de un mediador, esto es, nos pasó a nosotros cuando y porque pecamos igual que Adán.[4]

Entender la naturaleza inherente del pecado es importante especialmente cuando se trata de temas como la sexualidad. El deseo humano, el proceso mental, los sentimientos y todo lo demás de nuestra naturaleza no son confiables. Sin una transformación completa de nuestros pensamientos, afectos y voluntad, somos absolutamente corruptos desde el momento de nuestra concepción, y así ha sido desde el pecado de Adán. Los efectos del pecado, solo una página después de Génesis 3, llevan a un homicidio y a un aumento continuo de la perversión humana. Lo más triste es que aun en condición de rebeldía, el hombre en realidad creía que estaba actuando de manera autónoma cuando defendía sus derechos. Pablo dice lo opuesto:

> Y él os dio vida a vosotros, cuando estabais muertos en vuestros delitos y pecados, en los cuales anduvisteis en otro tiempo, siguiendo la corriente de este mundo, conforme al príncipe de la potestad del aire, el espíritu que ahora opera en los hijos de desobediencia (Efesios 2:1-2).

Cuando las personas dicen que quieren su propia voluntad y su propia vida, están hablando en nombre de un poder mayor. Hablan por el mismo poder al cual Adán y Eva se sometieron en el jardín. No hay autonomía humana. Estamos bajo la dirección de Cristo o de Satanás, y no hay término medio. Hay una respuesta sólida a la pregunta de por qué no podemos vivir nuestra propia vida: Nunca fue nuestra. Podemos hablar todo lo que queramos sobre nuestra propia preferencia sexual, pero nunca es autónoma. Oímos declaraciones como "seamos nosotros mismos" o "vivamos nuestra propia vida". Son una repetición de la canción de Frank Sinatra, "A Mi Manera". Están intentando decir que el hombre, y no Dios, está a cargo, pero los deseos de gobernarse a sí mismo a lo sumo son una ilusión. Como el apóstol Pablo explica en Efesios 2, cuando estamos sin Cristo en realidad nos encanta el reino de tinieblas de Satanás.

---

4   Joel R. Beeke y Mark Jones, *A Puritan Theology* (Grand Rapids, MI: Reformation Heritage Books, 2012), 207.

Y esta es la condenación: que la luz vino al mundo, y los hombres amaron más las tinieblas que la luz, porque sus obras eran malas (Juan 3:19).

Winslow anuncia: "Examínese honestamente y determine si su infidelidad, su escepticismo, su incredulidad, su engaño y su oposición a la verdad bíblica, tienen su origen no en una mente que no se puede convencer, sino en un corazón que no quiere hacerlo".[5]

Antes de embarcarnos para determinar si la homosexualidad en la práctica es pecado, podemos saber que nuestro deseo de gobernarnos a nosotros mismos es pecado desde el vientre. No importa si estamos hiriendo a los demás con nuestras elecciones de vida o no; lo que importa es que nuestro deseo de autogobernarnos es un rechazo al gobierno de Dios. Como ya lo mencionamos, esta condición nos cautiva. Todo hombre también puede saber que no necesita ser culpable de homosexualidad para ser culpable de la práctica del pecado. No hay ser humano sobre la faz de la tierra, aparte del tiempo cuando Jesucristo caminó entre nosotros, que no sea pecador por naturaleza y práctica. Todo hombre por lo menos ha mentido una vez en la vida, quebrantando así el mandato de Dios de no mentir. Santiago escribe:

Porque cualquiera que guardare toda la ley, pero ofendiere en un punto, se hace culpable de todos (Santiago 2:10).

Sería un error avanzar con el debate para determinar si la homosexualidad es específicamente pecado sin primero entender las consecuencias que todo pecador tiene que enfrentar por todo su pecado. Génesis 2:17 ya nos advirtió de que la consecuencia del pecado es la muerte, y esto se nos recuerda todos los días cuando vemos que todos los hombres en diferentes etapas llegan al final de sus días. Sin embargo, esta muerte es mayor que la tumba. El escritor a los hebreos nos dice que la tumba es solo el comienzo.

Y de la manera que está establecido para los hombres que mueran una sola vez, y después de esto el juicio (Hebreos 9:27).

A todos los que no han llegado al arrepentimiento y a la fe en Jesucristo les espera una eternidad experimentando la muerte. Esto se aplica a toda la humanidad. Antes de conocer a Cristo como Salvador, esto se aplicaba a mí y a todos mis hermanos y hermanas en Cristo.

Puedes preguntar: "¿Qué significa experimentar la muerte?" Ajith Fernando, autor de *Crucial Questions About Hell* y líder de Juventud para Cristo en Sri Lanka, escribió: "El significado de la muerte eterna se ilustra por medio del significado de lo opuesto, la vida eterna. La idea esencial de la vida eterna en la Biblia no es la existencia en oposición con la inexistencia, sino vida que pertenece a la era venidera. Aquellos que tienen vida eterna tienen la bendición del reino de los Cielos. Tienen 'vida en abundancia'

---

5 Octavius Winslow, *The Sympathy of Christ* (Harrisonburg, VA: Sprinkle Publications, 1994), 220.

(Juan 10:10). Lo opuesto, la muerte eterna, sería existencia privada de estas bendiciones de la era venidera".[6] Pablo también describe como muertos en sus delitos y pecados (Efesios 2:1) a quienes no son cristianos y existen en el mundo presente. Su situación de vida presente es la muerte. Los que mueran hoy fuera de Cristo siguen existiendo bajo la ira de Dios como muertos vivos en una existencia continua.

Una eternidad de muerte no es la única descripción del juicio de Dios. La Biblia habla muchas veces del infierno como un lugar de tormento consciente, generalmente descrito como fuego ardiente (Mateo 10:28, 25:41-46; Apocalipsis 14:10-11, 20:10-11). La descripción bíblica del infierno es una advertencia a toda la humanidad. Tal como el amor, la gracia y la misericordia de Dios son aspectos eternos de su carácter, también lo es su justicia e ira. En este momento, al leer estas palabras, la mayor parte de las personas del mundo tienen una relación con Dios basados en su justicia e ira. Sin Cristo, ésta será una relación eterna. Solo a través de Cristo esta relación puede cambiar sobre la base de su misericordia y gracia. Como pecadores, ninguno de nosotros merece la misericordia y gracia de Dios, y nos debería maravillar sobremanera considerar que el mismo Dios llevó el castigo de la muerte sobre la cruz para que su gracia y misericordia nos fuera accesible.

En las Escrituras, por un buen motivo se enseña sobre el infierno como una parte esencial de la doctrina del pecado. Todo hombre debería considerar la naturaleza del infierno como consecuencia de su pecado. Solo en esta vida tenemos la posibilidad de la salvación a través del arrepentimiento y fe en Cristo Jesús. No hay una segunda oportunidad. No dejamos de existir después de la muerte. ¿Por qué se tendría que preocupar por el infierno un budista si la consecuencia del pecado es dejar de existir? ¿Sería diferente al estado de nirvana que los budistas tratan de alcanzar? ¿Por qué tendríamos que preocuparnos por el mensaje del evangelio si al final todos llegarán al cielo? Lo único que importa en esta vida es nuestra posición en Jesucristo y la enseñanza bíblica sobre el juicio, y el infierno enfatiza esta realidad.

Quizás haya escuchado el dicho de que hay solo dos cosas ciertas en el mundo: la muerte y los impuestos. Cuando visita países empobrecidos es claro que no todas las personas pagan impuestos. También es claro en las Escrituras que un día Cristo volverá de la misma manera en la que se fue, y cuando regrese juzgará a los vivos y a los muertos (Hechos 1:10-11; 10:42; Mateo 25:31-34). El dicho está equivocado y habría que replantearlo. La única certeza en la vida es que si no enfrentamos el juicio de Dios a través de la muerte, lo enfrentaremos cuando vuelva Jesucristo. Nuestra posición en Cristo hoy es lo único que importa.

---

6   Ajith Fernando, *Crucial Questions about Hell* (Sussex, R.U.: Kingsway Publications, 1991), 42. El libro de Fernando contiene una excelente defensa contra la teoría de la aniquilación y el universalismo.

¿Es la Homosexualidad Pecado?

Lo que creemos en cuanto a la moralidad se determina por nuestra visión de la autoridad. Por lo tanto, lo que determinará nuestra respuesta a esa pregunta será nuestra fuente de autoridad. Si respondemos que sí, que la homosexualidad es pecado, nuestra única defensa estará basada en la solidez de nuestra fuente fidedigna. Sin pedir disculpas, les declaro que hay solo una fuente fidedigna de la verdad: la Palabra de Dios.

La influencia del posmodernismo ha resultado en una abertura para la autonomía humana individual al momento de definir términos. Según las prácticas posmodernistas el individuo define el significado y la moralidad. El significado se encuentra más bien en la percepción del lector y no en la intención del escritor. Esto surge cuando oímos declaraciones que sugieren que algo puede estar bien para una persona pero no ser igual para otra. Según el pensamiento posmodernista, dos o más puntos de vista incompatibles pueden ser verdad, ya sean contradictorios o no.

Por lo menos en el área del matrimonio homosexual, parece que la moralidad ahora debe definirse según los sentimientos y preferencias individuales. Los grupos que presionan por el casamiento homosexual han navegado esas aguas en pro de su causa con éxito. Linda Hirshman resumió el éxito de los activistas homosexuales diciendo: "El movimiento triunfó, en gran parte, porque en los momentos críticos, sus líderes hicieron una petición moral. Franklin Kameny, como pionero del movimiento, colocó 'Ser gay es bueno' en la icónica insignia de la revolución gay de 1968".[7] Sin embargo, aunque el pensamiento posmodernista gobierna nuestros días, los activistas homosexuales han tratado de que sus normas morales fueran ratificadas por un poder mayor y no solo por el individuo. Por ejemplo, ha habido intentos exitosos para legalizar el casamiento homosexual en los Estados Unidos tanto a nivel estatal como federal. Aun antes del triunfo de muchos de estos intentos, D. James Kennedy comentó que esto era una importante estrategia de los activistas homosexuales:

> La legalización del matrimonio es tan importante para los homosexuales porque en su mente, si es legal es moral. Vivimos en una sociedad que ha quitado a Dios y sus patrones. Si usted no va a la Palabra de Dios para buscar las normas de lo que es correcto y errado, lo bueno y lo malo, ¿a dónde puede ir? A la ley. Busca en la ley todos los patrones. Entonces si la ley dice que es legal, todo está bien. Usted estás bien, y ya no está equivocado. Aun si su propia conciencia lo condena, no importa porque la ley dice que está casado legítimamente, y todo está bien.[8]

---

7   Linda R. Hirshman, *Victory: The Triumphant Gay Revolution* (Nueva York: Harper Perennial, 2013), 187.

8   D. James Kennedy y Jerry Newcombe, *What's Wrong with Same-Sex Marriage?* (Wheaton, IL: Crossway Books, 2004), 32.

Cuando se trata de definir la moralidad, aun según el posmodernismo, la autoridad importa. Seamos pensadores posmodernistas o no, todos reconocemos la importancia de la autoridad aun si prefiriéramos la nuestra. Es en este punto que la Biblia es única. Lo que dice la Biblia no permite ninguna otra autoridad mayor. El trino Dios de la Biblia es el único y verdadero Dios. Él es el Creador de todas las cosas, quien existe por sí mismo, y solo él revela toda la verdad. Tiene el poder y la llave del conocimiento y la sabiduría. Si vamos a afirmar esta verdad, es mejor que estemos listos para defenderla, porque esta declaración lo supera todo. En esencia, lo que estamos diciendo es que sin importar la opinión individual, la opinión general, o aun las leyes estatales y federales, solo Dios establece las normas. No debemos engañarnos a nosotros mismos creyendo que la discusión fundamental no es acerca de la autoridad bíblica.

En una serie práctica en una página web (impresa en el apéndice de este libro), Steve Golden provee un panorama de la influencia del posmodernismo. Cuando habla específicamente sobre la Teoría *Queer* (ideas posmodernistas sobre la identidad sexual, la sexualidad humana y el género), señala que la disconformidad relacionada con la autoridad radica en la diferencia entre un "océano" de ideas humanas y la verdad bíblica. Declara: "Pero por el pecado, el hombre intentará encontrar su identidad en el mundo y en otras personas, lo cual puede incluir identificarse como bisexual, homosexual, personas casadas que deciden mantener relaciones sexuales con terceros, o una variedad de rótulos. Al final, quienes apoyan la Teoría *Queer* tienen razón en cuanto a estos rótulos: son inútiles. Pero en vez de abandonar dichos rótulos por un 'océano' de opciones sexuales, los cristianos solo deberían tener dos categorías cuando se trata de sexualidad: bíblica o pecaminosa".[9]

Para algunos esto puede ser una categorización simplista. Un buen número de personas que se llaman cristianas, y aun algunos que creen en la Biblia, han protestado porque la homosexualidad se cataloga como pecado. En términos familiares, Hirshman relata la historia de Troy Perry, el fundador de la Iglesia Comunitaria Metropolitana de Los Ángeles:

> Desde el principio, la revelación de Perry fue tanto religiosa como liberal. Inspirado por su momento divino de conciencia libre, Perry descubrió que no era pecaminoso y que trataría con ese asunto. Llegó a la conclusión de que si Dios lo amaba, también debería amar a los demás, y que ese era el mensaje para la comunidad. Es difícil

---

9   Steve Golden, "The Influence of Postmodernism, Part 6: Queer Theory", Answers in Genesis, 27 de marzo de 2013, http://www.answersingenesis.org/articles/aid/v8/n1/influence-of-postmo-dernism-queer-theory. La serie de siete artículos sobre la influencia del posmodernismo informa al lector sobre filosofías como la deconstrucción, el nuevo historicismo, el feminismo, la teoría *Queer*, y los estudios de los géneros. La influencia de estas filosofías posmodernistas ha contribuido en gran manera para la formación de las bases de la agenda homosexual. Además, estas filosofías han informado sobre la forma en la que los teólogos liberales y líderes de iglesias emergentes han abordado la enseñanza bíblica. Golden ha preparado una serie útil para instruir al lector sobre el pensamiento posmodernista fundamental para los temas de género y sexualidad tal como los promueven varios movimientos humanísticos.

imaginar algo que pueda concientizar con más poder que oír la voz de Dios. Una vez que Dios dice que ser gay es bueno, los argumentos contra la homosexualidad ya no son un error sino una herejía.[10]

De hecho estas son palabras solemnes y si se hacen tales acusaciones, entonces mejor asegurémonos de que la Palabra de Dios gobierne y no las especulaciones humanas.

La pregunta que respondemos en este capítulo es si la Biblia es clara en cuanto a la homosexualidad como pecado. Esta pequeña sección del libro no hará más que apenas tocar la superficie de un tema extenso. Hay volúmenes enormes a disposición si alguien desea profundizar en este asunto. Quizás el más extenso sea el estudio de Robert A. J. Cagnon llamado *The Bible and Homosexual Practice: Texts and Hermeneutics*[11] (La Biblia y la Práctica Homosexual: Textos y Hermenéutica). Deberían considerarse algunos pasajes específicos en los que la claridad bíblica es el centro de atención.

El Antiguo Testamento

Génesis. El libro de Génesis es la historia fundamental de la Biblia. Sin Génesis no hay coherencia en ninguna doctrina bíblica que viene después. Por ejemplo, entendemos la necesidad del evangelio por la historia de Génesis. Necesitamos un Salvador porque el hombre pecó como lo relata Génesis. En Romanos 5 y 1 Corintios 15, Pablo deja en claro que el pecado de Adán requiere el sacrificio de Cristo. Las buenas nuevas es que las verdaderas consecuencias físicas y espirituales del pecado, que tuvieron un punto de comienzo en el jardín del Edén, son realmente conquistadas por todos los creyentes en la muerte y resurrección de Jesucristo. La forma en la cual tratamos el libro de Génesis hace un impacto significativo en la coherencia de toda la Biblia.

En Marcos 10 y Mateo 19, Jesús hizo una referencia histórica a Génesis cuando respondió a las preguntas de los fariseos sobre el divorcio y el casamiento. En ambas referencias leemos que Jesús remite a los fariseos a Génesis y les recuerda que hay una definición y un propósito original para el matrimonio. El casamiento está formado por un hombre y una mujer que dejan a sus padres, se unen y son una sola carne (Mateo 19:4-5; Marcos 10:6-7; Génesis 1:27; 2:24). Hay una formalidad entre el hombre y la mujer al dejar a sus padres y unirse, y una consumación de ese casamiento cuando llegan a ser una sola carne. Esto coincide perfectamente con las instrucciones que Dios les dio al primer hombre y a la primera mujer creados a su imagen. Les dice: "Fructificad y multiplicaos; llenad la tierra, y sojuzgadla, y señoread en los peces del mar, en las aves de los cielos, y en todas las bestias que se mueven sobre la tierra" (Génesis 1:28).

10 Hirshman, *Victory*, 141-142.
11 Robert A. J. Gagnon, *The Bible and Homosexual Practice: Texts and Hermeneutics* (Nashville, TN: Abingdon Press, 2001).

La humanidad, creada especialmente a imagen de Dios, fue creada hombre y mujer con un propósito específico (Génesis 1:26-28). Es el mismo propósito que Dios le repitió a Noé cuando el hombre necesitaba un nuevo comienzo después del juicio del diluvio (Génesis 9:1). El mandato para toda la humanidad era ser fructífero, multiplicarse y llenar la tierra con alabanza y adoración a Dios. Desde la creación del hombre y la mujer y el establecimiento de la unión matrimonial entre el esposo y su esposa, solo hay una manera de cumplir el propósito de la sexualidad humana. Génesis nos ayuda a entender el origen, y al hacerlo entendemos todo lo que es natural.

La manera en la que Dios pretendía que operara la sexualidad humana se entiende al pensar en quiénes él quería que fuéramos cuando nos creó y con qué propósito lo hizo. La relación natural entre un hombre y una mujer se define en las palabras dejar y unirse, ser una sola carne, y multiplicarse y llenar la tierra. Hay un orden natural para que la sexualidad cumpla el propósito que traerá gloria a Dios. Si colocáramos esta declaración en un sentido negativo, concluiríamos que a través de uniones del mismo sexo no hay manera de que la humanidad cumpla el propósito de Dios de multiplicarse y llenar la tierra de adoradores. Sin embargo, también debe decirse que aunque la multiplicación solo es natural en uniones heterosexuales, Dios solo aplica el aspecto de la adoración en el contexto de un hombre y una mujer que *dejan* y *se unen* en el vínculo formal del matrimonio. Esto es lo que Cristo les pronunció a los fariseos con claridad.

Génesis nos da la historia fundamental que nos permite entender las instrucciones y prohibiciones de Dios para la sexualidad humana en el resto de su revelación escrita.

Veamos **Levítico 18:22 y 20:13**: Estos versículos a menudo son muy controvertidos ya que caracterizan la homosexualidad consensual como pecado. Aquellos que disputan la prohibición de la homosexualidad en Levítico lo han hecho usando diferentes ángulos. Al pensar en la atención que se necesita colocar en este libro, tuve la oportunidad de sentarme con un joven que había estado expuesto a algunos argumentos que refutan la naturaleza de la prohibición de la homosexualidad en la Biblia. En esta era electrónica en la cual vivimos los argumentos propuestos por este joven revelaban la disponibilidad de innumerables páginas llenas de información peligrosa que están al alcance de nuestros hijos. Esta realidad también confirmó mi deseo de lidiar más de cerca con los ataques sobre versículos de las Escrituras relacionados con el pecado sexual. Desafortunadamente, debemos ser capaces de defender la claridad de las Escrituras no sólo de los ataques provenientes de aquellos que niegan a Cristo sino también de aquellos que desean profesar a Cristo y al mismo tiempo mantener un estilo de vida homosexual. Necesitamos ser conscientes de las afirmaciones más importantes y las respuestas básicas. Y así comenzamos con Levítico.

No te echarás con varón como con mujer; es abominación (Levítico 18:22).

Si alguno se ayuntare con varón como con mujer, abominación hicieron; ambos han de ser muertos; sobre ellos será su sangre (Levítico 20:13).

Levítico es un libro increíble. Muestra que Dios de hecho tiene un pueblo especial. Israel era un pueblo único curiosamente diferente a todas las naciones que los rodeaban. Mientras se preparaban para entrar en la tierra prometida, guardando sus estatutos debían ser la luz que brillara mostrando la gloria de Dios al mundo (Deuteronomio 4:5-6). La santidad de Dios debía mostrarse en su pueblo mientras vivían en la tierra alrededor de la figura central que era el tabernáculo. Levítico 17 al 26 especifican muchas de estas reglas que separaban a Israel como pueblo santo de Dios.

Si estuviéramos buscando un versículo que respondiera a la pregunta si la homosexualidad es pecado, parece que Levítico 18:22 es bastante claro. Si lo juntáramos con el hecho de que Levítico 20:13 lo reconoce como una ofensa capital, queda poca duda de que para Israel la santidad significaba, entre otras cosas, la prohibición de la homosexualidad.

Quienes más protestan contra una comprensión tan directa de estos versículos, lo hacen en dos áreas. La primera objeción es que algunos pueden considerar que estos estatutos no se aplican porque la sección de Levítico 17—26 también condena elementos que hoy son aceptables para los hijos de Dios y no están prohibidos en el Nuevo Testamento. Por ejemplo, Levítico 19:19 dice que no se deDavid combinar dos semillas diferentes en un sembradío, ni dos tipos de telas en una prenda de ropa. Si dichos estatutos están en esta sección, ¿cómo podemos estar seguros de que estamos aplicando los correctos hoy? Por lo menos, esta es la lógica.

Sin embargo, el punto para nosotros hoy, no es si Levítico se aplica a nosotros como a los israelitas, sino si los mismos patrones continúan enseñándose en el Nuevo Testamento para la iglesia neotestamentaria. Responderemos a esto más adelante cuando veamos pasajes claves del Nuevo Testamento. Jesús no vino para abrogar la ley sino para cumplirla, y al hacerlo, establecer un patrón perfecto para todos los cristianos (Mateo 5:17). El patrón de Cristo en el cumplimiento de la ley y la profecía, es lo que nos capacita para instruirnos mutuamente, para restaurarnos de la esclavitud del pecado, y para llevar las cargas los unos de los otros. Pablo dice que al hacerlo cumplimos la ley de Cristo (Gálatas 6:1-2). Para entender si las prohibiciones de Levítico son igualmente válidas bajo el nuevo pacto, debemos ver cómo se observan bajo las enseñanzas del Nuevo Testamento. Debemos considerar si son aisladas para la nación de Israel o si son parte de lo que Pablo llama la ley de Cristo. Pablo parece depender mucho de Levítico 18 para su debate sobre el pecado sexual en Romanos 1 y 1 Corintios 5 y 6.[12] Las declaraciones de Pablo están correlacionadas con la prohibición de la homosexualidad de la cual leemos en Levítico.

---

12 Ibid., 121-122. Gagnon observa muchos usos idénticos de estas palabras entre las descripciones de Pablo en estos pasajes y las descripciones de las actividades sexuales de Levítico 18.

Aun así, primero debemos preguntar si Israel entendía cualquier manifestación de la homosexualidad de otra manera que no fuera pecaminosa y digna de castigo por ser una distorsión de los patrones de santidad de Dios.

Israel debía ser diferente a todas las naciones que los rodeaban. Los patrones de Dios para su pueblo siempre hacen que sean especiales a los ojos del resto del mundo. Levítico 18:22 y 20:13 no son la excepción. Sin importar cuáles fueran los patrones morales de las culturas vecinas, el pueblo escogido de Dios debía ser un reflejo de su santidad. Estamos en deuda con los eruditos que han descifrado los textos preservados de las naciones vecinas de Israel. Nos han ayudado a evaluar la diferencia de las normas culturales entre Israel y sus vecinos. En un estudio detallado de la evidencia textual del antiguo Cercano Oriente, Wenham identificó que "la práctica homosexual era un aspecto aceptado del entorno mesopotámico".[13] Aunque es evidente que actos como la pederastia (hombres con niños), el incesto y los abusos sexuales eran ilegales y se castigaban con severidad, la evidencia también indica que las actividades homosexuales consentidas entre adultos eran aceptables en las culturas del antiguo Cercano Oriente no israelita. Wenham además declara:

> El antiguo Cercano Oriente era un mundo en el cual la práctica de la homosexualidad era bien conocida. Era una parte integral de la vida en el templo por lo menos en algunas áreas de la Mesopotamia, y fuera de la actividad de culto parece que no se aplica ninguna culpa. Despreciaban a aquellos que regularmente jugaban un rol pasivo en la relación sexual por ser afeminados, y algunas relaciones como las de padres con hijos o la pederastia se consideraban malas, pero aparte de esto, se consideraban bastante respetables.[14]

La Biblia muestra claramente que el mandato para Israel era diferente a lo que se practicaba en las naciones que los rodeaban, y de este modo Israel se identificaba como un pueblo único y santo. Tanto en Levítico 18:22 como en 20:13 no se mencionan actos específicos; es una prohibición general y directa de un hombre que se acuesta con otro hombre. No solo hay una prohibición general contra la actividad homosexual, sino también que el castigo mencionado es igual al castigo para otras ofensas sexuales graves.

La evidencia muestra que las culturas que los rodeaban tampoco toleraban otras ofensas sexuales, como el adulterio o el incesto. Wenham también señala:

> Aquí la homosexualidad se sanciona con la pena capital, lo cual la coloca a la par del adulterio (Levítico 20:10) o los peores casos de incesto (Levítico 20:11-12). Estas eran ofensas que las naciones fuera de Israel veían con seriedad extrema: pero nunca colocaban la ho-

13 G. J. Wenham, "The Old Testament Attitude to Homosexuality", *The Expository Times* 102, Nº 12 (1 de septiembre 1991): 360.
14 Ibíd., 361.

mosexualidad en el mismo nivel. Segundo, debe notarse que ambas partes en una relación homosexual se castigan de igual manera: tanto el participante pasivo como el activo eran condenados a muerte.[15]

Por lo tanto, sugerir que la prohibición de Levítico 18:22 y 20:13 solo se aplica a actos de explotación sexual, es malentender la naturaleza de los mandamientos en general. También perturba el contexto de la separación de Israel de sus vecinos impíos, que no toleraban las ofensas de explotación sexual pero si permitían la práctica homosexual.

Es interesante notar en los comentarios de Wenham (y otros estudios del antiguo Cercano Oriente) que se practicaba la homosexualidad, y en particular la prostitución homosexual, en los rituales de culto. Aunque estaban rodeados por estas prácticas, a Israel se le ordena: "Y no des hijo tuyo para ofrecerlo por fuego a Moloc; no contamines así el nombre de tu Dios. Yo Jehová" (Levítico 18:21). Este versículo viene inmediatamente antes de la prohibición de que un hombre se acueste con otro hombre. Por su proximidad, algunos han sugerido que la prohibición contra la homosexualidad solo radica en su conexión con la prostitución de culto y la idolatría, y no necesariamente al acto homosexual entre adultos de acuerdo muto.[16] Sin embargo, Levítico en esta misma sección sobre la sexualidad también prohíbe el incesto, la zoofilia y el adulterio sin ninguna limitación o mención de las prácticas de culto. Con seguridad, la prohibición de estas prácticas no es exclusiva a las prácticas del templo. Solo hay una manera coherente de comprender el texto de Levítico. Todas las menciones de comportamientos sexuales prohibidos simplemente son una prohibición general. Aun si se enfatizan las prácticas de culto en el versículo 21, la prohibición de la homosexualidad en el versículo 22 no ha perdido su generalidad. Aun más, Gagnon observa con razón que si la limitación específica se refería a la prostitución de culto y a las prácticas idólatras de Levítico 18:22, no tiene sentido que no se haga referencia específicamente a esto de la misma manera en Deuteronomio 23:17-18, donde Dios advierte a Israel a no permitir las prácticas paganas en su medio.[17]

Dios le dio a Israel puntos definidos claros para vivir de manera santa en un mundo impío. Al no guardar los estatutos de Dios, cometerían las mismas abominaciones presentes en las naciones que los rodeaban.

> En ninguna de estas cosas os amancillaréis; pues en todas estas cosas se han corrompido las naciones que yo echo de delante de vosotros, y la tierra fue contaminada; y yo visité su maldad sobre ella, y la tierra vomitó sus moradores. Guardad, pues, vosotros mis estatutos y mis ordenanzas, y no hagáis ninguna de estas abominaciones,

---

15 Ibid., 362.
16 Justin Lee, *Torn: Rescuing the Gospel from the Gays-vs.-Christian Debate* (Nueva York: Jericho Books, 2012), 174-183. Lee es el fundador de *The Gay Chrsitian Network*. Su enfoque sobre Levítico 18 y 20 nos muestra su enfoque sobre los argumentos de Pablo sobre la pecaminosidad del hombre en Romanos 1:18-32.
17 Gagnon, *The Bible and Homosexual Practice*, 131.

ni el natural ni el extranjero que mora entre vosotros (porque todas estas abominaciones hicieron los hombres de aquella tierra que fueron antes de vosotros, y la tierra fue contaminada); no sea que la tierra os vomite por haberla contaminado, como vomitó a la nación que la habitó antes de vosotros. Porque cualquiera que hiciere alguna de todas estas abominaciones, las personas que las hicieren serán cortadas de entre su pueblo (Levítico 18:24-29).

Debemos observar que no solo la homosexualidad se ve como "abominación" en esta sección de Levítico, sin embargo, solo la homosexualidad se especifica así en Levítico 18:22. Mientras que para las naciones que los rodeaban la práctica homosexual era admisible, y la prostitución homosexual de culto era aceptable, Israel debía ver la práctica homosexual en todas sus formas como inaceptables para Dios.[18] No solo eso, sino que toda práctica sexual debía cumplir con los patrones santos de Dios de un matrimonio entre un hombre y una mujer que están basados en los mandatos de la creación encontrados en Génesis.

Al leer la ley en Levítico, podemos tender a sentirnos agobiados por la lista de reglas para que Israel viviera en santidad en la tierra prometida. Podemos perder lo más importante. Los seres humanos necesitan contención santa. Si fuéramos abandonados a nuestra propia estratagema pervertiríamos lo santo y dictaríamos nuestros propios patrones morales como las naciones que rodeaban a Israel. Debemos recordar todo el tiempo que Dios es el Creador, que solo él ha definido la santidad, y que él usa a su pueblo elegido para que su gloria brille en el mundo. Richard Baxter, un puritano del siglo XVII, expresó con asombrosa elocuencia nuestra necesidad de dominio propio santo.

Sin embargo, cuando el hombre despierta cualquier apetito por su propio pecado y costumbres, tal suma de falta de control, hace peligrar el alma y la afecta más que cualquier medida de desorden que simplemente es fruto del pecado original. Esta falta de control de los apetitos, privando la rectitud de la mente y la voluntad, es suficiente para causar el pecado del hombre. Porque si el caballo es obstinado, la debilidad, el sueño, la negligencia o ausencia del cochero es suficiente para derrocar el coche. Así que si la razón y la voluntad no tuvieran inclinaciones positivas hacia la maldad y objetos sensuales, y si tampoco tuvieran amor por las cosas de lo alto como para controlar el apetito sensual, tendrían suficiente inclinación positiva hacia lo prohibido como para arruinar el alma por el pecado.[19]

---

18 Ibid. Gagnon menciona que probablemente se veía como la más aceptable de las prácticas homosexuales, también mencionando que el contexto del antiguo Cercano Oriente, excluir la prostitución homosexual de culto sería lo mismo que descartar todas las formas de práctica homosexual menos aceptadas socialmente.

19 Richard Baxter, *The Practical Works of Richard Baxter: With a Preface; Giving Some Account of the Author, and of This Edition of his Practical Works: An Essay on His Genius, Works, and*

Los israelitas vieron la ley de Dios como buena y perfecta, y nosotros también deberíamos hacerlo. La mejor manera de verla es observando a Jesús quien la cumplió y nos dejó un patrón por el cual vivir. En todo esto podemos estar de acuerdo con el salmista diciendo:

> La ley de Jehová es perfecta, que convierte el alma; el testimonio de Jehová es fiel, que hace sabio al sencillo. Los mandamientos de Jehová son rectos, que alegran el corazón; el precepto de Jehová es puro, que alumbra los ojos. El temor de Jehová es limpio, que permanece para siempre; los juicios de Jehová son verdad, todos justos. Deseables son más que el oro, y más que mucho oro afinado; y dulces más que miel, y que la que destila del panal. Tu siervo es además amonestado con ellos; en guardarlos hay grande galardón (Salmo 19:7-11).

El Nuevo Testamento

Veamos **Romanos 1:22-27**:

> Profesando ser sabios, se hicieron necios, y cambiaron la gloria del Dios incorruptible en semejanza de imagen de hombre corruptible, de aves, de cuadrúpedos y de reptiles. Por lo cual también Dios los entregó a la inmundicia, en las concupiscencias de sus corazones, de modo que deshonraron entre sí sus propios cuerpos, ya que cambiaron la verdad de Dios por la mentira, honrando y dando culto a las criaturas antes que al Creador, el cual es Daviddito por los siglos. Amén. Por esto Dios los entregó a pasiones vergonzosas; pues aun sus mujeres cambiaron el uso natural por el que es contra naturaleza, y de igual modo también los hombres, dejando el uso natural de la mujer, se encendieron en su lascivia unos con otros, cometiendo hechos vergonzosos hombres con hombres, y recibiendo en sí mismos la retribución debida a su extravío.

Nuestro pastor Peter es de Nueva York y cuando habla nadie duda de sus peculiaridades neoyorquinas. De vez en cuando nos juntamos solo para animarnos mutuamente. Cuando lo hacemos, generalmente encontramos motivos para reírnos sobre nuestra franqueza mutua. No es que no tengamos nada de diplomacia, sino que nos permitimos dejar de lado algunas defensas. Conocemos las intenciones el uno del otro y no hay confusión con relación a las prioridades. Muchas veces veo lo mismo en el apóstol Pablo. Él no trata con timidez el tema de la impiedad y las consecuencias del pecado sexual. También deja en claro que a veces necesitamos extender gracia a los otros en temas de menor importancia, como por ejemplo, la comida que ingerimos o los días que guardamos (1 Corintios 8:8-9; Romanos 14:5-6). El hecho en sí de que Pablo sistemáticamente aclara temas variados importan-

---

Times; and a Portrait, in Four Volumes (Grand Rapids, MI: Soli Deo Gloria Pub., 2008), 223.

tes no da lugar a la confusión en sus declaraciones del pasaje de Romanos que vimos anteriormente.

Pablo tampoco da lugar a la confusión cuando se trata del rechazo del evangelio. El evangelio es revelación pura de la justicia de Dios (Romanos 1:16-17), y esta justicia se revela por la proclamación de las buenas nuevas. Es por eso que Pablo estaba tan ansioso de predicar el evangelio a quienes estaban en Roma (Romanos 1:15). Cuando se proclamase el evangelio, la justicia de Dios se revelaría a los oídos romanos. Pablo además señala que la justicia de Dios también se revela en el rechazo de la proclamación del evangelio. Ha revelado su justicia a través de su ira visible en aquellos que se oponen a la verdad. De este modo, Pablo también revela que la fe es el vehículo por el cual Dios salva, tanto a judíos como a gentiles. Además, ninguno de los dos grupos tiene excusas, ni judíos, ni gentiles.

El arrepentimiento y la respuesta de fe al evangelio de Cristo nos llevan a una relación correcta con nuestro Creador. Ya no servimos a nuestro ego con celo idólatra, sino que somos justificados y renovados a semejanza de Cristo. Al leer más adelante en Romanos 1, nos encontramos con ejemplos obvios y visibles de la diferencia entre la vida justa por la fe y la vida injusta que se opone a la verdad. El ejemplo más prominente es el de la sexualidad, y Romanos no es el único lugar en el que Pablo usa la sexualidad como ejemplo de impiedad. En 1 Tesalonicenses 4:3-5 Pablo declara lo siguiente:

> Pues la voluntad de Dios es vuestra santificación; que os apartéis de fornicación; que cada uno de vosotros sepa tener su propia esposa en santidad y honor; no en pasión de concupiscencia, como los gentiles que no conocen a Dios....

Por lo tanto, la justicia de Dios se demuestra tanto en la fidelidad de los santos como en la ira de Dios hacia los incrédulos. Polhill describe la revelación de la ira de Dios aun más:

> Pablo la describe diciendo que Dios "los entregó" (vs. 24, 26, 28). La ira de Dios no solo se expresa en el juicio futuro, sino que también se manifiesta cuando Dios permite que el pecado siga su curso natural y destructivo en *esta* vida. Todos están incluidos en la condenación de Dios, tanto los que participan en tales acciones como los que las justifican con su aprobación silenciosa.[20]

Cuando entendemos el contexto del capítulo introductorio de Pablo, vemos la verdad simple y sencilla en ejemplos de idolatría visibles en este mundo. En los versículos 26 y 27, hay un ejemplo prominente de sexualidad relacionado con el orden natural creado. En los versículos 28-31, hay una lista más amplia de vicios morales que también descriDavid un corazón idólatra. Pablo no solo nos da ejemplos visibles de la justa ira de Dios revelada en el idólatra, sino que nos ayuda a entender cuál es la definición de un

---

20 John B. Polhill, *Paul and His Letters* (Nashville, TN: Broadman & Holman, 1999), 285.

idólatra haciendo alusión a Génesis 3. En Romanos 1:25, Pablo escribe que los gentiles han cambiado la verdad de Dios por la mentira y han adorado y servido a las criaturas antes que al Creador. Esto nos trae un cuadro vívido del relato del pecado original en el jardín del Edén, donde Adán y Eva desobedecieron a su Creador por buscar la sabiduría humana según su opinión. Antes de esto, en el versículo 23 Pablo dice que han cambiado la gloria del Dios incorruptible por imágenes semejantes a las cosas creadas en Génesis 1. La gloria humana no debe subestimarse. Nuestra gloria se encuentra solo en nuestro Creador y él nos la ha impartido al crearnos a su imagen (Génesis 1:26). Adorar cualquier cosa aparte del Creador es colocar lo que no fue creado a su imagen sobre aquello que lo fue. En esencia, estamos colocando la creación por encima del valor del Creador. Cuando adora cualquier cosa aparte del Creador, la humanidad es idólatra. Esto era visible para los gentiles, pero Pablo les señala a los judíos que ellos también eran culpables (Romanos 2:21-24).

Inmediatamente después de la alusión de Pablo a Génesis 1-3, le siguen ejemplos de cómo la idolatría distorsiona el orden creado por Dios. Los gentiles estaban cambiando lo que era natural por lo que era contra la naturaleza (vs. 26-27). Se ha debatido mucho sobre lo que significa ser contra la "naturaleza" en estos versículos (Gr. *Physikos; φυσικός*). Algunos han sugerido que esto simplemente significa ir contra la orientación natural sexual de cada uno. Pero si así fuera, significaría que no es natural que una persona que dice tener una orientación homosexual entablara relaciones heterosexuales. Entonces, si alguien hace algo así, por definición ya no es homosexual. No solo eso, sino que el uso de Pablo de la palabra *phusis* ("naturaleza") contradice tal definición. Burke declara: "Para Pablo, naturaleza (de la familia de palabras:φύσις) no se refiere a la orientación sexual individual. La naturaleza se refiere a los propósitos de Dios para la creación en el evento primigenio de crear al hombre y a la mujer.[21] Schreiner también trata este punto haciendo referencia al uso específico de Pablo en la Septuaginta griega de palabras relativamente inusuales para el hombre y la mujer de Génesis 1 (*arsen*, "masculino"; *thelys*, "femenino"). Estos términos llevan nuestra atención al carácter distintivo del hombre y la mujer, sugiriendo que las relaciones con el mismo sexo violan la intención de la creación de Dios.[22] El contexto es sumamente importante. Sin duda Pablo hace referencia a Génesis y nos ayuda a entender que cuando habla de lo que es natural, debe definirse por el orden creado. Cualquier definición diferente para lo que es natural tendría que *introducirse* en el texto pues no es esto lo que *sacamos* del mismo.

Pablo ha dejado su punto extremamente claro. Si alguien rechaza la proclamación del evangelio, no tiene excusa (esto también se señala específicamente para los judíos en Romanos 2). La justicia de Dios es visible en cómo

---

21 Denny Burk, *What Is the Meaning of Sex?* (Wheaton, IL: Crossway, 2013), 201.
22 Thomas R. Schreiner, "A New Testament Perspective on Homosexuality", *Themelios* 31, Nº 3 (1 de abril 2006): 65.

trata con misericordia a aquellos que vienen a la fe en Jesucristo. La justicia de Dios también es visible en aquellos que en su maldad se oponen a la verdad de Dios y se aferran a la idolatría. La justicia de Dios con respecto a esto se ve en el hecho de que Dios los entrega a su vida idólatra, caracteriza-do por el hecho de que han tratado de pervertir el orden de la creación. La homosexualidad es un reflejo de la idolatría y el ejemplo más prominente de contradicción de lo natural tal como Dios lo había planeado a través de la creación. No hay cláusulas especiales en Romanos 1:26-27 que nos den la idea de que la homosexualidad se considere en un sentido restringido, ni para el hombre ni para la mujer. La homosexualidad en *todo* sentido se ve como un clásico ejemplo de la perversión antinatural del orden natural de la creación. Tipifica la rebeldía contra nuestro Creador. Debemos observar que la lista de otros vicios en los versículos 28-31 también muestra la revelación de la ira de Dios sobre una humanidad pecaminosa. Aun así, la homosexua-lidad es un ejemplo concreto de cómo el hombre corrompe lo que es natural. Pablo fácilmente podría haber dicho que la homosexualidad es un ejemplo de aquello que Dios nunca diseñó en su obra de la creación.

Al Mohler escribió una síntesis adecuada para estos versículos:

> La naturaleza devastadora del veredicto justo de Dios sobre la pecaminosidad del hombre se aclara con la referencia específica al pecado sexual detallado en este texto. La fórmula que se repite tres veces en este texto (más el vs. 28), "Dios los entregó", son algunas de las palabras más escalofriantes de juicio que se encuentran en la Biblia. El carácter definitivo de esta fórmula constituye un veredicto irrefutable sobre la naturaleza de la homosexualidad.[23]

Al observar el mundo de hoy, ciertamente podemos ver la aceptación creciente de la homosexualidad, particularmente en el occidente. A veces pa-rece que estamos viviendo en la era homosexual. Al identificar estos tiempos en los cuales vivimos debemos tener un cierto cuidado. Debemos cuidarnos de la idea de que el crecimiento de la homosexualidad sea indicativo de que la nación está bajo el juicio o la maldición divina. El contexto de Romanos 1:18-23 no es el rechazo de las naciones de Jesucristo como Salvador y Crea-dor, sino el rechazo de individuos impíos. Es un juicio general contra la hu-manidad, no un juicio especial hoy. Sin embargo, lo que estoy diciendo es que hacer tal declaración significaría suponer demasiado. Romanos 1 deja en claro que la razón por la cual vemos un aumento en la homosexualidad en Norteamérica es porque cada vez más individuos rechazan a Cristo.

Sin importar su entendimiento particular de lo que significa que "Dios los entregó" como nación o individuos, tenga cuidado de no tener un enfo-que equivocado sobre la moralidad nacional como la solución, pues así el centro será la moralidad nacional y no la liberación individual por el evange-

---

23 John Piper y Justin Taylor, *Sex and the Supremacy of Christ* (Wheaton, IL: Crossway Books, 2005), 120.

lio. Pablo no busca una solución moral o cultural sino la solución que ofrece el evangelio para cada corazón individual. En estos versículos de Romanos, que revelan la ira de Dios al entregarlos a sus pecados carnales, está representado el mundo entero de incrédulos. La condenación de Romanos 1 es universal, al igual que Juan 3:18: "El que en él cree, no es condenado; pero el que no cree, ya ha sido condenado, porque no ha creído en el nombre del unigénito Hijo de Dios". Si nuestro mayor enfoque está en el cambio moral de la nación, nos perderemos el cuadro más amplio de Romanos de un mundo de gente precipitándose hacia el infierno. Es fácil equivocarse y pensar que si la inmoralidad nacional es el problema, entonces la moralidad nacional es la solución. No debemos ver a las personas que viven en el pecado de la homosexualidad como el problema en nuestro país. Al contrario, debemos verlas como personas que se permiten un comportamiento antinatural e idólatra, y que pueden encontrar la cura en el evangelio. Entonces debemos proclamar el evangelio de Cristo que salva, no el aumento de la moralidad nacional. Aunque el estilo de vida homosexual es un ejemplo vívido de lo que no es natural, debemos recordar que hay una lista de vicios en Romanos 1:28-31 que representan un mundo perdido y moribundo. Por lo tanto, debemos unirnos a Pablo proclamando que no nos avergonzamos del evangelio de Cristo, porque de hecho es el poder para la salvación primeramente de los judíos y después de los gentiles.

Hablando de David, estos puntos fueron muy importantes. Si mi visión del pecado de la homosexualidad hubiera sido basada en la inmoralidad nacional en vez de en la rebelión individual, esta visión pudo haber afectado mi conversación con él. Podría haber enfatizado un cambio en su comportamiento en vez de tratar de ejemplificar y compartir el evangelio como la única solución que podía salvar su vida. Podría haber tratado solo con las manifestaciones superficiales de su pecado, en vez de llamarlo al arrepentimiento por su pecado a los pies de la cruz. Estoy agradecido porque no debemos buscar la moralidad nacional para salvar a nuestro país, sino a Cristo glorificado en obediencia a la proclamación del evangelio. La gloria de Dios se manifestó aun más cuando David fue salvo a través de la proclamación del mismo. David entendió que estaba siendo rebelde contra su Creador. Era ciudadano del reino de este mundo y necesitaba entrar al reino de Cristo.

Romanos 1 fue una lectura esencial para David. La claridad del apóstol Pablo lo ayudó a entender que seguir sus deseos homosexuales de la carne no solo estaba fuera de lo que Dios había planeado para la humanidad en la creación, sino que también era el pecado de la idolatría. El problema no era que él fuese parte de una maldición nacional, sino que estaba bajo la condenación universal de los incrédulos como un rebelde contra su Creador tal como todos los pecadores desde la caída en Génesis 3. La única solución estaba en la simiente de la mujer que aplastaría la cabeza de la serpiente.

1 Corintios 6:9-10 y 1 Timoteo 1:9-10: Otros dos pasajes que son muy discutidos y contienen listas de vicios morales que incluyen la homosexualidad están en 1 Corintios y 1 Timoteo. En 1 Corintios, hay un recordatorio sumamente importante de que estamos constantemente rodeados de personas que han recibido la generosidad de la gracia de Dios. Nosotros también tenemos que extender gracia. Los versículos de Timoteo están en el contexto de que Pablo lo exhorta a guardar la fe ante los falsos maestros y de aquello que distrae en el ministerio del evangelio. Pablo desea que las personas sean atraídas en amor a una fe sincera en Cristo, y la ley sin duda es útil ya que condena a quienes no siguen la ley y lleva al pecador a su necesidad de gracia.

En ambas secciones Pablo usa un término que no se encuentra antes en ningún otro lugar de la literatura griega. La palabra es *arsenokoitai*, y hay buenos motivos para creer que Pablo lo deriva de otros dos términos separados de la Septuaginta (una traducción griega del Antiguo Testamento) en Levítico 18:22 y 20:13. En esos pasajes que ya hemos considerado, el término *arsenos* y *koiten*, cuando son usados juntos, se refieren a aquellos que se acuestan con otros varones.[24] En el pasaje de Corintios la palabra griega *malakoi*, que simplemente significa suave, acompaña esta palabra. Tal como se disputa la prohibición general de la homosexualidad en Levítico, algunos argumentan que *arsenokoitai* debe interpretarse como prostitución masculina o pederastia. Esto significaría que quienes tratan de definir esta palabra permiten de este modo que se autoricen las relaciones homosexuales y que solo se prohíban la prostitución y pederastia en estas listas de vicios del Nuevo Testamento. Sin embargo, estas definiciones aíslan la palabra al compararla con la naturaleza general de los otros términos de la lista de vicios de 1 Corintios 6 y 1 Timoteo 1.

> ¿No sabéis que los injustos no heredarán el reino de Dios? No erréis; ni los fornicarios, ni los idólatras, ni los adúlteros, ni los afeminados, ni los que se echan con varones (*malakoi/arsenokoitai*), ni los ladrones, ni los avaros, ni los borrachos, ni los maldicientes, ni los estafadores, heredarán el reino de Dios (1 Corintios 6:9-10).

> ...conociendo esto, que la ley no fue dada para el justo, sino para los transgresores y desobedientes, para los impíos y pecadores, para los irreverentes y profanos, para los parricidas y matricidas, para los homicidas, para los fornicarios, para los sodomitas (*arsenokoitai*), para los secuestradores, para los mentirosos y perjuros, y para cuanto se oponga a la sana doctrina (1 Timoteo 1:9-10).

Hollinger (de forma similar a Gagnon) además señala que parece evidente el uso general de *arsenokoitai* en la iglesia primitiva: "Varios escritores de la iglesia primitiva usaron el término mayormente para referirse a relaciones con el mismo sexo en general, no a una clase restrictiva o a relaciones con el mismo sexo en condiciones de explotación".[25]

---

24   Schreiner, "A New Testament Perspective on Homosexuality", 67.
25   Dennis P. Hollinger, *The Meaning of Sex, Christian Ethics, and the Moral Life* (Grand Rapids, MI:

En correlación directa con Levítico 18 y 20, parece que cualquier otra definición que no sea la de la práctica homosexual en general sería incoherente con la interpretación de estos pasajes. Una vez más queda claro que junto con otros vicios condenables, la homosexualidad viola los patrones de Dios para la santidad, por lo tanto, es pecado.

Al usar estos términos que derivan de Levítico, Pablo expuso un enfoque divinamente inspirado de este texto del Antiguo Testamento, al mostrar el patrón de Dios para la sexualidad. Es evidente que Pablo ve que dichos patrones de Levítico son constantes en todas las Escrituras como en los primeros cinco capítulos de Génesis. Ahora él advierte a la iglesia de Cristo a permanecer puros y a guardarse de todas esas prácticas de las cuales fueron salvos y que están contra la sana doctrina.

Pensamientos Finales

Me llevó mucho tiempo aceptar la idea de llamar el pecado de David por su nombre. Sí, estaba luchando contra la tentación y los deseos homosexuales. Nos ayudó poder llamar el pecado por su nombre, porque solo así pudimos definir correctamente un camino hacia el arrepentimiento. Fue una ayuda inestimable trabajar en conjunto con el pastor Peter y contar con el apoyo de otros en la iglesia. Quienes nos conocían sabían cómo ayudarnos a hacer a David responsable por su comportamiento. Quienes me conocían me hacían responsable por el mío. Una vez que el pecado tuvo una definición clara de la Palabra de Dios, y con el apoyo de una comunidad de creyentes amorosos, el objetivo de David era claro. Era una cuestión de obediencia a Cristo y del poder de Espíritu Santo.

Las conversaciones sobre el pecado pueden parecer desesperadamente condenatorias; sin embargo, hemos descubierto que identificar el pecado en nuestra vida puede ser increíblemente liberador. David fue capaz de reconocer su naturaleza pecaminosa y de llamar a su pecado específico por su nombre. Después yo pude hacer lo mismo con el mío: el orgullo. Mi orgullo propio me hacía preocupar constantemente por mi reputación, y yo constantemente buscaba a Dios para que quebrantara mi orgullo y me capacitara para amar a mi hijo y para guiarlo a Cristo. Dios me quebrantó y me cambió. Me di cuenta de la magnitud de mi cambio el día que David se bautizó. Allí estaba él, de pie frente a la iglesia. Frente a mí y cientos de personas, le dijo a la congregación que había estado luchando con el pecado de la homosexualidad. Mis ojos se llenaron de lágrimas de gozo. No estaba preocupado en lo absoluto porque mi hijo usara la "palabra con H" frente a personas que me conocían. No me importaban para nada los errores que pudieran pensar que yo había cometido. En su gracia Dios había llevado a David a un lugar en el cual podía mirar de frente el pecado de la homosexualidad y arrepentirse.

Baker Academic, 2009), 192.

En su gracia Dios me había llevado a un lugar en el cual podía mirar al pecado del orgullo de frente y arrepentirme (y aun lo hace).

Llámalo por su nombre. Enfrenta la realidad. Busca ayuda y responsabilízate. Arrepiéntete. Porque en la cruz de Cristo recibirás perdón.

La Perspectiva de David

Aunque sabía que la homosexualidad estaba mal, no siempre me alegraba saberlo. Debo confesar que buscaba en la Biblia tratando de encontrar la forma de practicar la homosexualidad sin sentirme culpable o como si estuviera desobedeciendo a Dios. No encontré nada. Cuanto más buscaba, más condenado me sentía. Parecía que cada versículo que leía mencionaba la homosexualidad en el contexto de cosas que "me mandarían al infierno". Me sentía culpable, lo cual me podría haber llevado a la depresión, si Cristo no me hubiera llevado al arrepentimiento. Tenía que responsabilizarme por mi pecado para poder arrepentirme. Fueron los momentos más difíciles pero más liberadores de mi vida.

La Perspectiva de Peter

Si somos honestos, aun el hombre de Dios más instruido reconocerá que aunque sabe lo que dice la Palabra de Dios, en sus momentos más débiles de tentación llega a pensar: "...pero seguramente en este caso es diferente".

Steve sabía lo que decía la Palabra de Dios y David también. Sin embargo, entender la realidad que era muy personal para ambos sin duda fue un desafío. Steve buscaba desesperadamente un término referencial diferente al que estaba establecido en las Escrituras.

David simplemente buscaba en las Escrituras algo que la Biblia no dice. En lugar de buscar la salida de Dios, buscaba una escapatoria en la Palabra de Dios que le permitiera actuar según sus deseos.

Cuando se trata de pecado que tratamos de racionalizar, lo único que hacemos es inventar mentiras racionales. En vez de eso, tanto Steve como David tenían que llevar sus pensamientos cautivos a la obediencia a Cristo (2 Corintios 10:5), eligiendo agradar a Dios en vez de autosatisfacerse.

Trabajando con ellos vi que el viejo dicho resultó ser cierto: "De tal palo, tal astilla". Gracias a Dios, se demostraría que las raíces que Dios había establecido en su Palabra los ayudarían a ambos a medida que tratábamos de aplicar la Palabra de Dios para cambiar y crecer para ser más como él.

Capítulo 3

Construir Confianza sobre Verdades Objetivas

Por la gracia de Dios, había una perspectiva fundamental en su vida que David no estaba dispuesto a abandonar, aun estando cara a cara con tentaciones y pruebas irresistibles. Esta fue la perspectiva que Dios usó para que David confiara en la Biblia y fuera convencido de pecado. En su soberanía, Dios permitió que yo fuera el padre de David. Por ser parte de nuestra familia él tuvo el beneficio de una fortaleza en particular que había pasado de padre a hijo. Esa fortaleza se podría describir como fidelidad a la Biblia, la enseñanza de que ella es la única y plena autoridad, y cómo defenderla. Lo bueno es que este tipo de compromiso no se adquiere solo por herencia. Puede comenzar en cualquier generación como lo hizo con mi padre, el abuelo de David.

Desde mi temprana edad, recuerdo que mi padre me enseñó a confiar en la Biblia como la inerrante e infalible Palabra de Dios. Cuando se trataba de la autoridad de la Biblia, mi padre nunca escatimaba sus palabras. Muchas veces lo oía citar frases bíblicas como: "Así dice el Señor" y "¿No habéis leído?". Y no eran meras palabras. Él las demostraba en su vida y se esforzaba sobremanera por demostrar la confiabilidad y lógica de la Palabra de Dios en comparación con las filosofías del mundo. Muchas veces yo veía que personas se acercaban a él para que les diera respuestas que ellos no encontraban. Él les enseñaba que las respuestas no estaban en su intelecto sino en la Palabra. Dios lo utilizó en mi vida para mostrarme continuamente que su Palabra de hecho es perfecta. Si yo obedecía o no, era otra historia. De todas formas, yo sabía que era la verdad y finalmente esa confianza en la Palabra de Dios culminó con un enfoque más profundo en la cruz, el arrepentimiento de mis pecados, y una fe verdadera en el evangelio de Cristo.

La autoridad de las Escrituras es una doctrina que ha estado en mis labios casi toda mi vida. Palabras como *inerrancia, infalibilidad, suficiencia,* y *autoridad* han sido amigos constantes en mi vocabulario y que David oyó de manera regular a medida que crecía. También me alegra decir que desde que estamos atravesando esta prueba con David, palabras como *gracia, misericordia, amor, paciencia* y *amabilidad* también han encontrado un lugar más prominente en mi voz. La mayor parte de su vida, David oyó un eco exacto de su abuelo. Comparado con mi padre, yo he tenido el beneficio extra de un arsenal de investigación que siempre estaba creciendo en el área de la autoridad de la Palabra y la defensa de la historia bíblica. Me he saturado con materiales que enseñan cómo defender las Escrituras.

David nació solo meses después de la muerte de mi padre, así que, lamentablemente, nunca se conocieron. Sin embargo, no hay dudas de que la Palabra de Dios que estaba impresa en el corazón de mi padre ha tenido un impacto generacional en su nieto. Mi padre nunca podría haber previsto que su influencia entraría en juego cuando la confusión y la tentación de la atracción hacia el mismo sexo confrontaran a David.

Nuestra familia está lejos de ser perfecta, y este libro de hecho es un testimonio de ello. Aun así, estoy agradecido porque Dios nos ha dado este entusiasmo generacional por la autoridad de su Palabra que ha sido trasmitido y aceptado por tres generaciones. También observo que esta pasión por la fidelidad a la Palabra de Dios y la enseñanza de su autoridad no es suficiente. Mi propia familia diría que nuestro enfoque ha madurado ya que no hemos abandonado el compromiso a su autoridad pero hemos adquirido un énfasis mucho mayor en nuestro hogar sobre la prioridad de la persona de Cristo y su evangelio. No pretendo sugerir en lo absoluto que no es importante defender la autoridad bíblica; quiero plantear el hecho de que la apologética bíblica es importante en los hogares cristianos e iglesias de nuestros días. En esta era pro homosexual en la cual vivimos, le doy gracias a Dios porque utilizó la confianza de David en la Palabra de Dios como fuente autoritaria de la verdad para combatir las filosofías subjetivas del hombre. A través de la obra del Espíritu Santo en la vida de David, estas bases que Dios le dio permitieron que él permaneciera atento a las verdades y los consejos bíblicos, que se convenciera de pecado y que finalmente llegara a una vida de claridad completa en la verdad a través del arrepentimiento y la fe en Jesucristo.

Hasta el momento, David ya ha compartido unas palabras de testimonio sobre una época en su vida en la cual buscaba en las Escrituras una fisura que le permitiera un estilo de vida homosexual. No pudo hacerlo. Cuando David se me acercó para conversar sobre su problema, ya no tenía ninguna ilusión sobre ese estilo de vida; ya que sabía que estaba errado. No estaba confundido; tenía miedo. La primera vez que David se acercó a mí para hablar sobre su pecado, lo hizo sabiendo que estaba mal y buscando ayuda. Opino que esta actitud señala un buen comienzo para tratar con el pecado.

David y yo tuvimos muchos momentos tensos. Mientras yo trataba al máximo de disciplinar y guiar con amor y gracia que se centraran en el evangelio, experimenté tanto el éxito como el fracaso. David luchaba con la tentación, la confusión, la frustración y el enojo, y también tuvo éxito y fracaso. Fue el tiempo de mayor prueba que he enfrentado en cualquier relación humana. El pecado causa presión y este hecho era evidente en David. Imaginen la presión del pecado y sus consecuencias en el hogar. A esta tensión agréguenle el mensaje mundano que dice que el pecado es aceptable y que debemos seguir nuestro corazón y nuestros afectos. Era necesario que tuviéramos buenos motivos para confiar en la autoridad de un mensaje que dice que estos afectos son pecaminosos y requieren arrepentimiento. Era necesario confiar que el Dios que demanda santidad es la definición de la perfección y la santidad. Era necesario tener confianza de que esta expectativa de santidad viene de la Autoridad máxima.

Escribo este capítulo con gratitud. Estoy sumamente agradecido porque Dios utilizó el fundamento de la apologética bíblica y la enseñanza fidedigna a tal punto que David no buscó una solución para su problema en las filosofías de este mundo. Ni siquiera lo consideró. Ya sabía que la Palabra de Dios es la autoridad en cualquier asunto que trata, y podía defender por qué es la autoridad y por qué es la única explicación lógica para el mundo en el cual vivimos. Podía defender la verdadera historia de Génesis. La Biblia le daba sentido al mundo, y en ese aspecto, David sabía que no estaba viviendo de acuerdo con los patrones del Creador. Aun al comienzo del proceso de consejería, Peter, nuestro pastor, me dijo que en medio de todos sus problemas, David aun confiaba en la veracidad de la Biblia.

Algunos pueden preguntarse por qué veo tanta conexión entre la apologética bíblica y el tema de la homosexualidad, especialmente en el libro de Génesis. Hay dos razones: en primer lugar, Génesis es la historia fundamental que está relacionada directamente con la autoridad y credibilidad de las Escrituras señalando la santidad absoluta de Dios; en segundo lugar, Génesis es la historia fundamental necesaria para entender la hombría y femineidad bíblicas (hablaremos de esto en el capítulo cuatro).

Aspectos de la Cosmovisión, Empezando por Génesis

Se ha investigado muchísimo para tratar el problema de la próxima generación y su falta de asistencia a la iglesia, y yo he leído mucho al respecto. Desafortunadamente, aunque gran parte de la investigación y análisis estadísticos menciona la preocupación por el éxodo de los jóvenes y los cambios culturales, poco se dice sobre cómo lidiar con la naturaleza agresiva de la competitiva cosmovisión. Los establecimientos de educación pública, a los cuales asisten la mayor parte de los niños de familias cristianas, son naturalistas y evolucionistas. Esa es también la cosmovisión de los medios de comunicación desde Hollywood hasta la Internet, y aun los juegos de video. Steve Wright, pastor y autor, lo reconoce en parte cuando dice con relación a los padres: "Deben estar en guardia y constantemente filtrar los mensajes que reciben, y entender que la mayoría de estos mensajes de la cultura están en directa oposición con la Palabra de Dios".[1]

En respuesta a muchos sondeos que indican el éxodo de los jóvenes de la iglesia, un grupo dedicado a esta investigación (*America's Research Group*) realizó una encuesta con aquellos que ya pasaron por esto para descubrir por qué se habían ido. Una de las respuestas principales tenía que ver con dudas relacionadas con la Biblia.[2] Para responder a esto, Ken Ham declaró: "Lo más probable es que sus jóvenes estén siendo bombardeados por influencias seculares. Deben enseñarles a defender la Palabra, y a vivir de acuerdo con ella en un mundo antagónico y anticristiano".[3] Con esto no quiero decir que enseñarle a alguien a defender las Escrituras y a permanecer en la iglesia equivale a la salvación. Aun así, queremos que nuestros jóvenes permanezcan en la iglesia donde pueden estar bajo el mensaje del evangelio y el ministerio que los acerca a Cristo. Cuanto más entiendan la relevancia y la credibilidad de la Biblia, más probable será que reconozcan la importancia de su verdadero mensaje de salvación, al cual deben responder bajo la convicción del Espíritu Santo. El problema es que viven en un mundo que constantemente niega la credibilidad tanto del libro como del mensaje.

La cosmovisión naturalista y anticristiana se enseña desde la primaria y aun está presente en los programas de televisión para niños de edad preescolar. Los padres no deben subestimar las influencias que les suscitan preguntas, ya que si no obtienen respuestas los llevarán a dudar de la Palabra de Dios. Defender la Biblia empezando por Génesis puede llegar a ser un elemento que reafirme la proclamación del evangelio en una era escéptica. Y muchos padres necesitan reforzar esta área.

Como observamos antes, la autoridad realmente importa en esta batalla. Debemos tener mucha confianza en la fuente de autoridad cuando se trata de la cosmovisión porque este es un tema clave, y si nuestros jóvenes no tienen confianza para defender la cosmovisión bíblica, podemos estar seguros de que a través de los sistemas educativos y los medios de comunicación estarán aprendiendo a defender la humanística. Las ideas tienen consecuencias. Lo que nuestros hijos terminarán creyendo sobre la sexualidad estará directamente relacionado con su compromiso, o falta de compromiso, con la cosmovisión bíblica o cristiana. Esta cosmovisión comienza en los primeros versículos de Génesis y se va entendiendo en su totalidad de manera progresiva hasta llegar al final de Apocalipsis.

La Cosmovisión y la Sexualidad

Al estudiar Génesis, podemos entender mucho sobre el mundo en el cual vivimos. Desde Génesis 1, entendemos que primero está el Dios eterno

---

1   Steve Wright y Chris Graves, *A Parent Privilege: That the Next Generation Might Know—Psalm 78:6* (Wake Forest, NC: In Quest Publishing, 2010), 38.
2   Ken Ham, Britt Beemer y Todd Hillard, *Already Gone: Why Your Kids Will Quit Church and What You Can Do to Stop It*, (Green Forest, AR: Master Books, 2009), 167-180.
3   Ibid., 154.

que existe por sí mismo y creó los cielos y la tierra. En seis días normales con mañanas y tardes, creó los cielos y la tierra y todo lo que hay en ellos, incluyendo el pináculo de la creación: la humanidad. Al séptimo día descansó, y a base de esto entendemos la ley del Antiguo Testamento y por qué el mundo tiene semanas de siete días (Éxodo 20:11). En el primer capítulo de Génesis aprendemos que las especies se reproducen según su especie (p. ej.: los perros engendran perros, los gatos engendran gatos, etc.). Entendemos que el hombre fue creado diferente a los animales y a imagen de Dios. Entendemos que la tierra estaba cubierta de agua hasta que surgió la tierra, y que el sol, la luna y las estrellas fueron creados en el cuarto día después de la creación del mundo. Entendemos que las plantas aparecieron dos días antes que los pájaros y la vida marina, los cuales fueron creados un día antes que los animales terrestres y el hombre.

Todos los detalles que explicamos antes, y otros, se oponen directamente a la cosmovisión naturalista a la cual están expuestos cada uno de nuestros hijos que viven en el occidente. Esta cosmovisión naturalista comienza con la nada que de alguna manera llega a ser algo y que se expande rápidamente. Supuestamente, en un período de más de quince mil millones de años, se produjo el *big bang*, la formación de las estrellas, la tierra que comenzó como una masa amorfa fundida, las aguas que se formaron sobre la tierra, y vida que comenzó de alguna manera. Después de millones de años de muerte, selección y tiempo, una forma de vida de algún modo desarrolló nueva información genética (un proceso no observable) para producir nuevas funciones. A través de este supuesto proceso de desarrollo evolutivo, criaturas semejantes a los simios finalmente evolucionaron hasta convertirse en el hombre. Aunque esta filosofía acepta los requisitos de la sexualidad reproductiva, ¿por qué habría alguna causa en esta cosmovisión naturalista para cumplir con cualquier concepto de moralidad sexual?

De acuerdo con la cosmovisión bíblica, hay propósitos específicos para la unión matrimonial entre el hombre y la mujer. Por supuesto, está el mandamiento de ser fructífero y multiplicarse como lo dice Génesis 1:28, un mandato que solo puede cumplirse con la unión de un hombre y una mujer, específicamente a través de la pareja que deja a sus padres y se une, lo cual se explica mejor en Génesis 2:24. Parecería que en la relación especial del matrimonio, el deseo sexual entre el esposo y su esposa no solo tiene el propósito funcional de multiplicarse, sino también el de acercarlos solo a ellos en esa unión. En la creación perfecta, el deseo sexual no distorsionado impulsaría a Adán solo en dirección de Eva. También debemos determinar que los redimidos de Cristo deben ser conscientes de que aun en este mundo caído el deseo sexual debe reflejar la gloria de Cristo y su iglesia al encontrar satisfacción solo en la unidad de esposo y esposa (Efesios 5:22-32). También debemos señalar que cuando se tiene una cosmovisión cristiana el propósito de todo, incluyendo la sexualidad, al final es dar la gloria a Dios (Salmo 19:1, 57:5, 72:19; Romanos 11:36; Efesios 3:21; Filipenses 4:20; Apocalipsis 1:6).

Según la cosmovisión naturalista, el único propósito de la unión heterosexual es la reproducción. Aunque la unión heterosexual es esencial para la progresión evolucionaria, esto no significa que la homosexualidad sea considerada anormal en la cosmovisión evolucionista. Hay quienes han dicho que en el mundo de hoy con recursos limitados, la homosexualidad tiene un efecto positivo como método para el control demográfico.[4]

De acuerdo con la cosmovisión evolucionista, los estudios seculares se han enfocado en descubrir si la homosexualidad es mayormente (o únicamente) una norma fisiológica o biológica. Se han escrito libros que asocian la supuesta actividad homosexual en animales con sus efectos evolutivos en las actividades humanas. Tales teorías aun se han usado en los tribunales de justicia como supuesta evidencia para intentar anular con éxito las leyes de Texas y otros estados norteamericanos con el propósito de legalizar la homosexualidad.[5] Al informar sobre esta influencia en los cambios legales en Texas, un periodista del *New York Times* declaró lo siguiente:

> Este creciente cuerpo científico ha provocado debates intensos sobre la homosexualidad en la sociedad norteamericana, en temas desde el casamiento gay hasta las leyes relacionadas con la sodomía, a pesar de la reticencia de los expertos del campo para extrapolar la experiencia de animales a humanos. Los grupos homosexuales argumentan que si el comportamiento homosexual ocurre en animales, entonces es natural, y por lo tanto, los derechos de los homosexuales deberían protegerse. Por otro lado, algunos grupos religiosos conservadores han condenado las mismas prácticas en el pasado, diciendo que son de carácter "animal".

> Pero si la homosexualidad ocurre entre animales, ¿significa necesariamente que también es natural para el hombre? Y esto plantea una cuestión familiar: si la homosexualidad no es una elección sino el resultado de fuerzas de la naturaleza que no se pueden controlar, ¿puede ser inmoral?[6]

La cosmovisión es un factor principal en nuestro debate de hoy. Este punto no le ha pasado desapercibido a Linda Hirshman, quien escribió la historia de la "Revolución Gay Triunfante". Hirshman primero señala: "La iglesia cristiana ha estado tranquila durante siglos suponiendo que Dios creó el mundo para sus propios propósitos, incluyendo la variedad limitada

---

4   G. Roger Denson, "Homosexuality as Population Control?" Why Gays & Lesbians Are Essential to the Balance of Nature". *Huffington Post*, 17 de noviembre 2010, http://www.huffingtonpost.com/g-roger-denson/is-homosexuality-populati_b_784449.html.

5   Bruce Bagemihl, *Biological Exuberance: Animal Homosexuality and Natural Diversity* (Nueva York: St. Martin's Press, 1999).

6   Dinitia Smith, "Love That Dare Not Squeak Its Name," *The New York: Times*, 7 de febrero 2004, sec. Arts, http://www.nytimes.com/2004/02/07/arts/love-that-dare-not-squeak-its-name.html.

de deseos sexuales legítimos".[7] Después escribe que en la evolución darwiniana:

> No hay Dios ni hombre para cuyo beneficio haya sido organizado el mundo natural. Las cosas mutan y los más fuertes sobreviven. Aun algo como el sexo no reproductivo, el cual simplemente no parece tener un mecanismo de sobrevivencia, obviamente tiene conexión con la sobrevivencia (o por lo menos no causa daño), porque los organismos con una orientación hacia el sexo no reproductivo, de hecho sobreviven. En el mundo darwiniano, cualquier cosa que existe, buena o mala, por definición es "natural".[8]

Hirshman también explica cómo la batalla de la cosmovisión ha impactado los sistemas educativos públicos en los Estados Unidos:

> Las escuelas públicas de hecho *son* el lugar donde pueden entrar en conflicto los valores de un estado liberal y secular con los valores religiosos y jerárquicos de la familia. Esto es una realidad por lo menos desde la polémica del (*Monkey Trial*) que se llevó a cabo por enseñar la ciencia de la evolución en 1925... Nos guste o no, cuando se aprende sobre la evolución en las escuelas públicas, los niños están aprendiendo a cuestionar la confiabilidad de la Biblia.[9]

Yo mismo he visto los efectos de esta influencia. Muchos padres se me han acercado en conferencias para decirme que sus hijos han negado la fe por la cosmovisión naturalista que es tan agresiva en las instituciones de educación pública a las cuales asisten. Finalmente, Hirshman declara: "Sin que los padres se dieran cuenta, las escuelas les enseñaban a sus hijos en cuanto al sexo, incluyendo cómo podían tenerlo sin justificar su propósito natural de reproducción. En Massachusetts, y en otros lugares, como parte del programa que promueve la diversidad en las escuelas públicas, se incluían libros que mostraban familias con padres del mismo sexo".[10]

Quiero enfatizar que no estoy usando estas citas para tomar una posición sobre el fin de la cristiandad en los Estados Unidos. Son solo un ejemplo de las implicaciones de dicha cosmovisión sobre el pensamiento moral y ético, y un ejemplo general del mundo caído en el cual vivimos. Como cristianos, por lo menos debemos entender algo sobre nuestra cultura para estar al tanto de cómo proteger y enseñar a nuestros hijos, y cómo señalarles a ellos y a quienes nos rodean el mensaje salvador de Jesucristo. Debemos estar educados sobre este campo de batalla que es la cosmovisión.

La fuente de autoridad para las supuestas normas homosexuales viene directamente de esta cosmovisión. Finalmente, nuestras creencias sobre

7   Linda R. Hirshman, *Vistory: The Triumphant Gay Revolution* (Nueva York: Harper Perennial, 2013), 73.
8   Ibid.
9   Ibid., 304-305.
10 Ibid., 305.

los orígenes determinarán nuestra moralidad. Nuestros puntos de partida determinarán nuestra ética, y hablando de ética, no hay posición neutral. Si estudiaremos la sexualidad humana, esta será determinada por la lente de la cosmovisión que usemos para interpretar la evidencia humana, ya sea biológica, fisiológica o sociológica. Es importante tomar todo eso en cuenta porque cuando se trata de asuntos morales, nuestras creencias sobre la fuente de la moralidad determinarán los resultados. ¿Hay un Dios que creó todas las cosas y que establece los patrones, o es la construcción social, fisiológica y biológica de millones de años la que los determina? Quizás se coloca tanta credibilidad en los estudios humanos que publican que "se nace gay", porque se busca un determinante para la moralidad fuera de Dios. Aunque se ha escrito mucho para refutar los descubrimientos de dichos estudios, por lo menos será provechoso proveer en este capítulo un breve panorama de los dos más usados. Después de todo, parte del dogma de la sociedad en la cual vivimos, y en la cual criamos a nuestros hijos, se ha basado en las afirmaciones y retórica de estos estudios, los cuales están fundamentados por una cosmovisión en particular.

El estudio de LeVay propone que una región en particular del cerebro (el tercer núcleo intersticial del hipotálamo anterior, NIHA-3) es más grande en los hombres heterosexuales que en las mujeres o en hombres homosexuales.[11] Los resultados de 1991, que fueron usados como "evidencia" de que hay quienes nacen homosexuales (y LeVay aun los cita)[12] fueron inconclusos. Algunos de los individuos (cadáveres) de un grupo clasificado como hombres homosexuales, en realidad tenían el NIHA-3 más grande que los heterosexuales, y en algunos de los heterosexuales era más pequeño que el promedio de los clasificados homosexuales. LeVay, motivado por su propia orientación sexual, estaba determinado a probar una predisposición biológica para la homosexualidad. Esto no era un secreto. El estudio de LeVay no fue ni repetible ni refutable. También parece que LeVay no está de acuerdo en considerar otras causas para la homosexualidad fuera de los factores biológicos.[13]

En sus últimos escritos, también está comprometido con la cosmovisión. El Dr. LeVay declara: "La observación del comportamiento homosexual entre animales sugiere que la capacidad de dicho comportamiento pudo haber evolucionado por una variedad de razones... Por supuesto, estas razones también pueden ser relevantes en el caso de los seres humanos".[14] Para el Dr. LeVay, los seres humanos son solo animales al final del proceso evolutivo. Lo que vemos en los animales debería darnos información sobre lo que es aceptable o normal en el comportamiento humano.

---

11 Simon LeVay, "A difference in hypothalamic structure between heterosexual and homosexual men," *Science* 253, no. 5023 (agosto 1991): 1034–1037.
12 Simon LeVay, *Gay, Straight, and the Reason Why: The Science of Sexual Orientation* (Nueva York: Oxford University Press, 2012).
13 Ibid., 271.
14 Ibid., 71.

Con su estudio de gemelos, Pillar y Bailey intentaron luchar contra la "homofobia" mostrando que la mayoría de los gemelos compartían la misma orientación sexual.[15] Aparentemente, cuando se trataba de gemelos, alrededor del 52% tenían la misma orientación sexual, mientras que en los mellizos era solo del 22%. Sin embargo, este estudio también es inconcluso ya que el 48% de los gemelos no compartía la orientación sexual, demostrando así que tiene que ver con más que la genética. Además, todos los gemelos crecieron en los mismos hogares, y por lo tanto, el estudio fue incapaz de descartar los factores ambientales, si de alguna manera hubiesen contribuido.

En el ámbito de los estudios genéticos y la homosexualidad, hay muchas afirmaciones y refutaciones. Todo se resume con dos palabras y siendo yo generoso al escogerlas, esas palabras son: *no concluyentes*. Aun así, hay preguntas que deben responderse. ¿Qué pasaría si hubiera estudios concluyentes que fueran verdaderamente observables, comprobables, repetibles y verificables? ¿Qué pasaría si la conclusión fuera que hay una especie de mutación genética que ha llevado a algunas personas a tener una tendencia a la homosexualidad? Como ya mencionamos, el Dr. LeVay está comprometido con la idea de una predisposición biológica, y afirma: "Los factores biológicos nos dan la orientación sexual en el sentido de una tendencia o capacidad para experimentar la atracción sexual hacia un sexo, o el otro, o ambos".[16] Aun después de decir esto, confiesa: "Hay otros factores que influyen en lo que hacemos con esos sentimientos".[17]

La cuestión es que aun si se encontrara una mutación que llevara a las personas a una tendencia hacia la atracción homosexual, el Dr. LeVay prácticamente sugiere que la verdadera elección moral, si vamos o no a actuar de acuerdo con ella, aun está frente a nosotros. Los cristianos lo entienden como la realidad de vivir en un mundo caído en el que todo ser humano tiene una tendencia hacia el pecado. Esto no quiere decir que el comportamiento homosexual sea correcto. Los patrones de Dios deben obedecerse, o será considerado rebelión contra el Creador. Es aquí que la cosmovisión es esencial. ¿Somos una colección de moléculas reorganizadas sin propósito o voluntad? Si pensamos que lo somos, ciertamente no se puede esperar que resistamos al deseo homosexual. Es la determinación de las moléculas la que nos obliga a hacer lo que hacemos. Pero siendo creados a imagen de Dios, somos responsables ante el Creador, y desviarnos de su patrón es rebeldía. Lejos de Cristo, no tenemos poder contra el pecado, pero a través del arrepentimiento y la fe en Cristo, somos capaces de resistir al pecado con el poder de Dios mientras buscamos su gloria. Aunque los cristianos fallamos en el mundo, solo por el poder de Cristo, es posible no caer en tentación (1 Corintios 10:13).

---

15 Michael Bailey y Richard Pillard, "A Genetic Study of Male Sexual Orientation," *Archives of General Psychiatry* 48, no. 12 (1991): 1089–1096.
16 LeVay, *Gay, Straight, and the Reason Why*, 272.
17 Ibid.

Aunque el debate sobre la homosexualidad es un asunto de la propia cosmovisión, en el fondo es una cuestión de autoridad. ¿Permitiremos que nos guíe la autonomía humana en todas sus formas o nuestra guía es la autoridad de Dios? La autonomía humana es una autoridad subjetiva. Un gran ejemplo de dicha subjetividad es evidente cuando Justin Lee, el fundador de *Gay Christian Network* (Red Cristiana Gay), explica por qué no cree que la homosexualidad sea una decisión. Dice: "Mientras crecía siempre creí firmemente que los homosexuales elegían serlo, pero *aprendí por experiencia propia* que este no es el caso" (énfasis añadido).[18] Es por su experiencia que Justin Lee ha determinado que tiene una tendencia a la homosexualidad, y su experiencia ha influido en todo lo demás en su vida, inclusive en cómo interpreta los pasajes bíblicos sobre la homosexualidad. La autoridad bíblica dice que sin importar qué nos lleve a ser tentados por el pecado, todos somos responsables ante Dios de acuerdo con sus patrones, no los nuestros.

El aspecto fundamental de este debate no es el tema de la predisposición. Si el mundo solo depende del origen biológico para determinar la homosexualidad como norma, es porque no hay consideración por el Creador. No se considera que él creó un mundo perfecto que ahora está caído por el pecado y que él juzga ese pecado con ira santa. Sin estas cosas, no hay necesidad de buscar la esperanza de la salvación en Jesucristo.

Finalmente, el tema fundamental es la autoridad de la Palabra de Dios. Según la cosmovisión evolucionista, la homosexualidad es solo una cuestión de factores biológicos, sociológicos o fisiológicos. Esto es lo que enseña el mundo, y esta cosmovisión es predominante en el sistema de educación pública y en los medios de comunicación en general. Este capítulo nos llama a alertar sobre la importancia de una educación cuya cosmovisión sea cristiana, particularmente en la historia de Génesis, donde reside este debate sobre la autoridad fundamental.

Permanecer Firme sobre los Fundamentos

¿Qué tan firmes deben ser los fundamentos? Me refiero al mundo y su escepticismo bíblico. Vemos este escepticismo promovido tanto con sutileza como abiertamente. Al decir esto, también vemos un mundo confiado, no escéptico, en sus propias posiciones. Raras veces oímos dudas sobre conceptos de la evolución o de los millones de años. Aun tratándose del asunto de la homosexualidad existe la retórica de una confianza mundana en la propuesta de que las personas nacen homosexuales y que es su derecho natural y aun moral seguir el estilo de vida para el cual nacieron. Esta retórica está basada en estudios construidos sobre la cosmovisión evolucionista. Especialmente entre ámbitos de grupos minoritarios dentro de la sociedad, como los grupos ateos o los activistas gay, la defensa de su propia confianza mundana

---

18 Justin Lee, *Torn: Rescuing the Gospel from the Gays-vs.-Christians Debate* (Nueva York: Jericho Books, 2012), 53.

ha resultado en ataques abiertos contra los cristianos y la Biblia. Después de todo, la Biblia es el polo opuesto de la cosmovisión evolucionista para los estudios que alimentan la confianza de esta idea de "nacer gay". Si la Biblia es considerada poco fiable, ¿por qué creer en ella? ¿Por qué no ajustarse al resto del mundo?

Oímos estos ataques en algunas preguntas puntuales: Si hay un Dios amoroso, ¿por qué hay tanta muerte y sufrimiento en el mundo? ¿Cómo puede ser verdad la Biblia si los registros geológicos muestran el progreso evolutivo? ¿Dónde encontró Caín a su esposa? ¿Cómo puedes creer que la tierra es joven cuando la datación radiométrica prueba que las rocas tienen millones y mil millones de años? ¿Cómo llega la luz de las estrellas a la tierra en tan poco tiempo? ¿Y qué de los dinosaurios y los hombres mono? ¿No es la Biblia solo un derivado de la mitología del antiguo Cercano Oriente? Y mi favorita: ¿Cómo puede un Dios bueno mandar a su pueblo a cometer un genocidio?

El propósito de este capítulo, o este libro, no es enfrentarme a todas las preguntas asociadas con la apologética bíblica. Diciendo esto, es importante señalar que la mayor parte del escepticismo bíblico solo podrá responderse a través de un compromiso con la historia fundamental de Génesis. Muchos ministerios apologéticos han producido un sinnúmero de materiales en internet, videos, libros y programas de estudio para ayudar a la iglesia a responder las preguntas escépticas de nuestros días. La batalla es real. Si la iglesia pierde terreno en el área de la fiabilidad de Génesis, como consecuencia caerá en manos de un mundo que desea aceptar solo las explicaciones naturalistas para el comportamiento humano en su esfuerzo por erradicar la responsabilidad para con el Creador.

Preguntas tales como "¿Cómo puede un Dios bueno mandar a su pueblo a cometer un genocidio?" están basadas en una agenda en particular. Si el mundo puede determinar que el Dios de la Biblia no es recto a nivel moral, ¿por qué seguir sus reglas? Se puede decir lo mismo si alguien trata de convencer a otros de que la historia de la Biblia no es científicamente fiable. ¿Por qué deberíamos obedecer los mandatos de un libro que no es confiable? Estas preguntas pueden responderse, y la única respuesta constante se encuentra en la defensa fundamental de Génesis y en la aplicación de un razonamiento basado en la información bíblica (no en la autonomía humana).

Siendo que en este libro tratamos con un tema moral en particular al cual el mundo se opone seriamente, consideremos un grave ataque contra el carácter de Dios en materia de la moralidad. ¿Por qué tendría que someterse el mundo a la moralidad de Dios cuando él es el mismo que ordenó que Israel aniquilara naciones en su trayecto para ocupar la tierra prometida? En Deuteronomio 20:16-18 leemos lo siguiente:

> Pero de las ciudades de estos pueblos que Jehová tu Dios te da
> por heredad, ninguna persona dejarás con vida, sino que los des-

truirás completamente: al heteo, al amorreo, al cananeo, al ferezeo, al heveo y al jebuseo, como Jehová tu Dios te ha mandado; para que no os enseñen a hacer según todas sus abominaciones que ellos han hecho para sus dioses, y pequéis contra Jehová vuestro Dios.

Algunos cristianos dirían que solo debemos responder a esta pregunta señalando que la mayoría de las personas que la hacen no tienen fundamento moral para cuestionarlo en primer lugar. ¿Por qué un mundo incrédulo se preocuparía por lo correcto y lo errado, y qué base tendría la cosmovisión naturalista para hacerlo? Para hacer dicha pregunta sería necesario tomarse prestado el sentido de autoridad moral de la cosmovisión cristiana. Aunque esta perspectiva comunica una verdad lógica, en cierto modo, es una respuesta incompleta.

El enfoque aquí es dar un ejemplo de la naturaleza esencial de la historia fundamental de Génesis. Si este mundo no fue creado originalmente en perfección total y absoluta reflejando el carácter de un Dios perfectamente santo, entonces el tema de la justificación de Dios al ordenar la erradicación de las naciones de la tierra prometida no tiene respuesta. Al final de la semana de la creación, Dios describió su obra completa diciendo que todo era "bueno en gran manera" (Génesis 1:31). La creación era un reflejo del carácter del Creador. Si la creación tuviera una sola imperfección, esta sería un reflejo del carácter de Dios. En el mundo no había pecado. No había muerte o corrupción en el mundo físico (Génesis 2:17, 3:17; Romanos 8), ni actividad carnívora (Génesis 1:29-30), ni espinos ni cardos (Génesis 3:18). Solo después de la rebelión pecaminosa del hombre vemos las consecuencias de la caída, y aun las vemos hoy. Sin embargo, antes del pecado no existía ninguna de estas consecuencias, y una creación perfecta hubiera reflejado el carácter de un Dios perfectamente puro y santo.

Si Dios no fuera tan perfectamente santo y justo al punto de que la rebelión humana no mereciera la intensidad completa de su ira, entonces el mandato de Dios de matar a los habitantes de la tierra que servían a otros dioses hubiera sido una atrocidad. El apóstol Pablo escribe: "Por tanto, como el pecado entró en el mundo por un hombre, y por el pecado la muerte, así la muerte pasó a todos los hombres, por cuanto todos pecaron" (Romanos 5:12). En Adán, todo hombre nace en rebeldía contra nuestro Creador y con un problema inherente de pecado, y ninguno de nosotros es inocente ante Dios. *Todos* merecemos que Dios ponga fin a nuestra vida ahora. No hay inocentes, y quienes habitaban en la tierra de Canaán tampoco debían considerarse inocentes. La verdad devastadora es que el pecado del hombre es la causa por la cual este mundo ya no refleja la perfección de Dios. Sin embargo, la historia bíblica no da lugar para que el Creador sea otra cosa sino perfecto, como lo refleja su creación perfecta y sus juicios justos sobre la rebelión del hombre.

Si está mal que Dios extienda su ira sobre la rebelión del hombre, entonces no debe ser digno ni de obediencia total y completa, ni de adoración como corresponde a un Dios perfectamente santo. ¿Cómo puede el Dios de la Biblia no ser digno de lealtad completa? Lo es, y preguntas como ésta nos ofrecen una gran oportunidad para hablar sobre el carácter perfecto de Dios y la rebelión universal del hombre, comenzando por entender una creación perfecta y sin mancha que representa su carácter, y la tragedia de la caída del hombre. Sin recibir la gracia de Dios a través del arrepentimiento y la fe, toda la humanidad merece y recibirá muerte consciente tanto física como eterna bajo el juicio de Dios. Las naciones que Israel quitó de la tierra prometida fueron removidas para que Israel no fuera tentada a apartarse de su lealtad hacia su Dios recibiendo así el mismo fin que todos aquellos que estaban fuera de la gracia de Dios.

También debemos señalar que Israel misma no era digna de la gracia de Dios y recibió misericordia en vez de la misma ira que fue derramada sobre las otras naciones. Josué también le recuerda esto a Israel al final de sus días cuando escribe: "Y dijo Josué a todo el pueblo: "Así dice Jehová, Dios de Israel: Vuestros padres habitaron antiguamente al otro lado del río, esto es, Taré, padre de Abraham y de Nacor; y servían a dioses extraños" (Josué 24:2). La pregunta no es por qué Dios administra su juicio final, sino por qué extiende misericordia. Es más sorprendente que Dios haya derramado su ira por el pecado humano sobre su único Hijo, Jesucristo, quien nunca pecó. Siendo que Jesús pagó nuestra pena por completo, a través del arrepentimiento y la fe en él, podemos ser declarados justos a los ojos de Dios.

Cualquier asunto relacionado con la moralidad y el castigo de Dios está basado en el carácter de Dios y tiene su historia fundamental en la perfección de la creación que primeramente reflejaba la perfección de su carácter. Esto coloca sobre la humanidad la responsabilidad final por el pecado y la rebelión, por lo cual somos responsables ante Dios. En esta era pro homosexual en la cual vivimos, los cristianos tenemos una tarea muy importante de defender la autoridad de la Palabra de Dios comenzando por Génesis. Si los cristianos perdemos en Génesis la autenticidad, fiabilidad y credibilidad de la Biblia, perdemos la verdad fundamental para luchar en aspectos de moralidad y de la credibilidad del evangelio. Nuestro objetivo es ayudar a las personas, incluyendo a nuestros propios hijos, a comprender el hecho de que ellos también están bajo la ira de Dios como rebeldes morales que necesitan el perdón y la gracia de Dios que se encuentran solo en Cristo.

Cuanta más educación tengan nuestros hijos para defender la autoridad bíblica desde el primer versículo, más fácil será que se acerquen a nosotros para pedirnos ayuda cuando les llegue la tentación. Enseñarles a nuestros hijos solo una perspectiva elevada de las Escrituras no es suficiente. El evangelio es central y preeminente en la enseñanza, porque solo por el evangelio se puede ser salvo. Como padres comprometidos con los mandatos de Deuteronomio 6 que hablan de colocar las Escrituras frente a nuestros hijos en cada oportunidad que tengamos, deseamos que ellos por lo menos respeten el libro del cual extraemos el mensaje del evangelio. Para David, el respeto por la Biblia fue lo que Dios usó para convencerlo de pecado. Fue a través de ese proceso que Dios lo salvó.

Un Llamado a la Integridad Bíblica

Hoy, con todas las posiciones diferentes que los eruditos proponen con relación a Génesis, puede ser confuso discernir lo que la Biblia dice en realidad si la persona no es lo suficientemente fuerte como para soportar la presión de las ideas mundanas de los millones de años y la evolución. Lamentablemente, muchos hombres, aun buenos hombres que amo y respeto, han adoptado algunas de las ideas naturalistas mundanas y las han introducido en su comprensión de Génesis. En algunos casos, han redefinido el significado de las palabras y del tipo de texto para explicar el paso de tantos años y aun de algunos procesos evolutivos.

En una batalla que requiere no menos que adherencia a la perfección absoluta de Dios para vindicar su ira por la rebelión del hombre, la posición que afirma que la tierra es antigua debilita en gran manera la posición cristiana. Lo que tienen en común quienes mantienen este punto de vista de la tierra antigua es su compromiso con la idea de millones de años. Siendo que estos millones de años no encajan en ningún lugar de la cronología bíblica, solo se puede ubicar a la fuerza antes de Adán y Eva, y aun así requiere una redefinición de la terminología y/o de la estructura del texto de Génesis. Se plantea que las diferentes capas de rocas y registros de fósiles tienen millones de años de acuerdo con los métodos modernos para determinar la edad. Los registros fósiles son un relato de muerte, sufrimiento, actividad carnívora, espinos y cardos. Si estos estaban presentes antes del hombre moderno y la declaración de Dios de que la tierra era buena en gran manera, hemos perdido la discusión relativa al carácter de Dios. Estamos diciendo que un mundo lleno de muerte, sufrimiento, actividad carnívora, espinos y cardos, es el reflejo del carácter de Dios. Estoy agradecido porque nunca estuve dispuesto a expresar tal declaración. Si permitimos la idea de los millones de años, hemos perdido la discusión relativa a cualquier asunto moral y la justificación por la ira de Dios sobre el pecado. Solo si estamos comprometidos con el relato bíblico de la creación, podremos mantener la perfección del carácter de Dios y entender por qué sus patrones, no los del mundo, son los únicos a los cuales debemos nuestra devoción en realidad. La única manera de confiar en la moralidad de Dios es verla claramente como el punto de referencia perfecto con el cual todos debemos estar comprometidos.

Tomar una fuente externa para interpretar la Biblia se llama eiségesis[19]. Eso es lo que acontece cuando tomamos las filosofías del mundo y las in-

---

19 [*Eiségesis* – El proceso de interpretación de un texto de tal manera que introduce una presuposición propia, subjetiva y hasta prejuiciosa sobre el texto. Ed.]

sertamos en las Escrituras. No es mi intención condenar a mis hermanos en Cristo que tienen la posición de la tierra antigua, sino apelar a ellos para que no traten la Biblia eisegéticamente. También es mi intención llamar nuestra atención para que no mezclemos las filosofías de este mundo con la única fuente de la verdad que es la Palabra de Dios. Debemos recordar las palabras de Colosenses 2:8, donde Pablo escribe: "Mirad que nadie os engañe por medio de filosofías y huecas sutilezas, según las tradiciones de los hombres, conforme a los rudimentos del mundo, y no según Cristo".

Ken Ham dice lo siguiente en su libro *Six Days*:

> Muchos miembros de iglesias (y especialmente sus hijos y generaciones venideras) reconocen que si la Biblia debe ser reinterpretada a base a las opiniones cambiantes del hombre, entonces no puede ser la verdad absoluta. Cuando a quienes van a la iglesia, especialmente a los jóvenes, se les enseña a usar la exégesis en Génesis, como consecuencia, siguiendo esta línea, aplicarán este mismo método para la interpretación del resto de la Biblia. Entonces, por qué no apropiarse de las ideas seculares sobre el matrimonio (p. ej.: el casamiento homosexual) y reinterpretar la doctrina del casamiento en la Biblia. Esto es lo que acontecerá con las generaciones venideras en la iglesia.[20]

Un Llamado a Centrarnos en el Evangelio

En este capítulo, he expresado la gran importancia de la apologética bíblica para poder ayudar a la nueva generación a tener confianza en la autoridad y fiabilidad de las Escrituras, inclusive el mensaje sobre el carácter de Dios, el pecado del hombre y el evangelio de Cristo. Sin duda, la apologética bíblica comenzando por Génesis es importante. Aun así, siento la necesidad de dar una última advertencia sincera. He visto familias que se aferran tanto a la apologética bíblica, específicamente relacionada con la creación, que el evangelio termina ocupando el segundo lugar. También debo confesar que la mía por un tiempo fue una de esas familias. Aun si nuestros hijos conocen la verdad y pueden defender la fe, debemos cuidar que nuestros hogares estén centrados en el evangelio, y enseñar todo el consejo de la Palabra de Dios. Después de todo, es el evangelio lo que salva, no la apologética bíblica. El evangelio debe permanecer en el centro y en una posición elevada como el mensaje prioritario en nuestros hogares. Esto no le quita importancia a la apologética bíblica, solo eleva el evangelio de Cristo al lugar que le corresponde. En nuestros hogares, se debe enseñar la apologética bíblica pero el evangelio debe ser el condimento esencial. Es a través del evangelio que Dios salva. La apologética es de vital importancia para entender por qué creemos en la Biblia en nuestra era escéptica. Es importante defender la verdad bíbli-

---

20 Ken Ham, *Six Days: The Age of the Earth and the Decline of the Church* (Green Forest, AR: Master Books, 2013), 98.

ca y los patrones de la santidad de Dios y su Palabra la cual nos convence de pecado. La apologética debe considerarse una manera útil para derribar las barreras culturales y proclamar el evangelio con más claridad. En última instancia, el evangelio es lo más importante porque Jesús es tanto el único camino para la salvación como la única puerta para reflejar la gloria de nuestro creador.

Pensamientos Finales

Fue un alivio cuando David se me acercó para hablarme sobre su problema de pecado. Él sabía que la manera en que la sociedad en la cual vivimos ve el mundo no se puede conciliar con las Escrituras. Sabía que no se puede entender todo lo que vemos en el mundo de ninguna otra manera sino a través de la lente de las Escrituras. Conocía las respuestas básicas para defender la integridad de la Biblia. Sabía que Dios es real y el Creador de todas las cosas. Aun sabía que Jesús es verdaderamente el Salvador del mundo y que la salvación solo es posible a través de su muerte en la cruz y su resurrección de los muertos. Dios usó la verdad de su Palabra en la vida de David para convencerlo de que su pecado estaba impidiendo que conociera a Dios de verdad de manera que le permitiera ser perdonado y declarado justo a los ojos de Dios a través de la fe en Jesús. No importaba si tenía una predisposición hacia la homosexualidad. Solo importaba que supiera que la Palabra de Dios es la verdad. Solo importaba que, no solo por este pecado en particular sino por toda su pecaminosidad, estaba destituido de la gloria de Dios. Solo importaba que se arrepintiera, creyera y viviera no como un joven identificado por su tentación, sino como un joven identificado por su Salvador.

La Perspectiva de David

Antes de hablar con mi papá, la verdad de la Palabra de Dios ya me había llevado a un lugar en el cual podía decir: "¡Miserable de mí! ¿quién me librará de este cuerpo de muerte?" (Romanos 7:24). El mundo a mi alrededor no me había llevado a dudar de mi fe en Jesús como el único camino, la verdad y la vida, ni me había engañado pensando que es posible ser gay y un seguidor de Cristo verdaderamente arrepentido. Ese conocimiento de la salvación y el evangelio fue una bendición que Dios me había dado a través de las enseñanzas de mi padre. Pero ¿de qué manera puede ayudar este conocimiento de Dios a una persona que está atrapada en su pecado? Lo convence de su pecado. El hecho de saber que estaba perdido sin esperanza me atormentaba, y no podía hacer nada al respecto. Lo que sucedió después se explica mejor en Efesios 2:4-10:

> Pero Dios, que es rico en misericordia, por su gran amor con que nos amó, aun estando nosotros muertos en pecados, nos dio vida juntamente con Cristo, (por gracia sois salvos), y juntamente con él

nos resucitó, y asimismo nos hizo sentar en los lugares celestiales con Cristo Jesús, para mostrar en los siglos venideros las abundantes riquezas de su gracia en su bondad para con nosotros en Cristo Jesús. Porque por gracia sois salvos por medio de la fe; y esto no de vosotros, pues es don de Dios; no por obras, para que nadie se gloríe. Porque somos hechura suya, creados en Cristo Jesús para buenas obras, las cuales Dios preparó de antemano para que anduviésemos en ellas.

Gracias sean dadas a Dios quien me liberta a través de Jesucristo nuestro Señor.

La Perspectiva de Peter

"Nunca pensé que al rendirme podría sentir la libertad". Esta es una de las líneas de una canción llamada "Hermosa la Sangre" de Steve Fee que cantamos en nuestra iglesia. Siempre me conmueve, aun ahora al escribirla.

El evangelio cambia todas las cosas. Eso es todo. La Palabra de Dios que es objetiva e inmutable nos permite encontrar libertad al rendir nuestra vida al Señor. Cristo pagó nuestra deuda al morir por nuestros pecados. En su resurrección, somos partícipes de su victoria sobre la muerte. Como nuevas criaturas que ya no somos atormentados por el aguijón del pecado, ahora podemos aplicar su Palabra para crecer y llegar a ser más como él muriendo a uno mismo, abandonando lo viejo, y vistiéndonos del nuevo hombre en Cristo cada día (1 Corintios 15:55-57; Efesios 4:22-24).

Qué diferencia hace la entrega en la vida del creyente, especialmente en el proceso de consejería. Sentado frente a mí ese día estaba un joven nuevo, uno que había sido transformado por la gracia soberana, salvadora y santificadora de Dios. En su misericordia, Dios había usado las circunstancias en la vida de David para efectuar una transformación en su vida cuya prioridad no fue de índole sexual o para enmendar su relación con su padre. Primero, el Señor le dio un nuevo corazón y una relación con su Padre celestial. Ahora David estaba más atraído por su deseo de seguir a Cristo que a sí mismo, y el Señor estaba preparando su corazón rendido para tomar grandes pasos para su gloria y para el bien de David.

Capítulo 4

Génesis, el Hombre y la Mujer

¡Actúa como un hombre! Ver a un hijo o hija mostrando un comportamiento diferente a lo que es natural para su género puede ser bastante preocupante para un padre. Sin duda, con David, yo tenía algunas preocupaciones significativas, y mi tendencia era señalar todos los detalles que para mí eran obvios. David había empezado a mostrar características que yo consideraba culturalmente femeninas, y que había notado aun antes de que él me hablara de su problema específico de pecado. Es interesante que mi esposa, Trish, no lo notaba tanto como yo. Yo, como hombre, me daba cuenta. Mi radar solo señalaba que me sentía incómodo, y tenía serias preocupaciones. De hecho, durante ese tiempo me di cuenta de que por mis acciones y respuestas, había empezado a enfatizar la hombría bíblica pero en los términos de las normas de la masculinidad cultural. Lo comprendí por un comentario que David me hizo cuando lo estaba criticando. Me preguntó si quería que cambiara su interior o solo el exterior. ¡Me dolió!

Pensaba que en nuestro hogar yo era un buen modelo de lo que es ser un hombre según la Biblia, pero en realidad estaba recalcando la masculinidad cultural y menospreciando la hombría bíblica. Era cabeza de nuestro hogar, el líder espiritual, pero aun más, yo era un hombre de verdad. Me encantaba el rugby, el deporte de los hombres rudos, y si se trataba de comida, que me dieran carne, ¡por favor! Sin embargo, me di cuenta de que en realidad no era el gran ejemplo de hombría bíblica que yo pensaba, pero tampoco puedo decir que no existieran otros ejemplos. ¿De dónde habían surgido los cambios en David?

Mientras David estaba siendo aconsejado según la Palabra de Dios, muchas veces me trasmitía las cosas que Peter le enseñaba sobre la masculinidad. Aun me corregía diciendo que yo buscaba lo externo pero que la Palabra de Dios se ocupa del corazón. Y luego me contaba lo que había aprendido sobre las cualidades características del hombre. Aunque conocía el contenido básico de lo que David me trasmitía, me comencé a preguntar si estaba siendo equilibrado con lo que enfatizaba referente a la masculinidad bíblica. No fue hasta entonces que comencé a colocar el énfasis donde correspondía, más de acuerdo con lo que oía de Peter. Gracias al hecho de que Dios usó a Peter y David, se me prendió la bombilla de mi entendimiento para que me volviera más equilibrado en mi manera de abordar la masculinidad como padre, tanto en la enseñanza como en mi comportamiento. Es demasiado fácil permitir que nuestra obediencia a Dios se convierta en una fachada exterior.

Sin importar por qué David estaba exhibiendo algunas características que se podían percibir como femeninas, se volvió mi deseo refrescar la memoria de mi hijo sobre lo que significa ser un hombre. También tenía que ser ejemplo del hombre cristiano en mi vida, matrimonio y como padre. Eso era lo difícil, especialmente porque pensaba que yo me esforzaba por hacerlo, como esposo y padre. Sin embargo, como dije antes, descubrí que había algunas discrepancias importantes, y creo que Dios estaba disponiendo en mi vida la fase siguiente de crecimiento. Tenía que arrepentirme y cambiar algunas cosas y Trish, mi esposa, también. Había cosas que estábamos haciendo bien, pero también cosas en las que estábamos fallando. Por ejemplo, era un experto en frases cortas. Era fácil entrar a casa después de un largo día y solo dar una orden cuando no estaba satisfecho con algo. Con el pasar del tiempo, me di cuenta de que yo aconsejaba a otros a no ser la clase de marido y padre que yo estaba siendo. Esperaba obediencia sin siquiera considerar qué estaba pasando en la vida de mi familia en ese momento. Esperaba respeto sin darlo. Esa es la clase de autoridad que exaspera a nuestros hijos. Aun hoy, a veces vuelvo a los viejos hábitos. Le doy gracias a Dios por tener una esposa que me ayuda a identificarlos. Aunque no creo que fuese un dictador, por lo menos tenía que reconocer que era descuidado. Por lo tanto, una vez más, tengo que expresar cuán agradecido estoy por el perdón que David y el resto de mi familia me han mostrado.

Lo maravilloso es que nuestro pastor, Peter, también estaba conversando con David sobre las características del hombre según la Biblia durante su tiempo de consejería. A medida que pasaba el tiempo, descubrí que estaba demasiado enfocado en la masculinidad cultural y tenía que encontrar el equilibrio en lo que significa ser un hombre y una mujer bíblicamente hablando. Peter también reconoció esto en mí y me dio un material para que lo leyera. Aunque no era algo nuevo, el material me desafió a pensar cuán fácil había sido para mí concentrarme más en las características culturales superficiales que en la importancia de la naturaleza bíblica del hombre y de la mujer. Era como si yo quisiera ver un cambio visible sin aplicar la verdad de Dios, donde se encontraba la verdadera raíz de la cuestión. Eso era un problema para los dos y era obvio de dos maneras diferentes. Yo estaba enfatizando las características visibles que cumplen con las normas culturales, mientras David estaba perdiendo su iniciativa, y estaba viendo a las muchachas como sus pares en vez de verlas como aquellas a quienes debía proteger, para quienes debía proveer y aun guiar de manera apropiada.

Génesis, Igualdad y Distinción

A los lectores que aun no están convencidos de que Génesis es un libro muy importante en el área de la sexualidad bíblica, quizás pueda ofrecerles evidencias más persuasivas. En el Nuevo Testamento, hay muchas referencias a Génesis que tienen un impacto directo o indirecto sobre nuestra manera de pensar sobre el hombre, la mujer y la relación entre ellos. El enfoque principal de este capítulo está en Génesis como la historia fundamental para entender bíblicamente la hombría y la femineidad.[1] Jesús mencionó Génesis cuando habló sobre el hombre y la mujer en el contexto del matrimonio y el divorcio (Mateo 19:4-6; Marcos 10:6-8). El apóstol Pablo, al escribir sobre los diferentes roles del hombre y la mujer, menciona Génesis (1 Corintios 11:8-9; Efesios 5:22-33; 1 Timoteo 2:11-14), y cuando habla sobre la responsabilidad humana por el pecado, se lo adjudica a "un hombre", Adán, como lo relata Génesis (Romanos 5:12; 1 Corintios 15:22). Santiago habla de Génesis cuando dice que no debemos usar nuestros labios para maldecir a otros (hombre o mujer) porque todos tenemos el mismo valor como raza humana al ser "hechos a semejanza de Dios" (Santiago 3:9).

John Piper escribió un librito muy útil llamado *What's the Difference?* (¿Cuál es la Diferencia?) Cuando comienza a considerar la hombría y femineidad bíblicas, escribe lo siguiente:

Cuando la Biblia enseña que el hombre y la mujer cumplen roles diferentes al relacionarse entre sí, dándole al hombre el rol particular del liderazgo, no basa esta diferencia en normas temporarias culturales sino en hechos permanentes de la creación... En la Biblia, los roles que diferencian entre el hombre y la mujer no se ven a partir de la caída del hombre y la mujer en pecado, sino que el fundamento de estas diferencias se puede remontar al Edén antes de que el pecado pervirtiera nuestras relaciones. Los roles diferentes no se crearon en la caída, sino que allí se corrompieron. Dios los creó.[2]

Entonces, ¿qué encontramos en Génesis?

1. El valor del hombre y de la mujer es el mismo, ya que ambos fueron creados a imagen de Dios. "Y creó Dios al hombre a su imagen, a imagen de Dios lo creó; varón y hembra los creó" (Génesis 1:27). Esto es algo que hasta cierto punto ya hemos considerado en el capítulo 1, pero debemos enfatizar un aspecto más de esta maravillosa doctrina de la humanidad. El texto en el hebreo les da a los lectores dos hermosas distinciones, que también se ven claramente en español. Cuando se usa la palabra *hombre* puede ser para dis-

---

1   Hay una amplia variedad de preguntas y debates sobre la hombría y femineidad bíblicas. Aunque este capítulo está destinado a solo establecer un entendimiento fundamental sobre este tema a partir de Génesis, Grudem y Piper y el Consejo de la Hombría y Femineidad Bíblicas (*Council on Biblical Manhood and Womanhood*, CBMW) han realizado un trabajo impresionante. John Piper y Wayne Grudem, *Fifty Crucial Questions*, CMBW, citado el 15 de marzo 2014, http://cbmw.org/uncategorized/fifty-crucial-questions/.

2   John Piper, *What's the Difference? Manhood and Womanhood Defined According to the Bible* (Wheaton, IL: Crossway Books, 2001), 20–21.

tinguirlo de la mujer o solo para referirse a la humanidad. Cuando el "hombre" llegó a la luna, la mayoría entiende que esos hombres que caminaron sobre ella representaban a toda la humanidad. Por eso Neil Armstrong dijo que había sido "un pequeño paso para el hombre", refiriéndose a sí mismo, pero "un salto enorme para la humanidad", a la cual representaba.[3]

Sin embargo, en el texto de Hebreos la palabra para hombre y humanidad también es un nombre, Adán (אָדָם). Este término para referirse a la humanidad también se usa en el contexto de Génesis 6:5 cuando el Señor ve que la maldad de la "humanidad" era mucha y que los pensamientos de "su" corazón eran malvados. En el término masculino, toda la humanidad, tanto hombres como mujeres, se consideran malvados. Ciertamente Dios creó a la *humanidad*, pero no es posible que Dios haya creado al *hombre* a su imagen y no a la mujer. El texto en español diferencia con claridad las palabras *hombre* y *humanidad, varón* y *hembra;* pues se traducen correctamente del hebreo. El término para varón (zā*ḵ*ār, רְכָזָ) y para hembra (n*eqēḇ*â, הָבֵקְנ), claramente son distintos. Esta distinción entre los términos señala algo importante. Primero, no solo el varón fue creado a imagen de Dios sino la humanidad. Ya vimos en el capítulo 1 que en esta verdad toda la humanidad descubre que posee igual valor. Tanto en el caso del hombre como de la mujer, nuestro valor conjunto se encuentra en el Creador ya que fuimos creados para ser portadores de su imagen.

Segundo, aun en la categoría unificada de la humanidad, hay una distinción. Como miembros igualitarios de la humanidad creados a imagen de Dios, el hombre y la mujer son distintos entre sí. También parece que el texto de Génesis 1:27 indica algo que se explica más adelante en Génesis 2:

Y creó Dios al hombre a su imagen, a imagen de Dios lo creó; varón y hembra los creó.

Parece que aun en el texto del versículo 27 se hace referencia al hecho de que en el sexto día Dios primero "lo" creó a él antes de decir que "varón y hembra *los* creó".

El relato de la creación de la humanidad que vemos en Génesis 1:27 indica el valor absoluto en la igualdad humana con las subcategorías distintas de hombre y mujer. Al leer más adelante en Génesis, podremos ver cómo funciona esta distinción. Además, deberíamos ver más claramente las diferencias entre la verdad bíblica y el mundo en el cual vivimos. Mientras que en el mundo moderno la distinción entre el hombre y la mujer se minimiza más y más, la Biblia muestra esta distinción como una característica fundamental de la humanidad que debe celebrarse. Esto es algo que nuestros hijos necesitan saber.

---

3   Karen Kaplan, "Did Neil Armstrong Really Say, 'That's One Small Step for a Man'?," *Los Angeles Times*, 5 de junio 2013, http://www.latimes.com/science/sciencenow/la-sci-sn-neil-armstrong-one-small-step-for-a-man-20150605-story.html.

Las doctrinas igualitarias (feministas evangélicas) proponen la igualdad sin distinción. Esto es, que no tendría que haber diferencias de género cuando se trata de los roles del hombre y la mujer. En la mentalidad evangélica feminista, dicha distinción disminuye el valor humano, particularmente el de la mujer. En contraste, Génesis 1:27 muestra claramente que la distinción de roles no significa desigualdad de valor. La igualdad de valor solo se basa en el ser creado a imagen de Dios. Como padres debemos tener cuidado de ayudar a nuestros hijos a entender de dónde proviene el valor tanto del hombre como de la mujer. La distinción no erradica el valor. Creo que especialmente en la era en la cual vivimos, debemos enseñarles a nuestros hijos a darle igual valor a la mujer, señalando la hermosura y el llamado supremo que la hace única. A nuestras hijas debemos enseñarles que su igualdad con el hombre no se basa en lo que es único para la mujer sino en lo que es universal para toda la humanidad. Si nuestras hijas crecen en la iglesia pensando que la sumisión a sus maridos disminuye su valor, entonces estarán subestimando lo que significa ser creada a imagen de Dios. Si nuestros hijos crecen para dominar a las mujeres como si fueran felpudas o esclavas, entonces se habrán olvidado del valor que se encuentra en la mujer por ser creada a imagen de Dios. En el mundo antes de la caída, la distinción entre el hombre y la mujer también debía reflejar la gloria de Dios como un complemento total. Aunque estamos corrompidos por el pecado, este es aun el llamado para el hombre y la mujer de hoy. La distinción no es una mala palabra, sino una norma de la creación que debemos celebrar.

2. La identidad y los roles distintos para el hombre y la mujer en el matrimonio son un espejo del Trino Dios. "Entonces dijo Dios: Hagamos al hombre a nuestra imagen, conforme a nuestra semejanza..." (Génesis 1:26a). En este pasaje notamos el plural en "hagamos" y "nuestra". Aunque siempre habrá algún debate, muchos eruditos bíblicos entienden que esta es una fuerte implicación de la Trinidad en las Escrituras. A medida que seguimos la doctrina de la Trinidad a lo largo de las Escrituras, la referencia de la misma en Génesis 1:26 se confirma aun más. Al leer las Escrituras entendemos que Dios es uno. Para apoyar nuestra observación de Génesis 1:26, encontramos referencias directas al Hijo y al Espíritu relacionadas con la creación (Génesis 1:1-2; Job 26:13; Colosenses 1:16).

Israel entendía que "Jehová nuestro Dios, Jehová uno es" (Deuteronomio 6:4a). La palabras introductorias de Génesis, "En el principio creó Dios..." sugieren que un Dios creó todo lo que existe. Solo hay un Dios; sin embargo, las Escrituras dejan en claro que el Padre es Dios (Efesios 1:3), el Hijo es Dios (Juan 1:1) y el Espíritu Santo es Dios (Hechos 5:3-4). La iglesia en su mayoría entiende esto en el contexto de un Dios en tres personas que son iguales en su naturaleza y esencia pero tienen diferencias de expresión.

Ya hemos discutido la igualdad de la identidad humana, pero también hay igualdad en la identidad de la Trinidad. La posición bíblica es que dentro de la familia hay igualdad de valor en el ser humano, pero hay diferencias en los roles y las relaciones entre el esposo, la esposa y los hijos (Efesios 5:22-6:4). También vemos esa distinción en los roles y relaciones dentro de la Trinidad. Considera Juan 16:13-15:

> Pero cuando venga el Espíritu de verdad, él os guiará a toda la verdad; porque no hablará por su propia cuenta, sino que hablará todo lo que oyere, y os hará saber las cosas que habrán de venir. Él me glorificará; porque tomará de lo mío, y os lo hará saber. Todo lo que tiene el Padre es mío; por eso dije que tomará de lo mío, y os lo hará saber.

Cuando Juan cita a Jesús, deja en claro que hay diferencia de roles entre el Padre, el Hijo y el Espíritu Santo, y éste es solo uno de los muchos ejemplos del Nuevo Testamento.

Muchas veces hemos subestimado la belleza y el valor de estos roles, que son complementarios, especialmente dentro de la unidad familiar y la iglesia. Por el pecado, la humanidad ha distorsionado la diferencia de los roles de liderazgo y sumisión, y en vez de ser roles que se complementan con un propósito en común, la humanidad los ha hecho factores que definen la igualdad y el valor. Han tomado un lugar superior a la misma identidad de nuestro Creador, en cuya imagen fuimos creados y en quien encontramos igualdad y valor. Si por ejemplo, la sumisión fuera un elemento definitivo de igualdad, Jesús nunca hubiera dicho: "Porque he descendido del cielo, no para hacer mi voluntad, sino la voluntad del que me envió" (Juan 6:38). Jesús también deja en claro que no solo está haciendo la voluntad de su Padre al cumplir un rol de sumisión, sino que su deseo en realidad es el de agradar a su Padre haciendo su voluntad *siempre*: "Porque el que me envió, conmigo está; no me ha dejado solo el Padre, porque yo hago siempre lo que le agrada" (Juan 8:29). Si nos basamos en versículos como éste, parece que no solo hay roles y relaciones distintos dentro de la naturaleza única de la Trinidad, sino que también hay una gran armonía y aun placer en los diferentes roles.

El teólogo Bruce Ware comenta:

> Claramente, al observar la Trinidad por lo que es, nos debería maravillar. Nos debería asombrar la unidad y la armonía de su obra en común dentro de la autoridad y relación que han marcado sus roles y responsabilidades por toda la eternidad. Hay unidad de propósito y armonía en la misión, mas con distinción en el área de autoridad y sumisión dentro de la deidad. Es en verdad una maravilla considerarlo.[4]

Capítulos y libros enteros se han dedicado a este tema, y yo no he incluido este tópico solo para confundir. El entendimiento de la Trinidad enfatiza

---

4 Randy Stinson y Timothy P. Jones, eds., *Trained in the Fear of God: Family Ministry in Theological, Historical, and Practical Perspective* (Grand Rapids, MI: Kregel, 2011), 67.

el mismo punto que extraemos al entender las implicaciones de ser creados a imagen de Dios. Los roles y la distinción no determinan el valor. El elemento distintivo de la sumisión en los roles y las relaciones se ven tanto en la persona del Espíritu Santo como en la de Cristo. El Padre, el Hijo y el Espíritu Santo son personas de la Trinidad como una única esencia y naturaleza, siendo Dios. Nosotros, por la definición de lo que vemos en la Trinidad, no necesitamos erradicar la distinción en la búsqueda de la igualdad. De hecho, debemos gloriarnos en nuestros roles diferentes como hombres y mujeres y en particular como lo vemos en la estructura familiar de esposo, esposa e hijos.

Al avanzar en Génesis, leeremos sobre el rol de Adán de liderar, proveer y proteger, y el rol de Eva de ser ayuda idónea para Adán. Juntos, cumpliendo sus roles distintos pero complementarios, debían cumplir su cometido en conjunto. Debían multiplicarse, llenar la tierra y dominar sobre ella mientras reflejaban la gloria de Dios. Al hacerlo, reflejarían el carácter del Trino Dios. Nuestras diferencias no se deben ver negativamente en ningún caso. Es tiempo de que comencemos a celebrar las diferencias, especialmente en nuestros hijos. Si no lo hacemos, podemos estar seguros de que aprenderán a través de los medios de comunicación y otras fuentes a ver las diferencias de manera negativa. Esta negatividad sobre el género y la distinción de roles de nuestra sociedad también se ha vuelto el ambiente ideal para la ideología homosexual.

Este capítulo específicamente trata el tema de la hombría y femineidad bíblicas y no los aspectos de género (lo cual veremos en el capítulo cinco). Sin embargo, con la intención de ayudar, quiero señalar que el tema de la distinción está presente en estos dos temas que se relacionan tan de cerca. En la era en la cual vivimos, ya sea si hablamos sobre la hombría o femineidad bíblicas o sobre asuntos específicos del género, las ideas bíblicas sobre la distinción en general no se fomentan en nuestra cultura. Aun más, en vez de observar las distinciones complementarias, vemos que los roles se funden y se invierten. Solo para darles un ejemplo, enciendan el canal Disney. Lo que he notado en cuanto a la programación de Disney es que con mayor frecuencia son las niñas y sus madres las que lideran y solucionan los problemas causados por los hombres tontos que son parte de su vida y que están constantemente metiéndose en dificultades. ¿Cómo puede esto ayudar a nuestros jóvenes a ver que Adán fue creado para liderar, proteger y proveer de manera responsable? ¿Cómo puede esto ayudar a nuestras jóvenes a encontrar protección y provisión en sus padres y futuros esposos, y a ser esposas y madres cuidadosas y piadosas algún día? Al contrario, esta nación (y otras) se esfuerzan por suprimir la distinción entre el hombre y la mujer y aun a colocar a las mujeres en las primeras líneas de combate para proteger a las naciones.

Si queremos ayudar a nuestros jóvenes a aceptar la hombría y femineidad bíblicas, es momento de que nos preparemos para ayudar a nuestros hijos a celebrar la distinción dentro de la igualdad para la gloria de Dios. Si hay gozo en la distinción aun en la esencia de la Trinidad, ¿por qué es menos favorable para aquellos que fueron creados a imagen de Dios?

Tal como aconteció con David y conmigo, nunca es tarde para ajustar nuestra manera de pensar y actuar en esta área.

3. Adán fue el primer representante de la raza humana y portador de la imagen de Dios. "Entonces Jehová Dios formó al hombre del polvo de la tierra, y sopló en su nariz aliento de vida, y fue el hombre un ser viviente... Tomó, pues, Jehová Dios al hombre, y lo puso en el huerto de Edén, para que lo labrara y lo guardase. Y mandó Jehová Dios al hombre, diciendo: De todo árbol del huerto podrás comer; mas del árbol de la ciencia del bien y del mal no comerás; porque el día que de él comieres, ciertamente morirás". Después el Señor Dios dijo: "No es bueno que el hombre esté solo; le haré ayuda idónea para él" (Génesis 2:7, 15-17, 18). Al celebrar estas grandes distinciones, comencemos con el hombre. Cuanto más tiempo paso pensando y leyendo sobre las intenciones de Dios de que el hombre sea hombre, más me doy cuenta de cuán maravillosa es la masculinidad bíblica. Pero también veo cuan seguido somos malinterpretados en nuestra cultura.

Adán fue creado primero. Aunque puede parecer innecesario hacer esta declaración, es muy significativa. Muchas cosas afectaron a Adán antes de que Eva apareciera en escena. Dios formó a Adán del polvo de la tierra, como si quisiera demostrar el cuidado de un alfarero al darle forma al barro. Dios sopló en Adán aliento de vida y fue un ser viviente. Lo colocó en el jardín del Edén en el oriente y creó abundantes provisiones para él. Se le dieron los mandatos de "labrar" y "guardar" el jardín y de no comer del fruto del árbol de la ciencia del bien y del mal. Si comiese del árbol, la consecuencia sería la muerte. Dios vio que no era bueno que Adán estuviera solo y que debería tener una "ayuda idónea". Luego trajo los animales del campo y las aves de los cielos para que les diera nombre. Después de eso, Dios hizo caer a Adán en un sueño profundo y tomó una costilla de su costado, con la cual hizo a la mujer y la trajo a Adán. Todo esto acontece en Génesis 2:7-22.

Cuando consideramos que Génesis es una historia fundamental, debemos tener cuidado de no limitarla como si solo fuera información de los hechos. La historia de Génesis en realidad marca un precedente y nos comunica cómo supuestamente tenían que ser las cosas. Por este motivo, los autores humanos que vinieron después siempre mencionaron Génesis bajo la guía del único Autor divino de todo el canon inspirado. Puede parecernos que el hecho de que Adán haya sido creado primero y después Eva no es más que eso, pero para Pablo, la importancia de este dato no pasó desapercibida. Pablo dice que la razón por la cual la mujer no debe ejercer autoridad sobre el hombre en la enseñanza en la iglesia, es que el rol del liderazgo le fue dado a Adán. "Porque no permito a la mujer enseñar, ni ejercer dominio sobre el hombre, sino estar en silencio. Porque Adán fue formado primero, después

Eva; y Adán no fue engañado, sino que la mujer, siendo engañada, incurrió en transgresión" (1 Timoteo 2:12-14). Dios le dio a Adán, y no a Eva, el rol de líder, y como resultado Adán, y no Eva, era responsable de ver que no se quebrantara el mandato de Dios en el jardín. Al ser engañada, sin duda Eva se volvió transgresora, pero Adán era responsable por su liderazgo. De hecho, era el representante de toda la humanidad, algo que se menciona particularmente en Romanos 5 y 1 Corintios 15 cuando Pablo señala nuestra participación en el pecado de Adán.

Pablo también se refiere al liderazgo y autoridad de Adán en 1 Corintios 11:8-10: "Porque el varón no procede de la mujer, sino la mujer del varón, y tampoco el varón fue creado por causa de la mujer, sino la mujer por causa del varón. Por lo cual la mujer debe tener señal de autoridad sobre su cabeza, por causa de los ángeles". El punto principal que Pablo quiere destacar es que tanto en la iglesia como en la familia hay asuntos de liderazgo y autoridad, y que la prueba determinante del liderazgo de Adán es que él fue creado primero y que Eva fue hecha de Adán y para él. No es solo un hecho concreto que Adán haya sido creado primero, sino también un punto de referencia histórico para comprender el rol del hombre y la mujer. Este punto de referencia es tan importante para Pablo que el llamado que él hace en cuanto a quién debe ser la cabeza en la iglesia y en la familia solo se dirige al hombre. Esto se ve en los requisitos de algunos pocos hombres irreprensibles que son llamados a ser obispos en la iglesia (1 Timoteo 3:2-7; Tito 1:5-9). Pablo también animó a Timoteo a desarrollar su liderazgo trasmitiendo lo que había aprendido a hombres fieles que pudiesen enseñar a otros (2 Timoteo 2:2).

Las instrucciones que Adán recibió de parte de Dios nos ayudan a entender y nos confirman cómo debía ser su autoridad en el contexto de la humanidad. Dios le dijo que les diera nombres a los animales que le trajo. Si observamos en la Biblia el proceso de nombrar, nunca es insignificante. Casi siempre los nombres tienen significados muy específicos, y cuando se da un nombre, también se demuestra la autoridad de quien lo da. Muchas veces Dios le cambia el nombre a su pueblo para mostrar la importancia de lo que está haciendo en su vida. Dios también eligió el nombre de la humanidad. En Génesis 5:2 leemos: "Varón y hembra los creó; y los bendijo, y llamó el nombre de ellos Adán, el día en que fueron creados". Aquí es importante que fuese el nombre de Adán el que Dios eligió para darle nombre a la humanidad.

Como representante de la humanidad, Adán muestra el primer aspecto de su autoridad en el mundo al darles nombres a los animales (Génesis 2:19-20). Inmediatamente después en el texto, Dios forma a Eva de la costilla de Adán, y este le da su nombre: "Esto es ahora hueso de mis huesos y carne de mi carne; ésta será llamada Varona, porque del varón fue tomada" (Génesis 2:23). Esta mujer era como él y era su igual porque había sido creada a imagen de Dios. Fue creada a partir de Adán y él la llamó Varona (Mujer). Wayne Grudem, quien ha escrito extensamente sobre la hombría y femineidad bíblicas, declara: "Cuando Adán dice: 'será llamada Varona', le está dando el nombre. Esto es importante porque en el contexto de Génesis 1—2, los lectores originales hubieran reconocido que la persona que les había dado el nombre a las cosas creadas era la persona con autoridad sobre las mismas".[5] Además dice: "Por lo tanto, cuando Adán le da a su esposa el nombre 'Varona', esto indica el tipo de autoridad que Dios le había dado a Adán, una función de liderazgo que Eva no tenía con relación a su marido".[6] Este es un punto importante para señalar. Dios le dio a Adán su nombre, y Adán se lo dio a Eva. También es importante señalar que en Génesis 2:23 Adán le dio el nombre "Varona" a Eva antes del pecado. Después del pecado, Adán la llamó "Eva" (Génesis 3:20). De esta forma vemos que Adán tuvo autoridad para darle el nombre antes de que el pecado entrara en el mundo y también después. Adán, como representante de la humanidad, también les dio el nombre a los animales.

Dios también le dio a Adán el rol de labrar y guardar el jardín (Génesis 2:15). En el contexto de una creación perfecta, no debemos considerar el trabajo de labrar y guardar el jardín del Edén de la misma manera que lo haríamos hoy en el mundo después de la caída. Por ejemplo, antes del pecado, Adán no tenía especies invasivas de hierbas espinosas y cardos por las cuales preocuparse. Tampoco tenía que lidiar con la dureza de estaciones tan cambiantes. Al tercer día de la creación, Dios cubrió el mundo de vegetación a la perfección. El jardín del Edén no era la única área en el mundo con vegetación hermosa, y el resto de la tierra no era un desierto infértil. Un día antes de la creación de Adán, Dios ya había creado las aves y los peces para que se multiplicasen y llenaran los océanos y los cielos. En el sexto día, Dios hizo a Adán del polvo de la tierra y lo colocó en el jardín del Edén diciéndole que lo labrara y guardara. Sin importar el sentido que Adán le haya dado a "labrar y guardar" el jardín, sabemos que la responsabilidad se le dio a Adán antes de que Eva entrara en escena.

Quizás, si consideramos estas acciones en el resto de las Escrituras, podamos tener una mejor idea de lo que habrá significado para Adán labrar y guardar el jardín. La palabra hebrea *'ābad* significa "servir" o "labrar". La palabra hebrea *šāmar* significa "guardar", "observar" o "proteger". T. Desmond Alexander señala:

> Las responsabilidades del hombre en el jardín están encapsuladas en el uso de dos verbos: *'ābad ('āvad)* "servir", "labrar", "cultivar"; y *šāmar* (shāmar), "guardar", "observar", "proteger". Usados de manera independiente, estos dos verbos se pueden referir a una extensa gama de actividades. Sin embargo, cuando se usan juntos tienden a estar relacionados con actividades asociadas con el taber-

---

5   Wayne Grudem, *Evangelical Feminism & Biblical Truth* (Sisters, OR: Multnomah, 2004), 31.
6   Ibid., 32.

náculo o el templo. El libro de Números las usa en conjunto para describir las responsabilidades de los levitas en el santuario (cf. Números 3:7-8; 8:26; 18:5-6).[7]

Cuando consideramos que las responsabilidades sacerdotales de los levitas eran servir en el tabernáculo/templo y guardarlo, esto nos da la idea de que el rol de Adán en el jardín del Edén debe de haber abarcado más que solo podar arbustos. Pienso que el rol de Adán en el jardín era más bien de cuidado. Su *servicio* al Creador le otorgaría un rol de autoridad y supervisión mucho más elevado sobre todo lo que sucediera en este punto central que era el jardín del Edén, pero que se extendería por todo el mundo. Eva tendría que ser su ayuda idónea en todo esto.

La responsabilidad de Adán de cuidar, observar, y servir en el jardín fue puesta a prueba cuando Satanás engañó a Eva. Dios le había dado una orden a Adán: No debía comer del fruto del árbol de la ciencia del bien y del mal (Génesis 2:17). Esto ya se le había explicado a Eva cuando Satanás los tentó; su respuesta en Génesis 3:2 implica advertencia. No solo Adán no detuvo este evento horrible, sino que ni siquiera él mismo rechazó la tentación. También comió el fruto oponiéndose directamente al rol que se le había dado para cumplir. Eva fue engañada y se hizo transgresora, pero Adán ignoró su responsabilidad y pecó abiertamente. En lugar de *proteger* contra lo que Satanás le estaba haciendo a su esposa, él ignoró sus responsabilidades y empujó a la humanidad en un espiral descendente de pecado y muerte. Se muestra claramente que esta responsabilidad recae sobre Adán y no sobre Eva cuando Dios no fue inmediatamente a ella, aunque era ella quien había comido del fruto primero. Dios, en su omnisciencia, sabiendo todo lo que había pasado, fue a Adán a quien le había dado la responsabilidad de labrar y guardar, de *proteger y servir* en el jardín.

Adán estaba a cargo. La supervisión del jardín le daba la responsabilidad de líder. Adán tenía que asegurarse de que se cumpliera todo lo que Dios había mandado y que esto sucediera mientras la humanidad reflejaba la gloria de Dios como portadores de su imagen. Solo, Adán nunca hubiera podido cumplir la gran comisión de multiplicarse y llenar la tierra que recibió antes de la caída, mientras reflejaba la imagen de su gran Rey. Quizás es por eso que Génesis 1:28 dice: "Y *los* bendijo Dios, y *les* dijo: Fructificad y multiplicaos; llenad la tierra, y sojuzgadla, y señoread...". Realmente hubiera sido imposible que Adán completara tal tarea sin Eva, y de hecho parece que el mandato de Génesis 1:28 es en conjunto. Sin embargo, esto no quita en absoluto la responsabilidad de liderazgo de Adán. Aun basándonos en un mandato conjunto, Génesis 2 deja bien claro que el rol de liderazgo de Adán estaba bien establecido antes de que Eva existiera cuando recibieron el mandato juntos en el sexto día.

---

7   T. Desmond Alexander, *From Paradise to the Promised Land: An Introduction to the Pentateuch* (Grand Rapids, MI: Baker Academic, 2012), 124.

Si nos referimos al hecho de que Dios creó a Eva, el pastor Voddie Baucham escribe lo siguiente:

Eva no solo fue hecha *para* el hombre, *después* del hombre, y *del* hombre, sino que también fue traída *al* hombre. Dios diseñó a Eva de la costilla de Adán. Luego, en vez de dejarlos para que resolvieran cómo seguirían las cosas, Dios le trajo la mujer al hombre. Este era el propósito por el cual había sido creada. El hecho de que Eva fue traída a Adán fue un acto obvio de sumisión a su autoridad.[8]

También debe observarse cuidadosamente la respuesta de Adán. Él no dice: "¡Finalmente, alguien para gobernar!". Su gozo es evidente cuando Dios le trae a Eva por la manera en la que éste muestra expectativa y un sentido de valorización: "Esto es ahora hueso de mis huesos y carne de mi carne..." (Génesis 2:23).

Adán había visto los animales que Dios le había traído para que les diera nombre, y sin duda también había visto que formaban pares capaces de reproducirse. ¿Dónde estaba su compañera? Cuando Eva llegó, el llamado de Dios sobre Adán para ser líder tuvo un verdadero significado. Por fin, tendría alguien a quien liderar que participaría ayudándolo con sus tareas de servir a Dios en el jardín y en el mundo, alguien que tendría una parte distintiva en el deleite conjunto de experimentar la dirección gloriosa de su Creador.

Al observar a Adán, vemos que todos los aspectos de provisión, protección, supervisión, cuidado y aun valorización son evidentes en la clase de hombre que él era como líder y representante de la humanidad. Estas son las cualidades fundamentales del hombre. Nuestros hijos necesitan saber esto.

El rol de Adán como líder tampoco era dirigido hacia cualquiera, sino que Dios le daría una ayuda idónea (una esposa) que tendría el mismo valor como portadora de la imagen de Dios, sin embargo tendría un rol distinto. Juntos, trabajarían para la gloria de Dios y extenderían la adoración de su Creador por toda la tierra como las aguas cubren el mar.

4. Eva era la esposa y ayuda idónea de Adán, una portadora de la imagen de Dios igual a él con un propósito en común. "Y dijo Jehová Dios: No es bueno que el hombre esté solo; le haré ayuda idónea para él" (Génesis 2:18). En Génesis 2, se dice bastante más sobre Adán que sobre Eva. Posiblemente porque la responsabilidad de todo lo que acontecía estaba directamente sobre los hombros de Adán. Sin embargo, Eva no era insignificante. Al contrario, sin Eva, no había matrimonio, no se podían multiplicar y llenar la tierra, y Adán no hubiera tenido ayuda en las responsabilidades de supervisión en el jardín. Eva era muy importante. Además, al entender en parte las responsabilidades de Adán como líder, también podemos entender en parte las responsabilidades de Eva como ayuda idónea.

---

8 Voddie Baucham, *What He Must Be—If He Wants to Marry My Daughter* (Wheaton, Ill.: Crossway Books, 2009), 99–100.

Mucho se ha dicho sobre el término *ayuda* (*'ēzer* en hebreo), y se han presentado muchos argumentos para sugerir que el significado del término no tiene ninguna relación con las estructuras de autoridad. Dependiendo del contexto de la palabra *ayuda*, es posible que uno de los usos de dicha palabra no necesariamente esté asociado a una estructura de autoridad. Como ejemplo, se puede decir que Dios es nuestra ayuda. Dios es la máxima autoridad en todas las cosas, entonces ¿cómo podemos describir a Dios de esta manera? Hay prueba textual que dice que Dios en verdad nos ayuda (Salmo 33:20, 70:5, 115:9). En cada uno de estos casos, Israel se consuela en el hecho de que en momentos de prueba, Dios es su ayuda y salvación. No significa que el rol de Dios sea ayudar, sino que es el único omnipotente y verdadero Dios; y sabiendo esta verdad, Israel puede recurrir a él.

Sin embargo, Eva no se menciona como ayuda en el mismo sentido que Dios. Grudem señala: "Génesis 2 no dice que Eva solamente fue ayuda idónea de Adán en uno o dos eventos específicos. Más bien, dice que Dios hizo a Eva para proveer para Adán una ayuda idónea la cual, en virtud de la creación, cumpliría la función de ayuda para él".[9] Eva tampoco era una ciudadana de categoría inferior por ser creada para ayudar a Adán. Dios dice expresamente que la ayuda para Adán sería adecuada para él. Eva no solo fue hecha *para él*, sino que es *adecuada para él*. Para cumplir sus responsabilidades de supervisión en el jardín, Adán tendría a alguien que no sería como los otros animales de su dominio. De hecho, los animales y el resto de la creación estarían bajo el dominio de la humanidad, no solo del hombre. Eva es adecuada para Adán por el hecho de que también fue creada a imagen de Dios, con el mismo valor determinado por su Creador. El rol de Eva, en igualdad con Adán, coincidía con el suyo de manera complementaria ya que servían juntos a Dios.

Solo puedo imaginarme cómo habrá sido esto en un mundo perfecto. Juntos, Adán y Eva, tenían dominio total sobre el planeta bajo la autoridad máxima de Dios. Adán no veía a Eva como su esclava, ni la veía como si estuviera bajo su dominio. Ella era varona, parte del varón. Era especial y debía ser valorada más que cualquier otra cosa. Eva veía a Adán como aquel a quien le habían dado la responsabilidad de llevar a cabo las instrucciones de Dios para el mundo. Es difícil imaginar cómo habrá sido esto en el mundo antes de la caída. Quizás sería parte de sus responsabilidades ser una madre amorosa y cuidadosa para con sus hijos a medida que se multiplicaran y dispersaran por el mundo. Quizás sería parte de sus responsabilidades como esposa amar y valorar a su marido mientras él guiaba a su familia en su adoración a Dios. Quizás también aprenderían juntos, descubriendo cada vez más las riquezas maravillosas de Dios en la creación en la cual habían sido colocados. De cualquier manera, el rol de Eva era un complemento glorioso con un propósito en común. Lo que podemos decir con seguridad es que su deseo original no era ver qué podía hacer para ser igual a Adán, sino cómo

---

9   Grudem, *Evangelical Feminism & Biblical Truth*, 37.

glorificar a Dios ayudando a Adán a hacer aquello para lo cual él como líder y ellos juntos habían sido llamados.

El pecado lo cambia todo.

En su comentario sobre Génesis, Juan Calvino escribió lo siguiente:

> Seguramente, si hubiésemos continuado en esa condición en la cual fueron colocados nuestros padres, la bendición de Dios brillaría en todo lugar y veríamos en todos los matrimonios solo paz y armonía, y un marido como cabeza, que sería sabio al guiar a su esposa. De la misma manera, la inclinación de la esposa sería la de ayudar a su marido y estar de acuerdo con él sin vacilar. Por lo tanto, la discordia, las peleas y los conflictos que vemos por doquier, al fin y al cabo, derivan de la caída maldita de Adán que lo arruinó todo. La unión sagrada del matrimonio fue destruida, entre otras cosas. Dios ha preservado solo un remanente.[10]

Es en el matrimonio que vemos los roles complementarios del hombre y la mujer en su ambiente más prominente e intencional. Por causa del pecado se les da al hombre y a la mujer una gran advertencia, en particular en la relación matrimonial: debían dejar a sus padres, unirse y ser una sola carne (Génesis 2:24). El tema es el del "deseo" o "anhelo". En Génesis 2:24, parece claro que es el hombre quien deja a su padre y a su madre y busca esposa. Aunque Adán había sido creado del polvo y Eva de su costado, ésta no sería la manera en la que Dios uniría al hombre y a la mujer en las generaciones futuras. El hombre dejaría a su padre y a su madre y se uniría a su mujer. Parece que la dirección del deseo y el anhelo es del hombre hacia su esposa. Hay iniciativa e impulso en el hombre para encontrar esposa.

Como resultado del pecado, vemos que no solo cambia esta iniciativa sino también el deseo (*tᵉšûqâ* en hebreo). Esta no es la misma clase de amor o deseo sexual que debe ser evidente en el matrimonio. Esta palabra hebrea para deseo se ve cuando el pecado trepa a la puerta de Caín, aumentando sus celos hacia su hermano. Dios advierte a Caín: "a ti será su deseo, y tú te enseñorearás de él" (Génesis 4:7). Como resultado del pecado, Dios le dice a Eva que su deseo será para su marido, y él se enseñoreará sobre ella (Génesis 3:16). Parece que el resultado del pecado es exactamente la clase de conflicto de la cual hemos oído, como lo señala Calvino. La esposa tratará de dominar a su marido, y por el pecado el marido se enseñoreará en vez de liderar a su esposa. Estos problemas muestran lo opuesto de lo que es la hombría y femineidad bíblicas en realidad. Por la perversión de los roles dados por Dios solo surgen confusión y problemas. Como padres, debemos estar alerta contra estas cosas para poder mostrar las distinciones del hombre y la mujer y su lugar adecuado, y así glorificar a Dios. Nuestros hijos después podrán

---

10 Jean Calvin y Rob Roy McGregor, *Sermons on Genesis, Chapters 1:1–11:4: Forty-Nine Sermons Delivered in Geneva Between 4 September 1559 and 23 January 1560* (Edinburgo; Carlisle, PA: Banner of Truth Trust, 2009), 181.

ver la verdadera hermosura de estas distinciones y toda la familia tendrá más razones para celebrarlas.

Desearía poder decir que tengo un matrimonio perfecto. Obviamente, esto no es posible. A lo largo de nuestra vida matrimonial, tanto Trish como yo hemos tenido que arrepentirnos por varias cosas cuando a veces yo me enseñoreaba sobre ella en vez de liderar y ella intentaba aferrarse a cosas que no eran para ella. Alabamos al Señor porque por su gracia nos ha hecho conscientes de estas cosas a medida que progresamos juntos en nuestros años de matrimonio.

La Hombría y Femineidad Bíblicas: Un Cuadro de las Bodas de Jesús

> Por esto dejará el hombre a su padre y a su madre, y se unirá a su mujer, y los dos serán una sola carne. Grande es este misterio; mas yo digo esto respecto de Cristo y de la iglesia. Por lo demás, cada uno de vosotros ame también a su mujer como a sí mismo; y la mujer respete a su marido (Efesios 5:31-33).

Como siempre sucede en las Escrituras, el clímax de un tema nunca se encuentra en alguna ley moral o instrucción mecánica sino en la gloria de Jesucristo. No es diferente cuando se trata de la hombría y femineidad bíblicas. Hay muchas razones bíblicas para enseñarles a nuestros hijos la importancia de este asunto y de hacerlo comenzando con la historia fundamental de Génesis. Es verdad que nuestros hijos necesitan comprender de dónde proviene su valor como seres humanos, y que como toda la humanidad, sin importar su género, son igualmente creados a imagen de Dios. También es verdad que debemos ayudar a nuestros hijos a entender que las distinciones del hombre y la mujer son claras al observar su definición y sus roles. Estos roles se deben exteriorizar como Dios nos los mostró a todos nosotros. Son hermosas diferencias complementarias que fueron diseñadas para la humanidad para alabar y glorificar a nuestro Creador en unidad y armonía obedeciendo y cumpliendo su voluntad. Hay buenas razones para tener distinciones entre nosotros, y su naturaleza complementaria no es más visible que cuando observamos el diseño de Dios para el matrimonio como la unión en una sola carne. Todo esto es la base para enseñarles la hombría y femineidad bíblicas a nuestros hijos y el escenario en el cual podemos enseñar la sexualidad bíblica apropiadamente. Sin embargo, hay un propósito aun más alto que le trae gloria al Señor.

El apóstol Pablo escribió que esta institución visible del matrimonio debería ejemplificar a Cristo y su iglesia. En el evangelio hay paralelos del matrimonio, lo cual permite explicar el evangelio de Jesucristo usando las enseñanzas sobre la hombría y femineidad bíblicas. Imaginen si nuestros hijos crecieran entendiendo que la hombría y femineidad bíblicas no son importantes solo para la moralidad. Cuando éstas encuentran su mejor rendimiento en el matrimonio cristiano, el propósito es ejemplificar el evangelio de la gracia de Jesús nuestro Salvador y el impacto profundo de su expiación por nuestros pecados.

Quiero tener el cuidado de aclarar que no estoy diciendo que la hombría y femineidad bíblicas son necesarias para la salvación, y tampoco lo es el matrimonio cristiano. Cuando un hombre y una mujer cristianos se casan forman un *cuadro* de la redención que hace Cristo de su esposa, la iglesia. Es así que el matrimonio debería ser elevado en importancia y honor ante nuestros hijos. El hecho de que el matrimonio es un cuadro de la redención es la principal razón por la cual no se debe redefinir de acuerdo con las normas del mundo. También es la razón por la que debemos estar listos para defender la autenticidad y credibilidad de las Escrituras, donde encontramos estas grandes verdades. No solo defenderemos el concepto del matrimonio, un hombre y una mujer, sino también el cuadro y la proclamación del evangelio.

El pueblo de Dios muchas veces es descripto como la esposa de Cristo en las Escrituras. Las diferentes imágenes en la Biblia presentan la relación de Dios con su pueblo como un matrimonio (Jeremías 3:14-20; Ezequiel 16:7-14; Oseas 2:14-15). Cuando los creyentes pecan y practican idolatría, la Biblia lo trata como si fuera una relación matrimonial: los creyentes están siendo infieles. Al leer el libro de Oseas, Dios comunica a través de la vida del profeta que la esposa infiel generará vergüenza y desesperación, pero que hay misericordia y esperanza en el esposo (Cristo) quien es paciente y perdona. Aun en medio de la desobediencia de Israel, Dios le habla a su esposa escogida y le da esperanza:

> Pero he aquí que yo la atraeré y la llevaré al desierto, y hablaré a su corazón. Y le daré sus viñas desde allí, y el valle de Acor por puerta de esperanza; y allí cantará como en los tiempos de su juventud, y como en el día de su subida de la tierra de Egipto (Oseas 2:14-15).

En Oseas, la esposa infiel experimenta la desolación para llegar al arrepentimiento. El Esposo perfecto (Dios) lleva a la esposa al exilio para poder hablar cariñosamente a su corazón y ofrecerle misericordia, aunque ella lo traicionó.[11] Tal como el profeta Oseas, Dios volverá a comprar a su esposa. No solo la comprará otra vez, sino que ella será presentada con esplendor. Oseas nos muestra que Dios siempre ha visto la unidad con su pueblo como la que el matrimonio representa entre la esposa y el esposo.

El profeta Ezequiel habla de la misma manera. En Ezequiel 16:7-14, leemos que Dios estableció a Israel como su pueblo no solo como nación sino como su esposa. Hizo votos con ella, la lavó, la vistió, la hermoseó y le dio una posición de realeza. Dios valoró a su novia y la presentó hermosa: "Y

---

11 De la misma manera, la humanidad exilada depende de la salvación que provee Jesucristo, el Esposo, trayendo misericordia y un nuevo éxodo hacia el nuevo Edén.

salió tu renombre entre las naciones a causa de tu hermosura; porque era perfecta, a causa de mi hermosura que yo puse sobre ti, dice Jehová el Señor" (v. 14).

Entonces no debería sorprendernos oír al apóstol Pablo hablando de la misma manera al escribir a los efesios. Al exhortar claramente a los maridos, Pablo escribe, "Maridos, amad a vuestras mujeres, así como Cristo amó a la iglesia, y se entregó a sí mismo por ella, para santificarla, habiéndola purificado en el lavamiento del agua por la palabra, a fin de presentársela a sí mismo, una iglesia gloriosa, que no tuviese mancha ni arruga ni cosa semejante, sino que fuese santa y sin mancha" (Efesios 5:25-27). Jesús es la ilustración perfecta de hombría como marido. Ha venido para estimar a su esposa, para colocarla bajo su protección y para hacer de ella un cuadro de esplendor ya que ha provisto para ella a través de la redención hasta la eternidad gloriosa. La esposa debe estar sujeta a su propio marido "como al Señor; porque el marido es cabeza de la mujer, así como Cristo es cabeza de la iglesia, la cual es su cuerpo, y él es su Salvador" (Efesios 2:22b-23). En el matrimonio la esposa debe reflejar la sumisión de la iglesia a su Salvador, Cristo.

Los roles distintos del hombre y la mujer en el matrimonio son elevados más allá de las simples diferencias de género y sexualidad, más bien son reflejo de la misma unidad que Dios tiene con su pueblo a través de Cristo. Por eso Pablo también escribe: "Por esto dejará el hombre a su padre y a su madre, y se unirá a su mujer, y los dos serán una sola carne. *Grande es este misterio*; mas yo digo esto *respecto de Cristo y de la iglesia*" (Efesios 5:31-32, énfasis añadido). Pablo alude directamente a Génesis 2:24. Cuando un hombre deja a sus padres, se une a su esposa en matrimonio, y ellos son una sola carne, son un cuadro directo de Cristo y su iglesia. La unidad del matrimonio para el hombre y la mujer no es el reconocimiento gubernamental del acta de matrimonio. Tampoco está solo en la unión sexual o en la cohabitación. La verdadera unidad en el matrimonio es algo que solo es posible en Jesucristo.

Esto tiene enormes consecuencias. Si en verdad reflejaremos la relación de Cristo y su iglesia en el matrimonio, no podemos ignorar los roles necesarios del hombre y de la mujer. No podemos tratar de reconocer la unión matrimonial entre dos hombres o dos mujeres. ¿Cómo podremos representar a Cristo y su iglesia con dos líderes o dos ayudas idóneas? Debe haber liderazgo y sumisión como lo vemos representado en los diferentes roles del hombre y la mujer creados a imagen de Dios. Aun más, ¿cómo podremos representar a Cristo y su iglesia si no lo hacemos por la fe? Cristo redimió a su iglesia por su sangre. El precio por su esposa fue un sacrificio expiatorio de proporciones cósmicas. ¿De qué otro modo se podría reflejar el gran precio de magnitudes eternas de la novia si no es por la unión del esposo y la esposa a través de la fe en el sacrificio expiatorio de Jesucristo?

Hubo una época en mi vida cuando creía que la solución para la homosexualidad era la heterosexualidad. Pero siempre debemos preguntarnos cuál es la importancia eterna de nuestras soluciones, y si son satisfactorias según la Palabra de Dios. Si David nunca hubiera llegado al conocimiento de Cristo como su Señor y Salvador, ¿me hubiera satisfecho verlo alejarse de la homosexualidad para entrar en un matrimonio heterosexual con otra persona incrédula? Ahora puedo decir con toda honestidad que la respuesta sería "no". No es suficiente ser heterosexual, y como padre cristiano es mi deber desear mucho más para mi hijo. No hay satisfacción en una solución temporaria que lleva a la condenación eterna. La meta al enseñar la hombría y femineidad bíblicas no es solo llegar a la heterosexualidad, aun en los límites restrictivos del matrimonio. La meta es ver cómo todo lo que implican las distinciones de nuestro género humano honra a Dios a través de Jesucristo.

Muchas veces en nuestro mundo, el matrimonio solo llega a ser una unión legal, pero un verdadero matrimonio cristiano simplemente no es así. En Efesios, Pablo nos dice que dejar a los padres y unirse en matrimonio es ser representante de Cristo y su iglesia. Que privilegio increíble tenemos al decir que ejemplificamos un cuadro del amor y relación sacrificial entre Jesús y su novia. Este es el pensamiento que deseo que permanezca con mis hijos a medida que desarrollan tanto un sentido de asombro y responsabilidad como también un sentido de gozo real y gratitud en Jesús. El verdadero matrimonio cristiano es algo que se vive a través de la fe en Cristo. Vuelvo a decir que el evangelio siempre ocupa la posición principal en todo asunto. Casados o no, siempre somos la prometida de Cristo. Estamos comprometidos con Cristo para ser su esposa y esperamos el banquete de las bodas del Cordero.

Los saduceos una vez intentaron engañar a Jesús, preguntándole cómo funcionaría el tema del casamiento en el cielo. Lo hicieron con una pregunta hipotética sobre una mujer que había enviudado y que se había vuelto a casar en varias ocasiones. En el cielo, ¿quién sería el marido? Jesús respondió: "Porque en la resurrección ni se casarán ni se darán en casamiento, sino serán como los ángeles de Dios en el cielo" (Mateo 22:30). Cuando al final todas las cosas lleguen a su fin, el matrimonio sin duda será restaurado a su estado de perfección tal como también será restaurado todo lo que estaba en el mundo antes de la caída, para siempre en Jesucristo. Sin embargo, no será la unión de un hombre y una mujer, sino que será lo que esa unión representa: la unión de Cristo y su iglesia. El matrimonio cristiano será preservado al final y eternamente en Cristo y su iglesia. Esto es lo que refleja el matrimonio bíblico cristiano entre un hombre y una mujer.

Uno de mis libritos favoritos sobre el matrimonio es de un misionero llamado Walter Trobish. Él relata conversaciones que tuvo con personas a quienes aconsejaba en su matrimonio. A uno de ellos le dijo lo siguiente:

Los dos se hicieron uno. Hablo de Cristo. Porque nos ama, se hace uno con nosotros, tal como la cabeza y el cuerpo son uno. Comparte todo con nosotros. Todo lo que es nuestro llega a ser suyo.

Nuestra pobreza se vuelve su pobreza. Nuestro temor se vuelve su temor. Nuestro sufrimiento se vuelve su sufrimiento. Nuestra culpa se vuelve su culpa. Nuestro castigo se vuelve su castigo. Nuestra muerte se vuelve su muerte. Todo lo que es suyo llega a ser nuestro. Sus riquezas se vuelven nuestras riquezas. Su paz se vuelve nuestra paz. Su gozo se vuelve nuestro gozo. Su perdón se vuelve nuestro perdón. Su inocencia se vuelve nuestra inocencia. Su vida se vuelve nuestra vida.[12]

Mientras escribía este capítulo, noté una publicación en la página de Facebook de David. Después de todo por lo que había pasado, alabé a Dios por cómo la gracia de Cristo se reflejaba en su actitud con relación a la hombría bíblica y el matrimonio. Escribí lo siguiente:

> ¡Es el momento de que David sea honesto! Estoy bastante cansado de todos los muchachos y muchachas que comparten frases y artículos "inspiradores" sobre la clase de persona con la cual "merecen" estar, y por la que deben esperar. Parece una actitud buena y paciente, pero en el fondo de su corazón están buscando una relación perfecta lo cual no existe. Sí, espero la persona que Dios pueda tener para mí, pero sé que para que una relación funcione entre dos pecadores, tengo que crecer en mi relación con el Señor, y ella también. Así que, la próxima vez que veas un artículo que dice: "10 cualidades que mereces ver en tu novia", piensa así: "¿Qué cualidades debe ver Dios y mi futura esposa en mí?"

Para mí, esto representa un punto de vista redentor sobre el matrimonio. Dice que el arrepentimiento y la fe en Cristo necesitan reflejarse en nosotros antes de que reflejemos lo que él ha hecho a través de nuestro matrimonio.

Pensamientos Finales

Durante su batalla con el pecado, David no exhibía algunas de las características de un hombre bíblico. Vimos que David había ofuscado las líneas de la distinción. No mostraba ninguna iniciativa de protección, provisión o liderazgo, y estaba empezando a desarrollar características superficiales que eran claramente femeninas. Desafortunadamente, como dije antes, estas características eran los rasgos en los cuales yo más me enfocaba. David y yo tuvimos muchos momentos tensos batallando sobre cosas como el peinado, la forma de hablar y su grupo de pares. Estas cosas se aplicaban más a la hombría bíblica y específicamente a su efecto en sus amistades y las diferencias de género según la cultura. Sin embargo, algo muy importante aconteció en nuestra vida en la categoría más amplia de la hombría y femineidad bíblicas. Nuestro pastor, Peter, nos pidió que leyéramos *What's the Difference* (¿Cuál Es la Diferencia?) de John Piper. Peter me pidió que hiciera una lista

12 Walter Trobisch, *I Married You* (Bolivar, MO: Quiet Waters, 2000), 149.

de algunas cosas que yo consideraba profundas (un método común de consejería), y lo hice con alegría. Con toda honestidad, no había mucho que ya no supiera, pero dicha tarea me hizo ver la exageración que había colocado en las ideas culturales sobre la masculinidad por encima de una vida centrada en el evangelio. Comencé a reconocer que en vez de concentrarme en los asuntos superficiales y culturales, debía prestar mucha más atención a cómo podía ayudar a David a mostrar liderazgo, protección y provisión.

Comenzamos a hablar mucho más sobre tomar la iniciativa con ciertas tareas y ver a las muchachas de manera diferente, no como sus pares sino como el sexo opuesto al cual debemos tratar como tal. Comencé a pedirle a David que tomara las riendas en ciertas situaciones de nuestro hogar. Recuerdo específicamente una navidad en la cual le pedí a David que realizara el devocional navideño tradicional con la familia. En realidad, se preocupó mucho por estudiar el tema de la encarnación de Cristo, preparó un cuadro que usó para ilustrar sus puntos y nos habló del increíble regalo del amor de Dios en Jesús. Todavía conservo el cuadro en la pared de mi oficina. El punto es que comenzamos a hablar mucho más sobre cómo servir a Cristo siendo un hombre bíblico, que de los hábitos y gestos femeninos, y otras cosas superficiales. El conocimiento de David y su práctica de la hombría bíblica hoy es muy diferente. Gloria a Dios.

Es interesante cómo funcionan las cosas. En una etapa de mi vida, me aferraba al consejo de ancianos de mi iglesia animando a los líderes a no seguir la línea ideológica que considera a las mujeres como posibles obispos de la iglesia. Años después, con un récord impecable por tener una posición firme sobre lo que la Biblia dice del hombre y la mujer en el liderazgo de la iglesia, me enfrentaba a un ejemplo devastador de cómo no había trabajado de manera diligente para entender estos asuntos en mi propia familia. Como padres, muchas veces desperdiciamos demasiadas oportunidades para grabar los conceptos bíblicos de lo que es un hombre y una mujer en nuestros hijos, y muchas de estas oportunidades son sumamente prácticas. A un hijo se le pueden dar oportunidades para proteger a su madre y sus hermanas bajo la supervisión de su padre. Podemos premiar la caballerosidad y señalar las responsabilidades de protección y provisión. Podemos buscar oportunidades para que nuestros hijos lideren. Podemos enseñarles a celebrar las distinciones de Génesis. Podemos enseñarles a nuestras hijas a ser verdaderas ayudas idóneas y a detectar verdaderas demostraciones de protección y liderazgo en su padre y otros hombres piadosos. Les podemos enseñar a ser cariñosas y hábiles, y pueden aprender de las mujeres mayores de la iglesia sobre la manera de honrar a Dios como esposas y madres, si tenemos una estructura eclesiástica sólida. Todo esto puede hacerse de manera de exponer al máximo el cumplimiento de los roles del hombre y la mujer en el matrimonio señalando a Cristo y su evangelio.

La Perspectiva de David

Cuando tenía seis años era parte de un equipo de fútbol. Nos llamábamos las Hormigas Coloradas. Un día durante un partido, uno de los padres de un compañero gritó desde el lateral de la cancha: "¡Jimmy, te daré 50 centavos por cada gol que hagas esta temporada!" Bueno, mis padres pensaron que era una idea divertida e hicieron el mismo trato conmigo. Esa temporada no gané nada de dinero, y dejé el fútbol para siempre.

No me gustaba hacer las cosas que los muchachos hacían. Pasaba más tiempo con niñas y desarrollé características superficiales femeninas por las que mi padre me fastidiaba aun antes de que le dijera de mi atracción hacia el mismo sexo. Con la ayuda de la consejería, esas características empezaron a desaparecer, no porque yo intentara ser más varonil de acuerdo con la cultura, sino porque me enfoqué en ser un hombre según la Biblia. El pastor Peter me explicó Efesios 4:22-24 como si fuera una "ducha espiritual". Cuando nos duchamos, nos quitamos la ropa, nos lavamos y nos colocamos ropa nueva. De la misma manera, tenía que despojarme del viejo hombre, ser renovado en el espíritu de mi mente, y vestirme del nuevo hombre. Cuando comencé a ser aconsejado, mi padre estaba obsesionado con decirme que debía despojarme del viejo hombre, despojarme de mi manera de caminar, despojarme de mi manera de actuar y de aquellos con quienes me juntaba. Pero de ninguna de estas cosas me hubiera despojado con efectividad si no las hubiera cortado de raíz en mi corazón. En mi interior, yo creía que era diferente a los otros muchachos, ese era el pensamiento del cual me tenía que deshacer, lo cual no puede hacerse sin que obre la mano de Dios.

La meta para mi consejería nunca fue llegar a la heterosexualidad; era buscar la santidad en respuesta a la obra de Jesús por mí en la cruz. Nunca hubiera llegado a ser el hombre que soy hoy, si solo hubiese intentado actuar como un hombre.

La Perspectiva de Peter

Es difícil cambiar los malos hábitos. En eso somos todos iguales. Los pequeños cambios que logramos de a poco rara vez son duraderos, sostenibles y para toda la vida. Llevan tiempo.

Pensar que David podría hacer clic en "Deshacer" sobre aquello que se había desarrollado durante toda su vida no era práctico. El cambio duradero y que santifica no se logra con algunas sesiones de consejería y aumentando el plan de lectura bíblica. Decir, "Toma esta porción de las Escrituras y llámame por la mañana", no es la mejor manera de abordar el proceso de consejería. Es un viaje de arrepentimiento de toda la vida, un camino por el cual pude andar con David por un tiempo, y después el resto dependerá de él y su Dios.

Como consejero bíblico, mi meta no es cambiar la manera en la cual mi aconsejado actúa o se siente. Más bien, empleo mejor mi tiempo construyendo un fundamento de verdades bíblicas que reforzará quiénes ellos son en Cristo. Cuando los tiempos sean difíciles y la tentación llame desde la calle, David tendrá que permanecer firme en los fundamentos de la Palabra de Dios que le recordarán quién es él como hombre de Dios. Lo que cambió todo para él fue definir que ganar era la santidad; no la heterosexualidad. Darse cuenta de que el llamado para su vida era la obediencia a la Palabra de Dios al igual que cualquier otro cristiano en crecimiento, lo colocó en la misma posición que los demás, quitando el estigma que suele asociarse con la homosexualidad como si fuera el pecado imperdonable. Hay esperanza en la búsqueda de la santidad, y David mostraba confianza en la Palabra de Dios y la obra continua de Dios en su vida, lo cual es la esperanza de cualquier consejero bíblico para su aconsejado. Dios estaba obrando.

Capítulo 5

Dirección para la Distinción de Género

Hay tantas cosas en este mundo que como seres humanos nos recuerdan que somos frágiles, fútiles y finitos. Queremos ser indestructibles, pero no lo somos. Queremos saberlo todo, pero no es así. Queremos pensar que nuestros propios deseos y dirección están bien encaminados, pero muchas veces no lo están. Lee el libro de Job y pronto te darás cuenta de que muchas veces ni siquiera sabemos lo que no sabemos. Dios es Dios y nosotros no lo somos. Por este motivo, Trish y yo no anduvimos por laberintos interminables tratando de descubrir la razón exacta por la cual David no estaba desarrollando hombría bíblica y una masculinidad cultural apropiada. Había un sinnúmero de posibilidades por las cuales David pudo haber estado demostrando características femeninas, y mientras Trish y yo hablábamos sobre muchas de estas posibilidades, también aceptábamos el hecho de que los deseos comunes al hombre, a causa del pecado, nos pueden alejar de la santidad de Dios en cualquier dirección. Nuestra predisposición humana hacia el pecado siempre es el común denominador. Para muchas personas, esto simplemente no es suficiente. Nuestra tendencia humana es encontrar algo o a alguien a quien culpar. Trish y yo nos dimos cuenta de que a la luz de la responsabilidad de cada individuo por su pecado, encontrar algo o a alguien a quien culpar por la crisis de David era bastante inútil. Queríamos hacer todo lo posible para ayudar a David a aceptar sus propias cualidades distintivas como hombre, y lo que significa glorificar a Cristo a través de su masculinidad.

A efectos de este libro, David gentilmente quiso contar parte de su historia para animar y desafiar tanto a padres como a hijos en las verdades sobre la sexualidad bíblica y en el mensaje de la redención del evangelio de Cristo. David ha sido transparente con su testimonio y como sus padres esto nos ha desafiado a hacer lo mismo. Sabíamos que la naturaleza pecaminosa era la razón principal por las acciones de David, y también sabíamos que él era responsable de forma individual por su pecado delante de Dios. Aun así, Trish y yo pasábamos tiempo hablando e identificando áreas en nuestro hogar y cosas que como padres podíamos hacer para ayudar a David a crecer en la masculinidad que Dios le había dado. Renovamos nuestra enseñanza sobre la hombría y femineidad bíblicas. También observamos otros asuntos prácticos que de forma más directa podían fomentar la masculinidad de David y su identificación de las distinciones de género. Buscábamos la manera de ayudarlo a desarrollar hombría bíblica y maneras en las que nuestras propias acciones podían estar perjudicando ese desarrollo.

Al auto examinarme, descubrí que la manera en la que interactuaba con David no era de ayuda. Muchas veces hablaba con un tono duro sobre las cosas que me desagradaban en él. Ni siquiera trataba de insultarlo; solo tendía a ser demasiado directo con este tema. Pero mi retórica brusca estaba alejándolo de su relación conmigo. Más y más me veía como a un crítico duro en vez de como un padre amoroso que lo guiaba. Muchas veces él dejaba la conversación con el mensaje de que no me gustaba su forma de hablar o que tenía que cambiar alguna costumbre. Ninguna de estas cosas tenía nada que ver con lo que realmente quería decirle. Nuestra relación a veces era muy tensa, por lo que David corría a Trish para pedirle respuestas a sus problemas en vez de venir a mí. Trish y yo estábamos de acuerdo de que David necesitaba un padre que lo guiara, amara y animara en vez de solo corregirlo. Una vez que me di cuenta de esto, comencé a preocuparme más por los intereses de David y a buscar oportunidades para animarlo y reír. Trish y yo también concordamos en que necesitábamos trabajar con David con el poder de Dios y no el nuestro. Esto significaba que yo dejaría de tratar de solucionar todo instantáneamente con mis propias fuerzas. Nos volvimos más pacientes con David, considerando cada situación y eligiendo nuestras batallas antes de hablar. Aprendí a detenerme, orar y considerar si mi preocupación era realmente necesaria. ¿Sería éste otro momento crítico, o me arrepentiría por mi deseo de conformar a David al objeto de mi propio legalismo? Algunos de estos asuntos eran la dura realidad. Me di cuenta de que el exceso de disciplina estricta de mi naturaleza crítica tenía grandes fallas. Aunque estos cambios fueron muy útiles en mi relación con David, hasta el día de hoy necesito mejorar y arrepentirme por mi legalismo.

Hay un crítico en todos nosotros, y es una de las características más irritantes de los padres que los hijos tienen que manejar. Si está leyendo esto y se ve identificado con estas características, le pido que considere la posibilidad de que sea un crítico. No significa que pararemos de disciplinar como padres o que dejaremos de comprometernos con la santidad para glorificar a Dios en nuestros hogares. Sino que significa que a veces debemos preocuparnos más por nuestra propia santidad que la de nuestros hijos. Si tenemos una naturaleza crítica, a veces la paciencia es más importante que los discursos. Con estas actitudes y acciones podemos causar el aislamiento de nuestros hijos y por este motivo puede que corran en cualquier dirección, aun la errada. La relación de padre e hijo necesitaba ser reparada porque el modelo masculino de David en nuestro hogar era más un crítico que un guía. Todo esto requiere arrepentimiento real y activo, pero por la gracia de Dios, ahora todo es bien diferente en mi hogar.

Del lado de David, podíamos ver que una de las influencias más dañinas era el impacto femenino de sus amistades. David era un joven en crecimiento, alto, guapo (obtuvo estos genes de su madre), y tenía un acento australiano genial. Enseguida nos dimos cuenta de que en la iglesia y otros lugares muchas veces se encontraba rodeado de jovencitas. Notamos que lo mismo acontecía en la escuela cristiana a la cual asistía. Aunque nosotros le aconsejábamos que buscara la compañía de jóvenes piadosos de su edad, David gravitaba en dirección a las muchachas y las veía como sus pares. Esto debía cambiar. Peter, quien era pastor de jóvenes en la iglesia en ese momento, también lo reconoció. Con el pasar del tiempo y a través del proceso de consejería, trabajamos en conjunto para ayudar a David a alejarse de las muchachas y a construir buenas relaciones con los muchachos. Al principio, veíamos que David no concordaba con nuestras decisiones, pero con ánimo constante, oración y acción, David encontró amigos maravillosos que terminaron formando un grupo de discipulado. Una vez más, Trish y yo vimos esto como la misericordia de Dios sobre nuestro hijo. De hecho, uno de esos jóvenes llegó a ser un buen amigo íntimo para David. Conocía su lucha con el pecado y que era algo con lo cual batallaba. Le gustaba su compañía no solo como amigo sino también como alguien a quien rendir cuentas. De forma regular le doy gracias a Dios por este joven.

Durante este tiempo, tuvimos que tomar algunas decisiones difíciles. A su alrededor había muchas cosas que no lo ayudaban, incluyendo no solo su grupo de amigas sino también las redes sociales. Llegamos a la conclusión de que era necesario cortar estas cosas de su vida y hasta este día David está de acuerdo en que no le hizo mal sino bien. Los pastores, líderes de jóvenes, maestros y aun amigos (las personas que sinceramente se preocupaban por David) lo alejaban de su tentación de acercarse solo a grupos de muchachas para acercarse a los de su propio género. Aunque a David no siempre le gustaba, entendía el porqué. David era un muchacho y ellas no. No lo ayudarían a identificarse como hombre. Pasar tiempo con un grupo solo de mujeres no lo ayudaría a desarrollar un punto de vista bíblico de cómo los hombres se relacionan con las mujeres. Los hombres deben proteger, proveer, guiar y valorar a las mujeres, no tratarlas como a un grupo aislado de amigas durante la etapa más crucial del desarrollo sexual en la vida. Esto no ayudaba a David a entender la hombría en la práctica.

Con el pasar del tiempo otros hábitos ayudaron a reforzar el desarrollo de David como hombre. Buscábamos oportunidades para que David liderara en casa, ya sea guiándonos en nuestro devocional o en alguna tarea simple. Le inculcaba la idea de que era el protector del hogar cuando yo estaba fuera por cuestiones de ministerio. Le dimos nuevas responsabilidades y le pedimos que usara su propia iniciativa para determinar cómo las llevaría a cabo. Por un tiempo, David vio estas tareas simplemente como más actividades y demandas parentales, pero su actitud hacia ellas cambió sobremanera después de responder al evangelio. Empezando de adentro hacia afuera, David comenzó a ver la masculinidad de manera diferente.

En cierto modo hago diferencia entre ser hombre y la masculinidad. La masculinidad cultural es un factor fundado sobre la hombría bíblica. Entender lo que la Palabra dice sobre el hombre y la mujer es el primer paso para entender las diferencias de género, lo cual debe ser visible en el contexto de la cultura en la cual vivimos. Las distinciones culturales de género son importantes. Cuando se ofuscan, el error puede llevar no solo a la confusión de género sino también al pecado. Los padres tienen la tarea importante de ayudar a sus hijos a entender estas distinciones y su evidencia en nuestra cultura.

Las diferencias visibles que comenzamos a ver en David después de que colocó su fe en Cristo eran evidentes. En un momento durante su tiempo de consejería con Peter, David se dio cuenta de que conocía la verdad pero que no se había sometido a Cristo. Tenía que ir a la cruz buscando la redención y el perdón que solo viene por la fe en Cristo. Casi de manera inmediata vimos el cambio que Jesús había llevado a cabo en su vida. Parecía que todo comenzaba a encajar, y afectó su forma de hablar, sus peculiaridades, su iniciativa, y su perspectiva en general. David era diferente. Buscaba obedecer a Cristo, pero más importante aun, mostraba deseos de glorificar a Dios.

Desde ese entonces tuve la oportunidad de oír el testimonio de un hombre que se había apartado de la homosexualidad. Durante la presentación, dijo algo que no encajaba con lo que conozco sobre la posición bíblica de las distinciones entre el hombre y la mujer. Comentó que Dios lo creó con una masculinidad tan única que no la podía reflejar como los otros hombres. En otras palabras, este caballero sugería que había sido creado para reflejar la femineidad. Esta no es la posición bíblica.

Aunque para mí como padre de David era importante no solo enfocarme en la masculinidad cultural sino en cosas más profundas relacionadas con la hombría bíblica, no estaba satisfecho con la idea de que aceptara las verdades bíblicas sin exhibir las distinciones que son identificables en la cultura. Esto significa que todas las personas deberían esforzarse al máximo por mostrar las costumbres que se consideran normales para su género dentro de la cultura, sin pecar.

Tenemos que abordar la hombría y femineidad bíblicas con mucho cuidado y gran discernimiento bíblico. No debemos estar listos para condenar a la persona que exhibe una forma de hablar o una manera de ser que se pueda identificar más con el género opuesto. Sin embargo, sin duda debemos ser capaces de determinar, en la cultura en la cual vivimos, quién es hombre y quién es mujer. No es necesario que alguien exhiba las características, vestimenta o peculiaridades del género opuesto para progresar en dirección a la homosexualidad. El pecado es diverso y engañoso en la manera en la que aparece en nuestra vida. Sin embargo, el punto de este capítulo es que la distinción de género es un componente clave para la hombría y femineidad bíblicas, y para la sexualidad bíblica en general.

La confusión en la distinción de género muchas veces es un elemento común en la tentación homosexual y el pecado. Antes de llegar a Cristo y cuando estaba atrapada en un estilo de vida lesbiano, Rosaria Butterfield sabía que su apariencia no representaba la norma cultural para su género. En su testimonio emotivo, escribe sobre lo incómoda que estaba al encontrarse con el pastor que le estaba testificando: "Me acuerdo con detalles esa primera reunión con Ken y su esposa Floy. Recuerdo ser consciente de mi corte de cabello varonil y de los autoadhesivos en mi auto que promovían la homosexualidad y el aborto legalizado ".[1] Desde ese entonces Rosaria ha cambiado su corte de cabello y se muestra como la mujer que Dios quería que fuera. De forma proactiva muestra esa distinción para la gloria de Dios por el efecto transformador de Cristo en su vida.

Otro punto que quiero aclarar es el de la definición. Veremos que la Biblia no hace diferencia entre la anatomía sexual y el género. Es muy claro, como lo hemos mencionado antes, que Dios creó la humanidad, hombre y mujer, a su imagen. La distinción de hombre y mujer en Génesis 1 se muestra inmediatamente no solo en nuestras diferencias anatómicas sino en los roles correspondientes. Ya he señalado que mientras vivamos en nuestra sociedad presente, deberíamos ver las distinciones de género representadas en las costumbres que se consideran normales en la cultura de nuestros días, y así es. Observamos cortes de cabello que son más bien para hombres o mujeres. Notamos que mientras algunas mujeres usan pantalones, el corte es diferente al de los hombres. Sí, hay pantalones hechos especialmente para las mujeres, y podemos ver cuáles son. Vemos que los hombres no usan maquillaje como las mujeres, y cuando lo hacen es muy obvio. Aunque en algunas culturas los hombres usan largas túnicas, esta no es una distinción cultural típica en los Estados Unidos. Aun así, cada cultura tiene su propio grupo de distinciones culturales en esta área.

Aunque podemos ver estas distinciones culturales, eso no significa que la cultura en realidad defina los géneros. Teóricos prominentes que estudian los géneros como Judith Butler han argumentado que el género en realidad se define por la cultura y se diferencia del sexo.[2] Ella define el género como

---

1   Rosaria Butterfield, *The Secret Thoughts of an Unlikely Convert* (Pittsburgh, PA: Crown & Covenant Publications, 2012), 9.

2   En otras palabras, los teóricos del género normalmente sostienen que el *sexo* se relaciona con la anatomía física, mientras que el *género* es un estado mental que se construye experimental y culturalmente.

"construido culturalmente: por lo tanto, el género ni es el resultado causal del sexo ni es tan fijo como el sexo".[3] Además dice:

> Si el género es el sentido cultural que asume el cuerpo sexuado, entonces no se puede decir que el sexo determina el género solo de una manera. Si lo llevamos hasta el límite de la lógica, las distinciones de sexo/género sugieren una discontinuidad radical entre los cuerpos sexuados y los géneros construidos culturalmente.[4]

Quizás, esto te ayude a ver cuán fácil es que la generación presente de alumnos universitarios sea engañada por tales sutilezas. En vez de ver el desarrollo natural del orden creado por Dios en nuestra cultura, aquellos que no están iluminados por la verdad de Cristo han determinado que de hecho es la cultura la que define y reordena. Solo cuando comencemos con la verdad y autoridad de las Escrituras, con un compromiso para con el orden creado, y un entendimiento de cómo Dios ordena su manifestación visible, podremos lidiar con las distorsiones sutiles de este mundo. Cuando entendamos las cosas desde una perspectiva bíblica fundamental, podremos identificar cuando se hagan verdaderos intentos para neutralizar el género en la cultura. Podremos reconocer los intentos de la sociedad para forzar la neutralidad de género aun en las decisiones al momento de comprar juguetes para nuestros hijos.[5] Nos podremos negar a reemplazar el él y *ella* por términos neutrales en materia de género.[6]

Podemos asegurarnos de tomar decisiones sobre nuestra vestimenta, forma de hablar, peculiaridades y cuidado personal de acuerdo con lo que glorifica a Dios y muestra nuestras distinciones necesarias. A veces puede ser que tengamos que ejercitar la gracia, pero la pregunta que debemos hacer no es si alguien está mostrando distinción de acuerdo con nuestros niveles de confort y reglas humanas, sino si la persona se está esforzando por glorificar a Dios haciendo visible su distinción de acuerdo con las costumbres culturales normales y sin pecar. Los hombres no deben mirar con desagrado a una mujer que viste pantalones femeninos. Las mujeres no deben mirar a un hombre del Medio Oriente con desagrado por estar vestido con una túnica.

La distinción de género es algo que la Biblia enseña sistemáticamente comenzando por Génesis y tanto en el Antiguo como en el Nuevo Pacto. Deberíamos considerar esta continuidad y prestar atención a un par de ejemplos del Antiguo y Nuevo Testamento, pero primero debemos considerar el

---

3 Judith Butler, *Gender Trouble: Feminism and the Subversion of Identity*, 1ª edición (Nueva York: Routledge, 2006), 8.
4 Ibid., 9.
5 Peggy Orenstein, "Does Stripping Gender From Toys Really Make Sense?", *The New York: Times*, 29 de diciembre 2011, sec. Opinion, http://www.nytimes.com/2011/12/30/opinion/does-stripping-gender-from-toys-really-make-sense.html.
6 John Tagliabue, "Swedish School De-Emphasizes Gender Lines," *The New York: Times*, 13 de noviembre 2012, sec. World/Europe, http://www.nytimes.com/2012/11/14/world/europe/swedish-school-de-emphasizes-gender-lines.html.

mensaje inmutable de toda la Biblia para responder a una de las preguntas más difíciles relacionadas con este tema.

No Es Solo una Ley del Antiguo Testamento

Cuando David me confesó su pecado, tuve la necesidad de estudiar tanto como pude sobre los temas de la hombría y femineidad bíblicas, la sexualidad, la confusión de género y la consejería bíblica. Ya poseía una comprensión básica de estos temas, pero con una motivación renovada que me confrontaba como nunca antes para estudiar con más profundidad, abrí mi Biblia y muchos otros libros y oí decenas de sermones de maestros conocidos. Al mismo tiempo, había comenzado el proceso para obtener mi maestría en el seminario. A través de este proceso, empecé a entender más los beneficios de estudiar los idiomas bíblicos y de pensar con más profundidad sobre la teología bíblica y sistemática, y otras disciplinas. No demoré mucho tiempo en comenzar a aplicar todas estas cosas a la situación con mi hijo. Es realmente asombroso que la Palabra de Dios sea la verdad simple y clara; sin embargo, sus riquezas son más y más profundas cuanto más excavamos. Aunque construía sobre el fuerte compromiso que ya había hecho para con la autoridad, infalibilidad e inerrancia de la Biblia, estaba sorprendido por la constancia con la que Dios ha revelado la verdad sobre la sexualidad bíblica en la historia desde Génesis hasta Apocalipsis.

Cuanto más estudiaba este tema en particular en la Palabra de Dios, más surgían preguntas en particular. Era interesante ver cómo se replanteaban debates aun en el mundo de los eruditos cristianos por estas preguntas simples pero profundas dentro de la comunidad eclesiástica en general. Esto reforzó una cosa en mí sobre la claridad de las Escrituras: Cualquiera que lee la Palabra con interés reflexivo puede ver que hay una profundidad de riquezas en la claridad de su verdad. Sin duda, podemos preguntarnos cómo está todo vinculado y cuál es el propósito y aplicación de ciertos pasajes. Quienes han sido iluminados por la verdad, atraídos por el Espíritu Santo a través del evangelio de Cristo, hacen estas preguntas con un deseo sincero de experimentar la riqueza de la revelación de Dios para su gloria. Yo mismo he hecho estas preguntas, y otros hermanos y hermanas en Cristo también las han hecho por mí. Hace poco tiempo mi iglesia tuvo una sesión de preguntas y respuestas donde se hizo la pregunta: "¿Cómo podemos conciliar los mandamientos a los israelitas en la ley antiguotestamentaria sobre el género y la sexualidad con la enseñanza del Nuevo Testamento?" Esto ya se ha mencionado brevemente en capítulos anteriores, pero creo que debemos considerar el panorama total de la enseñanza bíblica una vez más antes de considerar un par de referencias específicas sobre el género en el Antiguo y en el Nuevo Testamento.

No es mi intención tener un debate definitivo sobre la relación de Israel, la iglesia y la Ley entre el Antiguo y el Nuevo Testamento. Desde la primera generación después de los apóstoles, es claro que este tema se ha examinado y luego debatido en detalle a lo largo de los tiempos. Aun así, con frecuencia se hacen preguntas sobre cómo las leyes relativas al género y la sexualidad en el antiguo pacto se relacionan con el nuevo pacto. A veces es provechoso considerar si estas preguntas se hacen con una actitud de escepticismo o no. De vez en cuando estas preguntas son formuladas para promover la idea de que las leyes sobre la distinción de género y la sexualidad no se aplican hoy de la misma manera que para la nación de Israel. Algunos aun creen que hay cambios suficientemente importantes en la Ley, de modo que la homosexualidad ya no es pecado. Sugieren que los debates sobre el género en el Nuevo Testamento no pueden ser confiables cuando ni siquiera sabemos cuáles son las leyes que provienen del Antiguo.

Entre otras cosas, el antiguo pacto presenta leyes sobre los animales limpios e impuros, el día de reposo, prohibiciones sobre mezclar dos telas diferentes y sobre sembrar diferentes semillas en un mismo campo. De una manera u otra, en el Nuevo Testamento vemos la conclusión, la continuación, o algún cambio en cada una de estas leyes. No es mi intención discutir las complejidades de la ley; al contrario, quiero señalar que Jesús de hecho cumplió a la perfección la ley del Antiguo Testamento en su totalidad cuando todos los demás no podían hacer otra cosa sino quebrantarla. Como señalamos en el capítulo dos, el cumplimiento de Cristo echa luz sobre la ley. Es en Cristo que los animales ya no son limpios o impuros, y esto señala la inclusión de los gentiles (Hechos 10:1—11:18). Es en Cristo que se halla el verdadero descanso, y si hablamos sobre el día separado para que la iglesia se reúna, debemos hacerlo con el cumplimiento de Cristo del día de reposo en mente (Hebreos 4). Aunque hay diferentes sistemas teológicos entre los eruditos cristianos, hay ciertas leyes, como las de mezclar telas, en las que la mayoría está de acuerdo que solo conciernen a Israel. Aun esta ley sobre la mezcla de telas encuentra su cumplimiento en Cristo cuando pensamos que somos vestidos solo de su justicia (Gálatas 3:25-28). No estamos vestidos con una vestimenta para mostrar la santidad de Dios, sino que en realidad estamos vestidos de su santidad.

Israel había sido llamado específicamente para ser un pueblo especial y santo ante el Señor y no para ser como las otras naciones. Debían dejar brillar la santa fama de Dios frente al mundo que los rodeaba. Con la presencia de un Dios perfectamente santo y puro en su medio, acamparon alrededor del tabernáculo (y después del templo). El pueblo de Israel tenía la obligación de mostrar cuán separados estaban del resto del mundo en obediencia absoluta a Dios en su apariencia, en lo que hacían, en cómo adoraban, en lo que vestían, y especialmente, en su obediencia a la intolerancia completa por la impureza ya que Dios vivía en medio de ellos (ver Levítico 18:24-30). Este pacto quebrantado que ningún israelita podía cumplir, se cumplió en el Señor Jesucristo, quien trajo el nuevo pacto del cual había hablado Jeremías

(Jeremías 31:31-32). En el Nuevo Testamento, que da testimonio de Cristo, continuamos viendo declaraciones fuertes sobre los diferentes aspectos de la sexualidad y continuamos viendo la importancia de la distinción entre los géneros incluyendo los roles y aun la apariencia. Es por este motivo que el argumento de Pablo sobre la distinción de género para la iglesia en Corinto está basada en la autoridad de Cristo, quien ha cumplido la ley del Antiguo Testamento (1 Corintios 11).

Aunque discutiremos los dos pasajes más importantes sobre las diferencias de géneros en el Antiguo y el Nuevo Testamento, hay un principio aun mayor al cual debemos volver, que se encuentra en Génesis 1 y 2. Estos pasajes nos ayudan a entender lo que Dios había planeado para la creación antes que fuera corrompida por nuestro pecado. Veremos que los pasajes de 1 Corintios 11 y Deuteronomio 22 coinciden en relación con la distinción de género y no solo eso. El punto principal es que tanto la ley antiguo testamentaria como los mandatos neotestamentarios sobre la sexualidad están en conformidad absoluta y en concordancia con lo que Dios esperaba para los patrones originales perfectos de Génesis 1 y 2. Siendo que Dios creó la sexualidad humana con un propósito original, vemos que las expectativas originales para la sexualidad humana es un elemento que continúa a lo largo de la Biblia tanto en la ley de Sinaí en el Antiguo Testamento como en la ley de Cristo del Nuevo Testamento. Aun más, al ver la revelación completa de Dios a través de todas las Escrituras, tendremos una perspectiva mayor en relación a ese propósito. Un buen ejemplo de esto es que Pablo nos muestra que la unión de Génesis 2:24 de un hombre y una mujer en una sola carne es en realidad un cuadro de Cristo y su iglesia (Efesios 5:30-31). Por lo tanto, con todo esto en mente, no debemos comenzar en Éxodo, Levítico o Deuteronomio para responder a preguntas sobre la sexualidad bíblica y el género. Tampoco debemos detenernos en el Antiguo Testamento, sino que debemos observar que hay continuidad a lo largo de todo el canon de las Escrituras y una revelación aun más maravillosa de la verdad cuando observamos todo el mensaje.

El punto de partida para tratar con la sexualidad bíblica y la distinción de género está en Génesis 1 y 2 como parte de la descripción de una creación perfecta. Por eso hemos pasado tanto tiempo hablando de la necesidad de defender la autenticidad de la historia de Génesis. También es la razón por la que hemos tomado un tiempo para ver la distinción de género y los roles diferentes pero complementarios del hombre y la mujer en el texto de Génesis 1 y 2. Debemos recordar que Jesús, quien es Dios, es Creador, Salvador y Revelador de toda la verdad en las Escrituras. Él creó el patrón original. Él dio la ley del Antiguo Testamento, la cual la humanidad quebró, pero él cumplió. En el cumplimiento de Cristo, vemos la perfección de la ley personificada. La prioridad para que la iglesia neotestamentaria vea y entienda la ley ya no es Sinaí, sino Jesús, quien la cumplió. La iglesia neotestamentaria son los creyentes regenerados. Las leyes requeridas solo para la santidad de la nación de Israel del Antiguo Testamento se cumplen en Cristo y ya no se requiere el reconocimiento visible de la iglesia.

También hay leyes en el Antiguo Testamento que reflejan la intención perfecta para la creación original, y hay otras diferentes cuyo único propósito era distinguir a una nación especial. Las leyes que reflejan la intención de la creación también se cumplen en Cristo pero se vuelven a enfatizar, no se suspenden, en el reflejo de su santidad perfecta. Por lo tanto, vemos continuidad en las enseñanzas del Nuevo Testamento sobre la sexualidad, y vemos que esta continuidad comienza en Génesis y se extiende tanto en el Antiguo como en el Nuevo Testamento (ver el siguiente cuadro).

| Creación: santidad sexual perfecta | Después del pecado: los patrones de la santidad sexual continúan en un mundo corrompido | Pacto quebrantado: los patrones de la santidad sexual continúan en las leyes dadas a la nación de Israel | La ley se cumplió en Jesucristo ✝ | Nuevo Pacto: los patrones de la santidad sexual continúan en la ley personificada en la perfección de Cristo | La santidad perfecta restaurada por completo |

Cuando colocamos todo esto en la perspectiva correcta, vemos que todo lo que Dios nos ha dado en la sexualidad humana es solo para su gloria. La reproducción, los roles complementarios, y nuestras distinciones individuales en la belleza de la unión matrimonial tenían como propósito la gloria de Dios. Como resultado del pecado, Dios nos revela su gloria en el juicio, en la salvación y en la restauración futura de todas las cosas. Cuando observamos la sexualidad humana (incluyendo la distinción de género) a la luz de la creación, la caída, la cruz de Cristo y la consumación final, vemos a través de los tiempos que en la salvación por medio del juicio, Dios está restaurando la sexualidad humana en el cuadro de Cristo y su iglesia que aún no es perfecto. Jim Hamilton describe la gloria de manera apropiada:

> Es mi opinión que la gloria de Dios es el peso de la bondad majestuosa de quien Dios es, y el nombre, o la reputación, resultante que consigue en la revelación de sí mismo como Creador, Sustentador, Juez y Redentor, perfecto en justicia y misericordia, bondad y verdad.[7]

Aunque hemos pecado y corrompido el patrón perfecto de la distinción de género, la historia de la redención de Dios nos ayuda a entender dicho patrón a través de su justo juicio, su ley santa, su esperanza redentora y su restauración perfecta final. En el contexto de la historia de la redención, la historia bíblica relacionada con el género y la sexualidad humana señala la gloria de Cristo desde la creación hasta la consumación.

Esta es la historia redentora de la distinción de género. Dios creó al hombre y a la mujer a su imagen. Por el pecado, las distinciones perfectas y complementarias de nuestros dos géneros distintos se han corrompido por

---

7   James M. Hamilton, *God's Glory in Salvation through Judgment: A Biblical Theology* (Wheaton, IL: Crossway, 2010), 56.

nuestro propio orgullo y deseos. El patrón de Dios para nosotros no ha cambiado, y al proclamárselo al mundo salvó un pueblo para sí mismo para que ellos vivieran como luz brillante de su santa fama. Al hacerlo, ellos debían mostrar la misma distinción de género que Dios había creado originalmente. La ley que le fue dada a este pueblo establecería el patrón en esta área de santidad. En Deuteronomio 22:5, Dios le da una orden específica a su pueblo de que el hombre debe ser hombre y la mujer, mujer. A través de los años, Israel constantemente quebrantó la ley de Dios, y al hacerlo quebrantó la totalidad del pacto de Dios con ellos como su pueblo.

Sin embargo, Jesús vino como un verdadero hombre. Es el representante perfecto de la cabeza masculina de la humanidad, mientras que nuestro antiguo representante como cabeza nos llevó al pecado. En obediencia a Dios, en pureza sexual y siendo el verdadero hombre que vino a ser, Jesús nos mostró la perfección de la distinción de género. Demostró el amor de un verdadero líder, guiando a hombres y a mujeres a la justificación y a una vida santa delante de Dios. En Cristo, el hombre y la mujer pueden adorar a Dios a través de Jesús, quien es nuestro templo. De hecho, en Cristo llegamos a ser templo del Espíritu Santo. En Cristo adoramos en espíritu y en verdad, y cuando nos reunimos para la adoración congregacional lo hacemos sin abandonar nuestra distinción de género, todo para su gloria y como reflejo del propósito original de la creación (1 Corintios 11). Nuestras distinciones complementarias se muestran al máximo a través del cuadro del matrimonio cristiano, que en realidad es un cuadro de Cristo y su iglesia. Cristo toma el rol del Esposo que guía, protege y quien ha mostrado amor sacrificial. La iglesia toma el rol de la esposa en sumisión y en concordancia con la dirección intencional del Esposo. En el cielo no habrá casamientos para el hombre y la mujer, pero habrá una boda. Cristo y su iglesia reinarán eternamente y serán el cumplimiento eterno de todo lo que representaría Génesis 2:24 con la idea de "dejar y unirse". Nuestras distinciones de género, particularmente en el matrimonio, y aun en nuestras reuniones de iglesia, representan de una manera hermosa la gloria de Cristo.

La mayor idea de esta sección es probar que hay un punto de inicio para entender la distinción de género. La primera distinción que hace la Biblia está en Génesis 1:27, donde el hombre y la mujer son subcategorías de la humanidad. Los roles y atributos distintivos también son evidentes en Génesis 2. Las distinciones entre el hombre y la mujer continuaron como parte persistente de la ley del Antiguo Testamento. Jesús vino como el representante masculino de la humanidad y cumplió cada parte de la ley, y el Nuevo Testamento continúa proclamando los patrones de Génesis 1 y 2 sobre la distinción de género como enseñanza constante desde la creación hasta la consumación. Con esto en mente, podemos ahora considerar un pasaje del Antiguo Testamento y otro del Nuevo Testamento sobre la distinción de género.

Deuteronomio 22:5

Mi padre y mi madre solían preparar a la familia antes de ir a visitar a mi tío y a mi tía. Oíamos la lista de recordatorios de todo lo que *podíamos* y lo que *no podíamos* hacer durante la visita. "Acuérdense de decir 'por favor' y 'gracias'". "No se olviden de quitarse los zapatos y asegúrense de tener calcetines limpios". "No toquen *nada*, especialmente si parece de cristal". Si obedecíamos las reglas, la familia podría contar con una linda visita. Habría pastel, dulces y otras sorpresas a nuestro alcance. Uno de mis otros tíos (mi favorito) decidió divertirse un poco con la situación. Le dijo a uno de mis hermanos que hiciera algo cuando recibiera los dulces. Tenía que inclinarse en reverencia y tomar un puñado de los dulces mientras decía: "¡Gracias, su alteza!" Mis padres quedaron horrorizados, pero yo aún pienso en cómo se reía mi tío sacudiendo su barriga cuando oyó que su broma había tenido éxito. Obviamente esta no fue una visita exitosa a la casa de mis tíos. La preparación estricta para la visita se había visto afectada, y en vez de recibir bendición, mi hermano recibió la clase de disciplina que forma carácter en uno.

Veo el libro de Deuteronomio de esta forma. Gran parte del libro fue escrito para la preparación de Israel cuando entraba a la tierra que Dios le había dado. Mientras contemplaban esta transición en la cual Dios había prometido tal bendición, Moisés también les recordó quiénes tenían que ser como pueblo escogido de Dios. Estaban entrando en la tierra prometida, un lugar muy especial donde Dios habitaría con ellos y donde experimentarían la bendición mientras vivieran de acuerdo con su ley y le adoraran con sinceridad. Debían ser su pueblo santo, su luz brillante en el mundo. El desobediente podría terminar en el exilio, y Moisés claramente advierte a los israelitas sobre esa consecuencia. Siendo que el nombre de Dios habitaría entre su pueblo (Deuteronomio 12), había una gran responsabilidad de reflejar la gloria de su nombre.

El teólogo Stephen Dempster, al igual que otros, cree que la tierra prometida que Dios le dio a Israel tiene muchas similitudes con la descripción del jardín del Edén.

> La idea de que un nombre habite en el santuario no solo significa que Dios es dueño del mismo de un modo especial, sino que ese es el lugar de la residencia de Jehová en medio de Israel: su nombre se asocia con su persona y carácter y, por lo tanto, este es el lugar de su misericordia y gracia (Éxodo 34:5-7), donde Dios hace su residencia en Israel. La presencia divina y la tierra santa son el eco de la gloria perdida del Edén.[8]

Dios habita en medio de aquellos a quienes ha llamado hijos de Dios (Éxodo 4:22-23; Lucas 3:38). Dios había formado la nación de Israel para

---

8   Stephen G. Dempster, *Dominion and Dynasty: A Biblical Theology of the Hebrew Bible* (Leicester, R.U.; Downers Grove, IL: Apollos; InterVarsity Press, 2003), 118.

fructificar y multiplicarse en la tierra que le había dado a su padre Abraham (Génesis 1:26-28, 35:10-12). En cierto modo, los israelitas serían los nuevos portadores de la imagen de Dios en el mundo. Vivirían en una tierra especialmente preparada, reflejando su imagen a las naciones que los rodeaban, y Dios moraría en medio de ellos. Moisés tenía que prepararlos con cuidado para ocupar la tierra, tal como mi padre y mi madre prepararon a mis hermanos para que los representaran bien cuando visitábamos a mis tíos.

No me sorprende que la distinción de género definida tan claramente en el orden de la creación perfecta y edénica de Génesis 1 y 2 se vuelva a definir con claridad para la nación de Israel en su nuevo Edén. En Deuteronomio 22:5, Dios ordena: "No vestirá la mujer traje de hombre, ni el hombre vestirá ropa de mujer; porque abominación es a Jehová tu Dios cualquiera que esto hace". Esto es una abominación porque es lo opuesto al orden creado. Muchos pecados se describen como abominables, por lo que no debemos destacar solo este. Sin embargo, debemos observar que esta inversión de hecho es pecado. Si Israel iba a ser portadora de la imagen de Dios en la tierra prometida, debía serlo de acuerdo con el orden original de la creación en el cual los hombres debían ser hombres y las mujeres, mujeres, y ellos tenían que ser distintos de forma visible ya que un género complementa al otro para la gloria de Dios, especialmente en el matrimonio.

Un estudio más detallado de este versículo resalta algunas verdades fascinantes. La versión *American Standard* de 1901 de la Biblia en inglés traduce la primera parte de Deuteronomio 22:5 de la siguiente manera: "La mujer no vestirá lo que corresponde al hombre". Esta es una traducción muy literal. Hay algunas palabras hebreas en este versículo que nos pueden ayudar a ver la profundidad de esta declaración. El primer verbo, traducido como "vestirá", es el verbo hebreo *hyh*, que simplemente significa "ser". En esta versión, al igual que en la mayoría de las traducciones, lo tradujeron como "vestir", de acuerdo con el contexto. Siendo que la segunda parte del versículo puede traducirse literalmente "ni se pondrá el hombre, velo/manto/pañoleta de mujer", no quedan dudas de que hay vestimentas que los israelitas debían vestir. El versículo parece ser una afirmación que en realidad implica más que solo la vestimenta, pero como mínimo habla de la ropa. Si consideramos que el verbo *hyh* significa "ser", la primera parte del versículo debe de haber sonada más o menos así: "la mujer no debe *ser* lo que le corresponde a un hombre joven/fuerte". La palabra en particular usada para hombre es *geber*, que significa "hombre joven/fuerte". Las cosas que hacen que un hombre sea masculino no son para la mujer.

También parece que la distinción de género está directamente asociada con Deuteronomio 23:1, el cual prohíbe que los eunucos entren en la congregación de Israel.[9] Pareciera que bajo la ley se le prohibía ser parte de la congregación a cualquiera que cambiara o eliminara el género (cambiando o

---

9   Robert A. J. Gagnon, *The Bible and Homosexual Practice: Texts and Hermeneutics* (Nashville, TN: Abingdon Press, 2001), 135.

eliminando lo que eran por nacimiento). Una vez más, esto nos muestra que Dios espera la santidad de su pueblo. Si Dios iba a vivir en medio de ellos en la tierra prometida, entonces tendrían que mostrar de manera apropiada a todas las naciones a su alrededor que, entre otras cosas, respetaban y vivían de acuerdo con la distinción de género que Dios había ordenado originalmente en Génesis 1 y 2.

El mensaje a Israel es claro. Mujeres, no sean aquello que hace que el hombre sea hombre. No vistan su ropa, no usen su espada en batalla y no vistan su armadura. Hombres, no se vistan como las mujeres ni produzcan cambios para ser como una mujer. No intenten cambiar su género, ni eliminarlo. Los hombres deben ser hombres, y las mujeres, mujeres. Cuando entren en la tierra que Dios les ha prometido, muestren la imagen de Dios y su distinción en las subcategorías de la humanidad (hombre y mujer) para la gloria de Dios. Moisés les está diciendo a los hijos de Israel que Dios los ha llamado a un estándar más alto de santidad al entrar en la tierra. Él los ha llamado para guardar el orden creado y a no ser como las naciones que los rodeaban. Es posible que la ley de distinción de género de Deuteronomio sea un reflejo de los comportamientos perversos de las otras naciones. Como en las otras naciones había permisividad consintiendo la actividad homosexual, quizás esta tolerancia se había extendido hasta faltar la distinción de género. Israel tenía que ser santa y separada de las otras naciones. Se suponía que vivirían como Dios los había creado. Debían habitar en la presencia santa de Jehová con integridad y pureza. Esto también incluía exhibir la distinción del género que Dios les había dado. Estoy completamente seguro de que estas distinciones no se basaban en que los hombres vistieran pantalones y las mujeres vestido. Se basaban en las distinciones visibles normales para la cultura judía, las cuales se distinguían claramente dentro de las características de la cultura de su lugar y época.

1 Corintios 11:1-16

Sed imitadores de mí, así como yo de Cristo. Os alabo, hermanos, porque en todo os acordáis de mí, y retenéis las instrucciones tal como os las entregué. Pero quiero que sepáis que Cristo es la cabeza de todo varón, y el varón es la cabeza de la mujer, y Dios la cabeza de Cristo. Todo varón que ora o profetiza con la cabeza cubierta, afrenta su cabeza. Pero toda mujer que ora o profetiza con la cabeza descubierta, afrenta su cabeza; porque lo mismo es que si se hubiese rapado. Porque si la mujer no se cubre, que se corte también el cabello; y si le es vergonzoso a la mujer cortarse el cabello o raparse, que se cubra. Porque el varón no debe cubrirse la cabeza, pues él es imagen y gloria de Dios; pero la mujer es gloria del varón. Porque el varón no procede de la mujer, sino la mujer del varón, y tampoco el varón fue creado por causa de la mujer, sino la mujer por causa del varón. Por lo cual la mujer debe tener señal de autoridad sobre su cabeza, por causa de los ángeles. Pero en el Señor, ni el varón es sin la mujer, ni la mujer sin el varón; porque así como la mujer procede del varón, también el varón nace de la mujer; pero todo procede de Dios. Juzgad vosotros mismos: ¿Es propio que la mujer ore a Dios sin cubrirse la cabeza? La naturaleza misma ¿no os enseña que al varón le es deshonroso dejarse crecer el cabello? Por el contrario, a la mujer dejarse crecer el cabello le es honroso; porque en lugar de velo le es dado el cabello. Con todo eso, si alguno quiere ser contencioso, nosotros no tenemos tal costumbre, ni las iglesias de Dios.

Sin duda este es uno de los pasajes más disputados de las Escrituras. Las discusiones sobre el velo son interesantes y los eruditos han llegado a una amplia variedad de conclusiones sobre su propósito. Sin embargo, hay un tema constante que atraviesa esa parte de la carta del apóstol Pablo a la iglesia en Corinto y los libros de Génesis y Deuteronomio.

En este pasaje Pablo hace distinción entre el género y los roles dentro del matrimonio. El liderazgo y la sumisión en el matrimonio son comportamientos que Pablo reafirma de manera regular en sus cartas. En Corinto, Pablo estaba hablando en particular sobre la reunión de la iglesia. Esto también es importante en el panorama general bíblico que hemos estado observando.

Pablo le escribía 1 Corintios a la iglesia. La iglesia ya no se reunía alrededor del templo que representaba la presencia de Dios entre ellos. El templo físico ya no era la vía para la adoración en la iglesia (Juan 4:21-24). El sacrificio de Cristo en la cruz, una vez y para siempre, había rasgado el velo del templo en dos. El acceso al lugar santísimo era a través de Jesús, quien es el templo (Juan 2:20-21). En Cristo, la iglesia es el templo del Espíritu Santo (1 Corintios 6:19-20). La presencia de Dios no está en un templo de piedra sino en la iglesia viva de Cristo. Cuando la iglesia se reúne, Pablo espera que sean un cuadro vivo de la santa presencia de Dios que no solo está *con* su pueblo sino *en* ellos.

Las estructuras de la autoridad y la sumisión que fueron determinadas originalmente en Génesis se reafirmaron en esta congregación eclesiástica. Las esposas mostraban un símbolo de la sumisión a sus maridos, y los maridos tenían que tomar el lugar del liderazgo amoroso. En la iglesia del primer siglo, estas mujeres usaban velo para simbolizar su sumisión. Wayn Grudem ofrece una explicación convincente para apoyar esta conclusión:

> Sin importar lo que la gente piense hoy en día sobre el velo para las mujeres, todos los intérpretes están de acuerdo en que es un símbolo de otra cosa, y que Pablo estaba preocupado por lo que esto significaba. La gente piensa que para las mujeres del primer siglo el velo era un símbolo de (a) una mujer que era sumisa a su marido (o quizás a los ancianos de la iglesia), (b) una mujer que actuaba como

tal, no como un hombre, (c) una mujer casada en vez de soltera o (d) una que tenía autoridad para orar o profetizar públicamente en la iglesia.[10]

Grudem señala que el velo no es solo parte de la vestimenta que se requería para las mujeres, sino que en realidad simbolizaba otra cosa. Hay un significado profundo detrás del velo de la mujer en la iglesia del primer siglo.

Grudem añade:

> En la sociedad estadounidense moderna, una mujer casada usa un anillo de casamiento como evidencia pública de su estado civil. Tal como la preocupación de Pablo era que las mujeres de Corinto dejarían de usar el velo deshonrando así a sus maridos al no actuar como mujeres casadas en las reuniones eclesiásticas, también las mujeres de hoy, cuando van a la iglesia, no deberían ocultar sus símbolos de casamiento [los que sean; anillos, etc.] y así deshonrar su matrimonio públicamente.[11]

Estos comentarios de Grudem tienen sentido y nos ayudan a comprender que no es estrictamente la obediencia al pasaje lo que está en juego, sino también la forma externa de dicha obediencia. El aspecto de la obediencia a este pasaje variará de acuerdo con la cultura. Todos debemos obedecer los requisitos de la declaración de Pablo, aun si la obediencia se cumple usando un anillo (o algo diferente en otra cultura) en vez de usar el velo. En este sentido, Pablo reafirma otra vez que en la congregación eclesiástica, los hombres deben actuar como hombres y las mujeres como mujeres, y esto es especialmente evidente en el matrimonio.

Pablo aclara aun más esta declaración. En este pasaje se refiere dos veces a Génesis 2. Con respecto al tema de la autoridad y la sumisión, Pablo muestra que esta estructura de roles está en pie porque fue así que Dios lo creó. En el versículo 8, Pablo expresa: "Porque el varón no procede de la mujer, sino la mujer del varón". Al decir esto, también muestra que aunque los roles son diferentes, hay una relación de dependencia entre el hombre y la mujer porque el hombre nace de la mujer (1 Corintios 11:11-12). La maternidad es imposible a menos que el hombre y la mujer sean una sola carne, por la naturaleza distinta y compatible de su naturaleza. La intención de Dios es que esto suceda dentro del contexto del matrimonio bíblico.

La segunda referencia importante a Génesis ocurre cuando Pablo habla sobre la naturaleza. En los versículos 14-15, Pablo hace una pregunta importante: "La naturaleza misma ¿no os enseña que al varón le es deshonroso dejarse crecer el cabello? Por el contrario, a la mujer dejarse crecer el cabello le es honroso; porque en lugar de velo le es dado el cabello". Algunos han

---

10 Wayne Grudem, *Evangelical Feminism & Biblical Truth* (Sisters, OR: Multnomah, 2004), 333.
11 Ibid., 336.

argumentado que cuando Pablo escribe sobre el velo, en realidad se refiere al cabello largo de la mujer, como lo hace en los versículos mencionados más arriba. Esto es improbable porque Pablo dice que hay una *"señal de autoridad sobre su cabeza"*.[12]

De todas formas, el punto que hace Pablo es que por naturaleza, o sea, por el orden creado, el hombre debe ser hombre y la mujer, mujer. Cuando el hombre intenta ser como la mujer, es una deshonra. Cuando la mujer es una mujer auténtica, es un reflejo de la gloria de Dios, porque así lo quiso Dios.

En los argumentos de Pablo vemos continuidad completa en la distinción de género desde el orden de la creación presentado en Génesis 1 y 2. Esta continuidad se confirma tanto en el antiguo como en el nuevo pacto. Dios nos creó para ser hombres y mujeres con distinciones únicas. No hay compatibilidad entre nosotros sin esa distinción. No hay nada complementario que podría llevar a la unidad sin esa distinción.

He oído a muchas personas argumentar que ser creado a imagen de Dios no tiene nada que ver con la diferencia entre géneros. Muchas veces, lo hacen para justificar la neutralización de los géneros o para defender las relaciones homosexuales. Aunque es verdad que toda la humanidad, sin importar el género, fue creada a imagen de Dios, no hay duda de que al crear al hombre y a la mujer Dios mismo los subcategoriza según su distinción (Génesis 1:27). Además, al hacer que la humanidad sea portadora de su imagen, ha establecido el estándar de cómo debemos vivir y qué debemos hacer. Dios estableció las normas de la distinción en el orden creado de Génesis 1 y 2 y las ha reafirmado en los mandamientos tanto del Antiguo como del Nuevo Testamento. El mundo puede querer neutralizar la distinción de género, pero la neutralización e inversión de roles no es lo que Dios ordenó originalmente y no es lo que espera de su iglesia hoy.

Pensamientos Finales

Mientras escuchaba al hombre que me decía que Dios lo había creado para ser diferente a los otros hombres cristianos, alejado de lo que las Escrituras esperan de los hombres piadosos, yo estaba incómodo y en desacuerdo. Creo que tanto Moisés como Pablo hubieran estado en desacuerdo. Dios no nos creó para representar las características del sexo opuesto. Dios ve la belleza del orden de su creación, lo cual es un testimonio en acción de su gloria. Las distinciones complementarias y los roles de hombre y mujer son dos piezas que encajan a la perfección en el rompecabezas completo de la humanidad. Si yo aceptara el pensamiento de que Dios espera que el hombre sea como la mujer, tendría que permitir no solo que la confusión de género reinara en la vida de mi hijo sino también que quizás lo acercara a un estilo de vida homosexual. Aun así, este no es el fin. Mi preocupación no era

---

12 Ibid., 397-402.

que David simplemente evitara el pecado de la homosexualidad, mi preocupación era que aprendiera a vivir para la gloria de Dios como un hombre piadoso. Anhelo que mi hijo ame a Cristo y conozca su lugar en el mundo para que también algún día ame a una esposa participando así del cuadro de Cristo y su iglesia. Mi oración es que David aun pueda tener la oportunidad de mostrar la distinción de su género teniendo una familia y guiándola.

A David le encantaba jugar al tenis. Siempre fue un buen deportista, pero también era competitivo en la cancha. Me encantaba verlo jugar y ver como mejoraban sus habilidades cada año. Un día, poco tiempo después de que David me hubiera confesado su pecado, fuimos juntos a jugar al tenis. Normalmente, David me hubiera vencido. Aun cuando era más joven, sus habilidades ya habían ultrapasado las mías. Sin embargo, ese día parecía que yo no podía perder ni un punto y el peso sobre los hombros de David parecía enorme. Dejamos de jugar a la mitad del partido y nos sentamos en un banco del parque donde David me confesó que había perdido su motivación competitiva. Prácticamente, había perdido toda su motivación. No se sentía como un hombre en lo absoluto. Tanto él como yo estábamos desconsolados. Yo sabía que esto era el resultado de la confusión de género en su vida. Nos sentamos allí y lloramos juntos un poco. Sí, los hombres pueden llorar. En general, no lloramos por un corte o un raspón; sin embargo, lloramos por el dolor profundo que afecta a nuestros hijos. Después de eso, mi esposa y yo simplemente seguimos trabajando para ayudarlo a entender la hombría bíblica y la distinción de género, y continuamos señalando el evangelio, el único y verdadero poder para sanar. Peter estaba haciendo lo mismo en el tiempo de consejería cristiana.

Cuando Cristo redimió a mi hijo, hubo un cambio. Un gran cambio.

Algún tiempo después de ese día en la cancha de tenis, David trató de tirarme al piso. Fue de repente y era algo que nunca antes había hecho. Me quería sujetar a la fuerza. Yo luchaba con todas mis fuerzas mientras Trish nos gritaba advertencias para que no rompiéramos los muebles. David me ganó. Ese día fue una las ocasiones más felices de mi vida, cuando mi hijo, que apenas había sido redimido, me sujetó en el piso y me dio unos golpecitos en el pecho para señalizar su victoria rotunda como hombre. Yo me reía tanto que se me salieron las lágrimas; pero lágrimas de gozo. Su vena competitiva había vuelto para la gloria de Dios. Ahora le encanta jugar al vóley, y he sido testigo de su empuje continuo y piadoso en esa cancha. Lo más importante es que ama a Jesús, y Jesús lo hizo un hombre, un hombre que ama a Cristo.

La Perspectiva de David

El cambio que ocurrió en mi corazón afectó mi manera de actuar. Peter me presentó a un grupo de muchachos de mi iglesia, y me gustó estar con ellos. Me trataban como parte del grupo, y por un tiempo no tenía idea de cómo seguirles el ritmo. Trepaban árboles, jugaban al fútbol, levantaban pesas, y lo más importante es que oraban juntos. Me benefició mucho tener un amigo en particular que me decía cosas como: "David, trepa al árbol con nosotros. A los muchachos nos gusta trepar". No me malinterpreten: la hombría bíblica no requiere que el hombre trepe a los árboles, pero era una manera en la que yo podía mostrar que era uno de los muchachos, y que me gustaba hacer cosas de hombre con un grupo de jóvenes piadosos. Por eso, en mi caso, trepar árboles con mis amigos fue una forma de practicar la hombría bíblica. Me gustó descubrir que Dios había creado las amistades entre hombres cristianos, ya que hasta ese momento solo había tenido amigas mujeres. "Hierro con hierro se aguza; Y así el hombre aguza el rostro de su amigo" (Proverbios 27:17). Todavía amo a mis primeros amigos quienes me ayudaron a ser, en la práctica, un joven fuerte y bíblico, y oro por ellos.

La Perspectiva de Peter

Busque en las Escrituras y dígame si ve un patrón de crecimiento espiritual surgiendo de la nada entre los creyentes del Nuevo Testamento. Esa búsqueda lo dejará insatisfecho. Dios, el Creador, nos diseñó para tener comunión con él y los suyos. El evangelio hace que esto sea posible para los pecadores caídos, y la comunión con otros creyentes es uno de los medios más importantes de la gracia que el Señor nos ofrece. Tratar de crecer y cambiar sin tocar la fuente de la gracia es necio, por lo tanto este era el paso necesario para que David caminara hacia el arrepentimiento.

Como todos los pecadores salvos por gracia, David fue injertado en el cuerpo de Cristo. Por lo tanto, él necesitaba estar rodeado de otras partes del cuerpo de Cristo con pensamientos afines, lo cual encontró en un grupo de discipulado. Bajo mi dirección, este grupo de muchachos lo aceptó con alegría, aun cuando supieron de una lucha que muchas veces es tabú en los círculos cristianos conservadores. En vez de rechazarlo, como tristemente acontece tantas veces en la iglesia, ellos lo aceptaron con alegría como su hermano en Cristo y trataron de vivir la vida con él de tal manera que fuera de ayuda para todos los involucrados.

No olvidaré fácilmente la experiencia de ver que esto acontecía frente a mis ojos, y siempre le daré gracias al Señor por eso. Me siento humillado y honrado por haber tenido la oportunidad de servir de esta manera, y a veces me sentía un poco egoísta porque ansiaba estas reuniones con el grupo por la bendición que, como resultado, Dios estaba produciendo en mi propia vida. Constantemente recordaba la misericordia de Dios hacia nosotros, nuevas cada mañana, suficientes para el día para el cual nos despierta. ¡Qué Dios poderoso servimos!

Capítulo 6

Ayúdenos, Si Puede

Mudarse de casa es difícil. Salir del país es una pesadilla.

Trish y yo nunca quisimos ir de iglesia en iglesia. La mayoría de las personas estarían de acuerdo con nosotros sobre la dificultad de mudarse con todo el trauma de alejarse de familia y amigos. Sin duda no es algo que queramos hacer de manera regular, si acaso alguna vez. ¿Cuánto más difícil sería dejar atrás la congregación de la iglesia, con nuestros amados hermanos en Cristo? Sin embargo, cambiar de iglesia se ha vuelto demasiado fácil para muchas personas. Ir de iglesia en iglesia se ha vuelto una epidemia. Mi familia luchó por tener que dejar nuestra iglesia local cuando nos mudamos, y la idea de buscar una nueva iglesia era algo de la que ni quería pensar. Esto no era porque no estuviera contento de ver y experimentar nuevas iglesias, sino porque amábamos a la familia de nuestra propia iglesia local. Aun así, Dios inmediatamente nos dio un maravilloso cuerpo nuevo al cual unirnos. Los visitamos ese primer domingo e inmediatamente dejamos de buscar.

En esta comunidad de creyentes, recibiríamos un apoyo crucial para nuestra familia durante un momento clave de nuestras vidas. Fue en nuestra iglesia que enseguida conocimos al pastor Peter, quien era el pastor de jóvenes en ese momento. Conocíamos la reputación de la iglesia y la habíamos visitado algunos años atrás. Todos hemos oído aquel cliché: "Si encuentra la iglesia perfecta, no vaya porque la arruinará". La idea es que la iglesia perfecta no existe porque las personas no son perfectas. Pero fue muy claro para nosotros que las personas que asistían a esta iglesia descansaban en la gracia de Cristo, y como pecadores redimidos se vestían solo de la justicia de su Salvador. La predicación tenía ese tono. Semana tras semana, emanaba del púlpito un mensaje centrado en el evangelio basado en las Escrituras, lo cual era una fuente de autoridad indiscutible. La confianza de que la Palabra de Dios es suficiente para ayudar a las personas a conocer no solo el mensaje de salvación, sino para crecer en piedad, acompañaba la enseñanza clara y centrada en Cristo. Para mí era claro que había unidad en el liderazgo en el hecho de que la Biblia es la fuente de verdad suficiente en todas las áreas de la vida que enfrentan los seres humanos. Esto incluye todo espectro de temas relacionados con la sexualidad humana.

Cuando llamé al pastor Peter para hablar sobre David, lo hice con temor, y aun así con esperanza. Para mí era una situación vergonzosa. Estaba invadido por pensamientos de inadecuación y aun incompetencia como padre. Nunca creí que existiera el padre perfecto, pero vivía como si existiera, y yo no estaba aprobado. Estaba preocupado de que la confesión de David sobre la tentación homosexual llevaría a que las personas pensaran menos de mí. En la práctica, de forma inconsciente había desarrollado una jerarquía de pecados y la atracción homosexual era un problema del tamaño del monte Everest. David no era el único que necesitaba ayuda, yo también. En una comunidad cristiana, en realidad somos llamados a llevar las cargas los unos de los otros. Pedir ayuda no es una señal de debilidad, sino que es una parte necesaria de la vida cristiana. Me tragué el orgullo, reconocí este hecho doloroso, e hice la llamada.

Peter dijo que estaría contento de sentarse con David, Trish y conmigo. También estaba "entusiasmado" con la posibilidad de aconsejar a David bíblicamente. *Entusiasmado* no es la palabra que yo tenía en mente en ese momento. Y Peter no estaba solo entusiasmado, sino esperanzado.

Antes de mudarnos a los Estados Unidos, no conocía bien la metodología de la consejería bíblica, y era escéptico en cuanto a cualquier cosa que incluyera la palabra *consejería*. Siendo un hombre que confía en la autoridad de la Biblia, mi compromiso era con la suficiencia de las Escrituras, y había visto suficientes libros de autoayuda en los estantes de las librerías cristianas como para saber que contienen más filosofías humanísticas que Biblia. También había leído libros como *Our Sufficiency in Christ* [Nuestra Suficiencia en Cristo] de John MacArthur. Sus declaraciones tenían el sonido constante y claro de la autoridad bíblica, y yo me veía reflejado en esto. MacArthur mencionó dos puntos que se grabaron en mi mente rápidamente. Primero, la psicología humana no se mezcla con la autoridad bíblica, y segundo, nuestra meta debe ser la de ayudar a las personas a conformarse a la imagen de Cristo y no solo a mejorar o a cambiar el comportamiento.

MacArthur escribe lo siguiente:

> La manera en la que se usa el término "psicología cristiana" hoy es una contradicción. La palabra *psicología* ya no habla del estudio del alma, sino que describe una variedad de terapias y teorías que son fundamentalmente humanísticas. Las presuposiciones y la mayor parte de la doctrina de la psicología no se pueden integrar con éxito en la verdad cristiana. Además, la infusión de la psicología dentro de la enseñanza en la iglesia ha ofuscado la línea entre la modificación en el comportamiento y la santificación.[1]

No tenía ninguna reserva sobre la ayuda de Peter para aconsejar a David. Sabía que su meta era la gloria de Dios y su proceso sería bíblico en

---

1   John F. MacArthur, *Our Sufficiency in Christ* (Wheaton, IL: Crossway, 1998), 59.

verdad. También sabía que para Peter "bíblico" no solo significaba que usaría términos bíblicos mientras usaba métodos humanísticos. Peter, al igual que yo, en verdad creía que nuestra suficiencia de hecho está en Cristo y su Palabra. Y así comenzó el proceso en el cual nuestro pastor se volvió nuestro compañero más cercano para ayudar a nuestro hijo (y a nosotros) en su momento de mayor necesidad.

Decisiones Peligrosas

Nunca leí en la Biblia que el cristiano debe buscar ayuda profesional para lidiar con sus problemas emocionales o espirituales. Muchas veces cuando parece que un asunto escapa a nuestra capacidad de manejarlo, buscamos la manera de dejar el problema en manos de alguien "más calificado" para tratar con él. Inevitablemente, nuestro problema se vuelve el problema de otro, y la solución al problema se encuentra en el supuesto "experto". Ya sea intencional o no, los terapeutas profesionales se colocan como la respuesta sin la cual las personas permanecen perdidas sin esperanza. Encontrar ayuda en la comunidad eclesiástica nunca fue, y nunca debería ser, el traspaso de los problemas a un supuesto profesional. La ayuda en la comunidad eclesiástica supuestamente tiene que ser una estructura de apoyo compasiva para proveer discipulado y cuidado mientras nuestros hermanos caminan los unos al lado de los otros con el propósito principal de glorificar a Dios.

El pastor Peter caminó a nuestro lado no como el "profesional calificado" sino como un hermano cristiano que al igual que nosotros confiaba que la Palabra de Dios, el evangelio y la obra del Espíritu Santo nos darían esperanza. En su tarea pastoral de amor, él cuidó a un miembro de su rebaño mientras la Palabra de Dios guiaba a todos los involucrados en la situación. Fue la gracia de Dios la que trajo al pastor, a los padres, al hijo y de algún modo a toda la comunidad eclesiástica para ayudar a un pecador a encontrar el arrepentimiento y a buscar vivir para la gloria de Dios. En nuestras circunstancias, el consejo de nuestro pastor claramente vino de la Palabra de Dios. El pastor Peter y muchos otros lo llaman "consejería bíblica". Hoy en día existen algunas organizaciones para eclesiásticas que ayudan al cristiano a adquirir confianza en la suficiencia de las Escrituras para ayudar a personas reales con sus problemas reales.[2]

Lamentablemente, asuntos como la atracción homosexual han confundido a muchos pastores y líderes cristianos al punto de mandar a sus ovejas a los supuestos "consejeros cristianos" profesionales, quienes incluyen filosofías mundanas en sus estrategias de consejería. Algunos de estos "psicólogos cristianos" ofrecen lo que llaman terapia reparadora basada en dogmas y técnicas humanísticas. Es triste que cuando se confía en las filosofías huma-

---

2 Recomiendo que consideren las siguientes organizaciones: Association of Certified Biblical Counselors (ACBC), Christian Counseling and Educational Foundation (CCEF), and Biblical Counseling Coalition (BCC).

nas como consejo profesional siempre significa que el hombre es la autoridad aun si el consejo está disfrazado de retórica "cristiana". De cualquier modo, cuando la palabra del hombre toma el lugar principal en la consejería, la Palabra de Dios pierde.

Las decisiones que la mayoría de las personas enfrentan al buscar ayuda y apoyo pueden variar. Oscilan entre la terapia psicológica no cristiana y la consejería cristiana, que muchas veces mezcla los principios de la psicología del mundo con la retórica cristiana. Después existe también el término *consejería bíblica*. En general, los consejeros bíblicos confían en la suficiencia de las Escrituras. Para el cristiano, elegir ayuda fuera del ámbito en el cual hay verdadera confianza en la suficiencia de las Escrituras puede acarrear decisiones muy peligrosas.

Ayuda en el Mundo

Deberíamos esperar que el mundo sea el mundo. En otras palabras, no nos debería sorprender que el mundo actúe como tal. No me sorprende ver que las presuposiciones anti bíblicas y evolucionistas de nuestra cultura han determinado la forma en la cual la gente ve el problema de la homosexualidad. Al aceptar solamente la explicación biológica o fisiológica (basada en suposiciones humanas) para la atracción homosexual, las teorías de que "se nace gay" se han promovido ampliamente como la respuesta, pero tales teorías producen aceptación y no arrepentimiento. Muchas asociaciones médicas, psiquiátricas y psicoterapeutas han afirmado firmemente que el problema no es en realidad la homosexualidad, sino que el problema es la falta de aceptación tanto de los individuos involucrados como de la sociedad en general.[3] Si la percepción universal sobre el dogma de que "se nace gay" sigue en aumento, es de esperarse que la retórica general esté basada en la aceptación y no en el cambio. En algunos estados de los Estados Unidos, ya hemos visto leyes que prohíben que terapeutas licenciados realicen "terapia reparadora" con jóvenes que tengan menos de dieciocho años. La terapia reparadora es una técnica fallida que se enfoca en ayudar a las personas a cambiar su "orientación" sexual[4] y tanto los consejeros bíblicos como los seculares la evitan, aunque no necesariamente por las mismas razones.

Muchos profesionales seculares han declarado que es peligroso buscar el cambio en la orientación sexual. El Dr. Jack Drescher, antiguo presidente de la Sociedad Norteamericana de Psiquiatría, declaró: "No solo es que la homosexualidad 'no es opcional', ya que la mayoría de los esfuerzos para tratar de cambiar la orientación sexual de una persona fallan, sino que al-

---

3   "The Lies and Dangers of Efforts to Change Sexual Orientation," *Human Rights Campaign*, citado 7 de agosto 2014, http://www.hrc.org/resources/entry/the-lies-and-dangers-of-reparative-the-rapy.

4   "Gay Conversion Therapy Ban Stands in California," *TIME*, citado 8 de agosto 2014, http://time.com/2940790/california-ban-on-gay-conversion-therapy-stands/.

gunos de estos intentos pueden perjudicar o dañar el bienestar del individuo".[5] La mayor preocupación aquí es que muchos profesionales aferrados
a la consejería psiquiátrica o a la psicoterapia, y aun asociaciones médicas,
están diciendo cosas similares. Señalan estudios que indican que hay mayor
peligro de resultados como la depresión y el suicidio en individuos que in-
tentan cambiar su orientación sexual o que experimentan falta de aceptación
por parte de la familia y seres queridos.[6]

¿Por qué nos debería sorprender como creyentes descubrir que hay estudios que muestran que la terapia reparadora no funciona, que muchas personas continúan en depresión y estrés emocional, y que aun algunos recu-
rren al suicidio? ¿Dónde está la esperanza de la satisfacción eterna? ¿Dónde
se encuentra el enorme consuelo del perdón? ¿Dónde está el poder del evangelio tanto para la justificación como para la santificación en una vida vivida
para la gloria de nuestro gran Creador? No hay verdadera satisfacción en el
cambio de la homosexualidad a la heterosexualidad. La terapia reparadora
se enfoca en el cambio de comportamiento, no el cambio del corazón, y por
lo tanto, no encaja en el modelo de la consejería bíblica. Para el padre cristiano, buscar la terapia reparadora para su hijo es buscar una modificación
en su comportamiento que no tiene nada que ver ni con la salvación ni con
la santificación. ¿Puede ser el deseo de un padre buscar un resultado que no
salva?

Rosaria Butterfield, autora de *The Secret Thoughts of an Unlikely Convert*,
ha explicado con éxito el problema de la terapia reparadora:

> Esta posición sostiene que una meta principal del cristianismo es
> resolver la homosexualidad con la heterosexualidad, y de este modo
> dejan de ver que el arrepentimiento y la victoria sobre el pecado son
> dádivas de Dios, y dejan de recordar que los hijos e hijas del Rey
> pueden ser miembros del cuerpo de Cristo y aun así luchar con la
> tentación sexual. Esta herejía es una versión moderna del evangelio
> de la prosperidad: "Decrétalo. Decláralo. Expulsa la homosexuali-
> dad".[7]

Hay un consenso que crece de manera constante en el mundo occidental
que dice que la homosexualidad no es pecado. ¿Entonces a base de qué lo vemos como algo que necesitamos resolver? Los supuestos profesionales de diferentes campos de terapia en el mundo son completamente constantes en su
cosmovisión humanística al presionar para prohibir la terapia reparadora.
En particular para aquellos que se adhieren a los dogmas freudianos, la sexualidad no es un asunto de elección sino la esencia misma de la identidad.

---

5   "The Lies and Dangers of Efforts to Change Sexual Orientation," *Human Rights Campaign*.
6   "Family Acceptance Project Publications," Family Acceptance Project, citado 8 de agosto 2014,
    familyproject.sfsu.edu/publications.
7   "You Are What—and How—You Read," The Gospel Coalition, citado 8 de agosto 2014, http://
    thegospelcoalition.org/article/you-are-whatand-howyou-read.

Si un padre cristiano o pastor busca la ayuda de profesionales mundanos de nuestros días, debemos entender algo sobre la base del consejo que recibiremos. Cuando una persona busca el consejo de otra, ese consejo dependerá de un número de factores. ¿Cuál es el punto de vista del consejero sobre la humanidad? ¿Cómo describe el consejero los problemas del hombre? ¿Cuál es la base de la autoridad para tal consejo? ¿Quién es responsable por el problema? Y ¿qué entiende por consejero? Estas preguntas y otras descubren muchas diferencias entre un consejero y otro. Esas diferencias pueden ser enormes, especialmente considerando la amplia variedad de influencias en esta área. Dependiendo de la persona con quien habla, usted puede estar oyendo opiniones de Freud o Skinner, Horney o Rogers, o aun del Dr. Phil o de Oprah.

La mayoría de las personas han oído hablar por lo menos de Sigmund Freud (1856-1939), pero pocos podrían explicar cómo hubiera respondido a las preguntas recién mencionadas. Freud creía que el ser humano es un animal más evolucionado que nace con un instinto animal inherente. Él llamaba este instinto el "id". Para Freud, el problema mayor de la humanidad son las influencias externas, como la sociedad o los padres que enseñan las reglas morales y culturales que la persona asimila, creando lo que Freud llama el "superego". El superego tiene conflictos con el id (instinto animal) del individuo. Cada individuo debe discernir el conflicto interior entre el superego y el id y tratarlo. El yo que gobierna y controla este conflicto se conoce como el "ego". La solución para el problema es liberar al individuo de las ataduras del superego para que pueda seguir sus instintos naturales sin culpa. Freud argumentaría que el problema no es que el individuo haya hecho algo malo (o pecaminoso), sino que ha vivido bajo las reglas impuestas por los patrones del superego.

Entre la vasta colección de cartas de Freud hay una que enfatiza cómo lidiaba con la homosexualidad, usando las ideas mencionadas. Escribió la siguiente respuesta a una madre anónima:

> Supongo por su carta que su hijo es homosexual. No me sorprende el hecho de que usted no mencione este término en su información sobre él. ¿Puedo preguntarle por qué lo evita? Sin duda la homosexualidad no es una ventaja, pero no es nada por lo cual avergonzarse, no es un vicio o una degradación; no se puede clasificar como una enfermedad; lo consideramos una variación de la función sexual, producida por una clase de freno del desarrollo sexual... el psicoanálisis puede ayudar a su hijo en otro aspecto. Si está infeliz, neurótico, destrozado por los conflictos, inhibido en su vida social, el psicoanálisis le puede ofrecer armonía, paz mental, eficiencia total, ya sea que permanezca homosexual o que cambie.[8]

---

8 Sigmund Freud, "Letter 277", *Letters of Sigmund Freud* (Nueva York: Dover Publications, 1992), 423–424.

Quizás esta fue la forma de Freud de decirle a esta señora que los instintos de su hijo tenían que ser libres de la programación de su madre. Quizás si hubiera querido psicoanalizar a este joven, hubiera comenzado con las palabras: "Hábleme de su madre".

Para Freud siempre hay que culpar a otra persona. Es con la experiencia del terapeuta que el paciente puede identificar quién o qué (el superego) tiene la culpa, liberando así el id del conflicto con el superego. El terapeuta se vuelve el profesional en el cual el paciente debe confiar para descubrir la influencia destructiva del superego y para proveer la manera de llegar a estar completamente libre de culpa. En cuanto a la amplitud de conocimientos, Freud confiesa: "Quizás puede depender también de que la personalidad del terapeuta ayude a que el paciente lo coloque en el lugar de su ego ideal, y esto incluye la tentación de que el analista juegue el rol de profeta, salvador y redentor del paciente".[9]

Las filosofías freudianas, basadas en ideales evolucionistas, no son las únicas ideas que influyeron en la psicología de manera negativa. La psicología, que supuestamente es "el estudio del alma", se ha quitado de la esfera del cuidado pastoral y el discipulado donde una vez estuvo para llegar a ser la adaptación del comportamiento a base de la cosmovisión del profesional. Si un paciente tiene que ser libre de culpa cuando tiene una inclinación al mismo sexo, entonces ¿por qué tendría que vivir esa persona bajo la opresión de una familia o sociedad desagradables? Aun más, como corresponde a la moralidad, deberíamos presionar para tener una sociedad más complaciente y tolerante.

Los puntos de vista humanísticos de Freud sobre el cuidado del alma abrieron las puertas a muchas otras ideas. Todo ser humano nace como una página en blanco y es condicionado por los individuos que lo rodean en su cultura, y ellos mismos son producto de la evolución biológica y cultural. Sobre la evolución humana y sus efectos sobre la cultura, Skinner dice lo siguiente:

> Una especie no tiene existencia si no es como colección de individuos, tampoco tiene familia, tribu, raza, nación o clase. La cultura no tiene existencia sin el comportamiento de los individuos que mantienen su práctica. Siempre es un individuo el que se comporta, o actúa de acuerdo con el ambiente, que cambia por las consecuencias de sus acciones, y quien mantiene las contingencias sociales que *son* la cultura. El individuo es el portador tanto de la especie como de la cultura... No tiene responsabilidad final por las características de la especie o por una práctica cultural, aunque fue él quien sufrió la mutación o introdujo la práctica que llegó a ser parte de la especie o la cultura (énfasis de Skinner).[10]

9   *Freud,* tomo 54 of *Great Books of the Western World,* ed. Mortimer J. Adler (Encyclopedia Britannica, Inc., 1952), 713.
10 B. F. Skinner, *Beyond Freedom and Dignity* (Nueva York: Knopf, 1971), 209.

Según la cosmovisión de Skinner, los problemas del ser humano son resultado de un ambiente fallido, y el problema no es responsabilidad del individuo. Lo que se debe cambiar es el ambiente, y esto puede acontecer a través de algún método "científico" que descubra contingencias que motiven el comportamiento. El terapeuta solo puede considerar lo que se puede medir y observar. Fue por B. F. Skinner que la medicación llegó a ser una de las mayores soluciones en el proceso de consejería. Después de la falta de esperanza de Freud, Skinner te dejará insensibilizado, y la verdad sobre el bien y el mal permanecerá relativa.

Probablemente una de las mayores influencias en la consejería, especialmente en el mundo occidental, es la obra de Carl Rogers (1902-1987). Rogers, también basado en las filosofías evolucionistas, argumenta que la naturaleza humana es esencialmente buena. Con la misma base evolucionista para entender la humanidad, llega a conclusiones diferentes a las de Freud, que tiene un punto de vista negativo con relación a la humanidad, y Skinner que trataba de tener un punto de vista neutro. Rogers creía que la "naturaleza animal" se había sociabilizado y seguía progresando en su esencia más íntima. Él discrepaba fervientemente con el punto de vista bíblico de la humanidad, diciendo: "La religión, especialmente la tradición cristiana protestante, ha impregnado nuestra cultura con el concepto de que el hombre es básicamente pecador, y que prácticamente se requiere un milagro, para que pueda negar su naturaleza pecaminosa".[11] Rogers después cita otras dos fuentes que concuerdan con él en que la naturaleza esencial del hombre es buena, y protesta contra la idea de que se observe a la humanidad de manera negativa:

> Marlow (1) insiste con argumentos sobre la naturaleza humana, señalando que las emociones antisociales, la hostilidad, los celos, etc., son el resultado de la frustración de impulsos más básicos de amor, seguridad y pertenencia, los cuales son deseables. Y Montagu (2) de la misma manera desarrolla la tesis de que la cooperación y no la lucha es la ley básica de la vida humana.[12]

Hombres expertos como estos hasta pueden ser convincentes. Ciertamente vemos que hay personas que actúan con frustración por sus impulsos de amor y seguridad. Lo que Rogers y Maslow no mencionan son las motivaciones pecaminosas y egoístas que impulsan estos supuestos sentimientos de amor y seguridad.

Los terapeutas concluyen, basados en la cosmovisión evolucionista y la terapia centrada en la persona de Rogers, que el hombre es tan bueno que puede emplear su potencial interior para enfocarse en sus verdaderos sentimientos y estar a gusto consigo mismo. En el mundo de Rogers, el terapeuta

---

11 Carl Rogers y Peter D. Kramer, *On Becoming a Person: A Therapist's View of Psychotherapy*, 1ª edición (Milwaukee, WI: Mariner Books, 1995), 91.
12 Ibid.

solo le muestra al paciente su verdadero interior y le permite identificarse como su propio salvador. El paciente es una víctima de las circunstancias y tiene el poder en su interior para vencer. A partir de este pensamiento apareció un concepto que ahora impregna nuestra sociedad occidental y que básicamente ha invadido todos los espectros de la cultura que nos rodea. Se llama la *autoestima*. El concepto de la *autoestima* dice que tenemos que amarnos a nosotros mismos y debemos confiar en nosotros mismos porque somos las mejores personas del mundo. ¿A quién le falta un Salvador?

Muchos creyentes que están leyendo esto se horrorizarán al ver que estos puntos de vista mundanos y su resultado están impregnando la iglesia, donde se hacen esfuerzos para ayudar a otros creyentes que enfrentan verdaderos problemas emocionales y espirituales. He visto muchas ocasiones en que un cristiano, mientras aconseja a otro de manera informal, se ha apresurado para buscar un "superego" a quien culpar, o ha sugerido que alguien se medique para alejar la tristeza. Esas sugerencias se dan sin pensar cuidadosamente en la cosmovisión que hay detrás de ellas y sin entender más profundamente la contribución de la persona en sus propios problemas. ¿Qué pasa si necesita cuidados médicos? ¿Qué pasa si tiene pecado en su vida con el cual debe tratar? He visto personas que se apresuran a sugerir que a un hermano o hermana en Cristo herido busque la ayuda de un psicólogo cristiano, o aun le dan una recomendación, sin pensar sobre las influencias que guiarán el consejo que van a recibir.

El Consejo Mundano Vestido de Cristianismo

En el mundo de hoy, parece que casi todos los problemas sociales o relacionales que conocemos se categorizan con el nombre descriptivo de algún trastorno y muchas veces se trata con alguna droga psicotrópica. Esta es la forma en la que la influencia de Skinner permanece. En muchos casos, los consejeros y otros cambian el término usado para describir respuestas pecaminosas con la intención de remover la responsabilidad personal. Por ejemplo, reaccionar con ira hacia los hijos ahora se llama trastorno explosivo intermitente, y a la gente con problemas de ira se le dice: "No es su culpa que actúe de esa manera". Si su hijo desobedece constantemente a su autoridad de padre, probablemente le diagnosticarán trastorno de oposición desafiante. Muchas veces estos trastornos se personifican como los villanos que atacan a sus víctimas con maldad como si tuvieran poder en sí mismas. Cuando los vemos de esta forma, los problemas se vuelven la causa de la debilidad de muchas personas que se encuentran perdidas en dependencia desesperada de las técnicas psicológicas seculares y de la medicación recetada.

Esta percepción equivocada de los problemas relacionales y espirituales que al final están arraigados en los pensamientos y comportamientos pecaminosos ha encontrado su lugar aun en la iglesia. Muchos psicólogos cristianos han tratado de compatibilizar la doctrina cristiana con las filosofías mundanas al diagnosticar y tratar el alma humana. Parece que muchos psicólogos cristianos se han asociado a Freud, Skinner, Rogers, y otros como ellos. Pero estas filosofías mundanas se basan en el punto de vista de la evolución humana y su resultado es una amplia variedad de soluciones humanísticas con las cuales aconsejar a las personas con problemas. Los conceptos como la *autoestima* han invadido las estrategias de la consejería sutilmente, aun cuando se presenta como "consejería cristiana". Claramente la psicología secular considera la Biblia irrelevante, pero muchos "psicólogos cristianos" reconocen la relevancia de las Escrituras, sin embargo niegan su suficiencia por la manera en la que aconsejan a sus pacientes. Aun buscan una autoridad humana como si fuera una autoridad superior. Estamos preparados para que las personas con un punto de vista naturalista de la condición humana ignoren la sabiduría bíblica en la consejería, pero es triste cuando se ve tal sincretismo en aquellos involucrados en la consejería cristiana. No fue a través de los principios humanísticos de la psicología que Dios le dio a mi familia un viviente ejemplo práctico de su poder transformador.

En nuestra era moderna, a la gente necesitada no le falta información, y yo me he vuelto más compasivo hacia aquellos que fueron guiados mal por los caminos de una consejería perjudicial. Si una persona herida no está bien informada, las afirmaciones que parecen compasivas, pero están llenas de error pueden sonar como la verdad. A medida que me familiarizaba con las filosofías y mantras básicas, fundamentales, de los psicólogos más influyentes, también me volví más capaz de reconocer sus palabras cuando se repetían vestidas de cristianismo. Una y otra vez, podía leer materiales de psicólogos cristianos que solo me recordaban las influencias filosóficas mundanas de los últimos cien años, especialmente la influencia de Carl Rogers y su retórica sobre la autoestima.

La retórica de Rogers a menudo está en las páginas de los libros cristianos motivacionales y de autoayuda de las librerías cristianas. Se puede identificar buscando situaciones en las que las emociones y los sentimientos son la autoridad referente, en las cuales se da al lector el poder para encontrar su propia "bondad", y en las que predomina el tema de la autoestima. En particular, con temas como la atracción homosexual, dicha elocuencia puede parecer útil y compasiva, pero hay algunas preguntas vitales que el lector cristiano con discernimiento debe hacerse. Están correlacionadas con las preguntas anteriores. ¿Cuál es la fuente principal y prominente de autoridad? ¿Cómo trata el consejero con las verdades bíblicas con relación al pecado, el juicio, el arrepentimiento, y la salvación? ¿Es la meta final cambiar la orientación sexual y la satisfacción, o vivir en santa obediencia para la gloria de Dios? La verdad de la Palabra de Dios es la que debe guiar, advertir y amonestar al cristiano.

El apóstol Pablo apeló a la iglesia de Corinto diciendo: "Porque las armas de nuestra milicia no son carnales, sino poderosas en Dios para la destrucción de fortalezas, derribando argumentos y toda altivez que se levanta contra el conocimiento de Dios, y llevando cautivo todo pensamiento a la obediencia a Cristo" (2 Corintios 10:4-5). Pablo no quiso decir que cuando se trata de temas filosóficos sobre la consejería y la terapia debamos inclinarnos ante las pretensiones de superioridad del mundo por su investigación.[13] Al fin y al cabo, inclinarse ante tales estudios (como base de autoridad máxima) es simplemente inclinarse ante perdidos que han estudiado a los perdidos. ¿Cómo estaría llevando todo pensamiento cautivo a la obediencia a Cristo? ¿Guía esto a las personas al propósito de glorificar a Dios en su vida?

Janelle Hallman, una psicóloga cristiana al escribir en su área especializada de atracción hacia el mismo sexo, nos ha otorgado un ejemplo práctico para identificar estos mismos temas que estamos debatiendo. En su libro, muchas veces aparecen afirmaciones tales como la siguiente: "*El paciente*, no el psicoanalista, decide lo que es 'bueno' para él o ella, lo que desea cambiar y lo que desea retener" (énfasis añadido).[14] En esta cita, Hallman en realidad alude a otra psicóloga, Elaine Siegel, quien dice tener un índice de éxito de más del 50 % con "lesbianas que vuelven a ser heterosexuales". Sin embargo, el factor de identificación con el cual Hallman concuerda es que los pacientes determinan lo que es bueno para ellos. A la manera de Rogers, llega a la conclusión de que el paciente es esencialmente bueno y posee en su interior todo lo que necesita para tomar las decisiones correctas. Esto lo vemos otra vez (esta vez con el agregado de la retórica cristiana) cuando expresa lo siguiente:

> Ante Dios, [el paciente] tiene toda libertad para elegir la vida que *ella* quiere, aun aceptando una identidad y relación homosexual. Dios nos da a todos esta increíble libertad. Aun más, Dios no nos abandona ni nos condena cuando no estamos seguros, cuando cambiamos de opinión o aun cuando tomamos decisiones perjudiciales. He descubierto que mi amor incondicional, aceptación y deseo genuino de *entender* las decisiones de la mujer con respecto a su vida es lo que proporciona la seguridad en la cual *ella* puede continuar explorando, aceptando o desafiando sus decisiones (énfasis de Hallman).[15]

Hallman también nos da un buen vistazo de su compromiso con las estrategias de la autoestima:

> Quiero invitarla a tener un amor propio radical y una aceptación de sí misma que le dé la libertad de vivir una vida centrada

---

13 Debo aclarar que mientras los consejeros bíblicos han rechazado la investigación humana como base de autoridad, muchos estudios se han considerado útiles. Sin embargo, el factor determinante es la consideración de que la Palabra de Dios es la mayor autoridad y corrección para las ideas falibles del hombre.

14 Janelle M. Hallman, *The Heart of Female Same-Sex Attraction: A Comprehensive Counseling Resource* (Downers Grove, IL: IVP Books, 2008), 33.

15 Ibid., 32-33.

en otra cosa aparte de una vida consumida por la desesperación. Si ella actúa desde una perspectiva espiritual, me deleita guiarla al más verdadero Amante de su alma y apoyarla mientras ella reconoce el principal propósito y significado de su vida. Deseo bendecirla con existencia, conexión, amor, amistad, comunión y un conocimiento duradero y experimental de que es amada, tal como es.[16]

Aquí son evidentes todos los aspectos de la autoestima de Rogers, de la guía basada en los sentimientos y emociones, y de la propia autoridad del paciente. Sin embargo, las mayores ausencias en estos discursos son el arrepentimiento por el pecado, el poder de la cruz de Cristo y la meta final, la gloria de Dios. Muchos de estos argumentos apuntan al ser integral y no a la santidad. Aunque sin duda queremos que las personas sepan que son amadas por Dios como sus hijos, la consejería bíblica no se debe preocupar mayormente en los sentimientos del aconsejado sino en la gloria de Dios en su vida. Solo esto puede traer gozo verdadero y satisfactorio, y puede suceder únicamente por medio de la redención. Solo puede acontecer a través del arrepentimiento, la fe y la obediencia continua a Jesucristo. Solo puede acontecer por medio de la confianza en la Palabra de Dios y la aplicación de su verdad perfecta. Esta es la diferencia entre la "psicología cristiana" y la "consejería bíblica".

Los consejeros cristianos muchas veces ven el rechazo de los "avances" psicológicos del mundo como un rechazo a los estudios científicos y a la investigación. Una de las mayores críticas hacia los consejeros bíblicos es que usan la Biblia para, de algún modo, reemplazar la ciencia (o supuestos profesionales) y, por lo tanto, ignoran el consenso de la investigación secular para tratar los problemas psicológicos. Pero la prueba de la suficiencia de las Escrituras para la consejería bíblica es evidente en la experiencia. Hay muchos ejemplos que disipan el concepto erróneo de que los consejeros bíblicos ignoran la ciencia. De hecho, un buen consejero bíblico se asocia a médicos profesionales para asegurarse de que las personas traten con los problemas físicos que identifiquen. Es en el poder del Espíritu Santo y en el evangelio de Cristo, a través de la voz del consejero bíblico, que la aplicación de la verdad bíblica guía al aconsejado que responde a la sanidad y santificación para lidiar con problemas emocionales, sociales y espirituales.

El punto fundamental del argumento entre el movimiento de los psicólogos cristianos y los consejeros bíblicos es la base de autoridad sobre la cual se imparte el consejo. El Dr. Heath Lambert, profesor de consejería bíblica en el Southern Baptist Theological Seminary (SBTS), se apresura a señalar que el debate sobre la consejería está profundamente centrado en presuposiciones. Alude a Jay Adams, padre del movimiento de la consejería bíblica moderna, quien declara que su presuposición en la metodología de conse-

---

16 Ibid., 34-35.

jería es "la Biblia inerrante como norma de toda fe y práctica".[17] En su libro, *Counseling the Hard Cases* (Consejería en los Casos Difíciles), Heath Lamber y Stuart Scott (también profesor de consejería bíblica del SBTS) proveen varios ejemplos que exponen el poder de la ayuda basada en la Biblia para personas que se encuentran en situaciones que incluyen el estilo de vida homosexual, el trastorno bipolar, el abuso sexual, la depresión, y otras. En cada uno de los ejemplos que otorgan, el éxito no es una teoría psicológica, sino que se encuentra en presuposiciones bíblicas que llevan a soluciones centradas en el evangelio y no solo a cambios de comportamiento. La transformación no es solo un cambio superficial de comportamiento sino una vida santificada dirigida hacia la gloria de Dios.

A veces la iglesia ha permitido que el mundo la intimide con facilidad, como si ciertas áreas de pensamiento o práctica estuvieran fuera del alcance del cristiano. El consenso en el ambiente secular de los científicos ha tenido éxito al convencer a muchos cristianos de que porque la Biblia no es un libro científico, no puede usarse para conocer nuestro mundo físico o la historia con la que está relacionada. Como resultado, muchos cristianos han adoptado ideas humanísticas sobre los orígenes (incluyendo la idea de los millones de años y la evolución) y las usan para interpretar las Escrituras. De la misma manera, muchos cristianos se han convencido con respecto a instituciones del mundo y su investigación en el ámbito de la psicología. Los críticos del movimiento de la consejería cristiana también sugieren que los consejeros bíblicos usan la Biblia para suplantar la ciencia o libros científicos. Pero, como los creacionistas bíblicos, los consejeros bíblicos nunca han afirmado que la Biblia sea un libro de texto científico. Dentro de los diferentes géneros que la Biblia adopta, el consejero bíblico comienza con un compromiso a la autoridad de la Palabra de Dios. En vez de ver los problemas del hombre a la luz de un rótulo secular, como una fobia o un trastorno, o como un problema externo, los consejeros bíblicos presentan los problemas del hombre como lo hacen las Escrituras, a base del problema del pecado y sufrimiento del hombre, y la respuesta que se encuentra en el evangelio.

Es tiempo de que los cristianos confiemos en que hay poder transformador en la Palabra viva de Dios (Hebreos 4:12). El mismo Dios que nos salva de la destrucción eterna también nos lleva a una vida que ejemplifica su gracia. El verdadero proceso de consejería capta el corazón y la mente del aconsejado a través de la instrucción directiva de la Palabra de Dios.

No he presentado estas palabras de advertencia solo para atacar a hermanos y hermanas en Cristo que han integrado al mundo con las Escrituras en su metodología de consejería. Aunque estoy seguro de que muchos de ellos han intentado genuinamente promover los aportes bíblicos, y aunque no dudo de su profesión de fe, no puedo concordar con el hecho de que apoyen las filosofías humanísticas. Apelo a ellos a confiar en que la Palabra de

---

17 Heath Lambert, *Counseling the Hard Cases: True Stories Illustrating the Sufficiency of God's Resources in Scripture* (Nashville, TN: B&H Academic, 2012), 8.

Dios es de hecho suficiente. He escrito la totalidad de este capítulo porque como padres, Trish y yo, hemos visto por experiencia propia cómo el cuidado pastoral y el discipulado intenso de la consejería bíblica junto con el amor de sus padres en el ámbito de una comunidad eclesiástica genuina ha sido una demostración poderosa del amor de Dios en la vida de nuestra familia. Hemos visto a nuestro propio hijo colocar su confianza en Cristo y cambiar no solo en su comportamiento sino en piedad.

Por tanto, de la manera que habéis recibido al Señor Jesucristo, andad en él; arraigados y sobreedificados en él, y confirmados en la fe, así como habéis sido enseñados, abundando en acciones de gracias. Mirad que nadie os engañe por medio de filosofías y huecas sutilezas, según las tradiciones de los hombres, conforme a los rudimentos del mundo, y no según Cristo. Porque en él habita corporalmente toda la plenitud de la Deidad, y vosotros estáis completos en él, que es la cabeza de todo principado y potestad (Colosenses 2:6-10).

Ayuda de la Palabra de Dios

Antes de que el pastor Peter comenzara con la consejería bíblica, David ya confiaba en la Palabra de Dios. Había profesado fe en Cristo cuando era más joven y sin duda podía presenter defense de que la Palabra de Dios de hecho es la verdad en la cual podemos confiar. Tenía un entendimiento mental de la revelación de Dios a la humanidad y aun creía en las doctrinas ortodoxas del cristianismo relativas a la Trinidad, la deidad de Cristo, y su muerte y resurrección. A base de esto, muchas personas, sin problema, hubieran descrito a David como cristiano. Hoy, él te diría que no lo era.

No es que la consejería fuera el elemento que salvara la vida de David, pero por la gran preocupación por su pecado, Dios usó el proceso de la consejería bíblica no solo para reforzar la confianza de David en la suficiencia de las Escrituras, sino para considerar seriamente si realmente se había arrepentido y si había puesto su fe en Jesucristo. Cuando David comenzó su consejería con Peter, se inició un proceso con el poder del Espíritu en el cual Peter se colocó a su lado con compasión y le ofreció amonestaciones amorosas y dirección práctica. Esta dirección guió a David hacia su verdadera necesidad de colocar su fe en Jesús, para después aplicar la verdad de Dios cambiando su mente y acciones, lo cual fue evidente en la transformación que el evangelio produjo en su corazón. Desde el inicio, era clara la esperanza absoluta de Peter y su confianza en que el evangelio de Cristo era la única solución integral. Peter, como pastor y hermano en Cristo, había experimentado que el evangelio no es solo un mensaje para salvación sino que también es necesario para la santificación. El apóstol Pablo también le enseñó esto a Timoteo. En 2 Timoteo 3:14-15, Pablo le dice que recuerde los escritos sagrados que había aprendido desde su niñez. Estos escritos nos pueden hacer sabios para salvación a través de la fe en Cristo Jesús. Sobre estos mismos escritos que nos conducen al evangelio de Cristo, Pablo también escribe: "Toda la Escritura es inspirada por Dios, y útil para enseñar, para redargüir, para corregir, para instruir en justicia, a fin de que el hombre de Dios sea perfecto, enteramente preparado para toda buena obra" (2 Timoteo 3:16-17).

Las Escrituras siempre nos dirigen hacia un cambio interno del corazón y no solo a un cambio externo de comportamiento. Es más fácil enfocarse en el comportamiento exterior y las circunstancias del pecado en la vida de nuestros hijos que en el hecho de que el evangelio es el mensaje que transforma de adentro hacia afuera. El problema no se soluciona con modificaciones del comportamiento visibles en el exterior. Lo sabía, pero es una cosa saber un concepto verídico y es otra cosa ser padre y desear *ver* un comportamiento diferente en su propio hijo. Tenía que confiar más y tener esperanza en los efectos de la transformación interna del evangelio. Tenía que entender en verdad que "de dentro, del corazón de los hombres, salen los malos pensamientos, los adulterios, las fornicaciones, los homicidios, los hurtos, las avaricias, las maldades, el engaño, la lascivia, la envidia, la maledicencia, la soberbia, la insensatez. Todas estas maldades de dentro salen, y contaminan al hombre" (Marcos 7:21-23). Ni el pastor Peter ni yo teníamos poder sobre este problema. Era cuestión de proclamar el evangelio, instruir y confiar por completo en el poder del Espíritu Santo para que atrajera a David a la gracia de Dios y lo renovara en el poder de Cristo. De este modo, nunca vimos a Peter como a un psicoterapeuta profesional sino como a un hermano y compañero preocupado que ministraba a David con el evangelio. El proceso era de discipulado intenso en y a través de la Palabra de Dios y sobre la aplicación de las palabras que encontramos en las Escrituras, tales como Gálatas 6:1-3:

> Hermanos, si alguno fuere sorprendido en alguna falta, vosotros que sois espirituales, restauradle con espíritu de mansedumbre, considerándote a ti mismo, no sea que tú también seas tentado. Sobrellevad los unos las cargas de los otros, y cumplid así la ley de Cristo. Porque el que se cree ser algo, no siendo nada, a sí mismo se engaña.

Los seres humanos somos complejos. A veces podemos conocer las verdades básicas pero no verlas en nosotros mismos. Fue así con David. Era consciente de que la homosexualidad estaba mal y por eso quería huir de la atracción hacia el mismo sexo. Pero David no se había dado cuenta de que éste no era un problema externo sino interno. No era víctima de las circunstancias de la vida. Era víctima de su propio corazón. Es fácil preguntar sobre lo que nos está aconteciendo *a* nosotros en lugar de cómo exponer y lidiar con el pecado que está *en* nosotros. El corazón pecaminoso de David estaba quedando expuesto. Tenía que comprender que el problema no estaba fuera de él sino que él *era* el problema y que estaba pecando contra su Creador, y tenía una gran necesidad de redención. Una de las cosas más amorosas que puede hacer por nosotros un hermano o hermana en Cristo es ayudarnos a ver nuestra propia maldad con compasión. David no era la víctima de la idolatría sexual y relacional. Él era el infractor.

David completó una ficha con sus datos personales y se la dio a Peter antes de su primera reunión. De repente todo estaba a la luz, y no solo asuntos que concernían a David. Había grietas en mi relación con él, y todo estaba sobre la mesa. Todos necesitábamos responsabilizarnos por nuestro propio pecado en áreas en las que buscábamos nuestra propia gloria y no la de Dios. El proceso de consejería bíblica no solo era una gran fuente de responsabilidad para David, sino que también era una gran fuente de responsabilidad para mí. Peter y yo nos reunimos muchas veces para hablar sobre cómo estaba lidiando yo como padre con David mientras dejaba de lado mi propio pecado. De hecho, una gran parte del proceso de consejería bíblica simplemente es dar cuentas a otro hermano o hermana en Cristo para no desviarnos en el camino hacia el arrepentirnos y resistirnos al pecado en nuestra vida. Es ser responsable ante la verdad bíblica. Stuart y Zondra Scott explican la importancia de hacerse responsable en el proceso de consejería:

> Es crucial facilitar el proceso de rendición de cuentas cuando hay planes específicos para el arrepentimiento (a través del trabajo, las actividades correctas, lo que se debe abandonar y las cosas que facilitan o inhiben el pecado). Esto se puede llevar a cabo en una reunión con un compañero de oración, un pastor o líder, un consejero o un amigo cristiano con el cual se conecta diaria o semanalmente. La rendición de cuentas es algo que *usted* debe desear porque quiere honrar a Cristo y permanecer en su amor (Juan 15:9; Salmo 40:8). Esa rendición de cuentas no tendrá éxito si otros lo vigilen contra su voluntad mientras usted resiente que lo hagan. La rendición de cuentas debe fluir de su propia humildad y devoción al Señor. *Usted* la buscará por causa de Cristo. Entonces, estará agradecido por ello, y la rendición de cuentas será más eficaz. *De todo mal camino contuve mis pies, para guardar tu palabra. Salmo 119:101.*[18]

Examinarnos ante el Señor y someternos a este tipo de rendición de cuentas fue uno de los cambios que logramos y que tuvo efectos duraderos de crecimiento en santidad para la gloria de Dios.

Peter atravesó un proceso sistemático con David que semana tras semana lo ayudó a confrontar sus propios pensamientos, actitudes y acciones erradas. Durante el trayecto, la verdad de las Escrituras fue la guía sobre ciertos temas como la hombría y femineidad bíblicas, la distinción entre géneros, la sexualidad bíblica, la identidad cristiana y muchos otros conceptos bíblicos claves que ya hemos cubierto en este libro. Muy pronto David me estaba recitando las Escrituras que había aprendido, y cada vez que entraba

---

18 Stuart Scott y Zondra Scott, *Killing Sin Habits: Conquering Sin with Radical Faith*, (Bemidji, MN: Focus Publishing, 2013), 41–42.

en su cuarto me daba cuenta de que se acumulaban las tarjetas con versículos para memorizar y los recordatorios sobre los procesos mentales que tenía que corregir. Nada acontece en un instante, y lamentablemente, algunas personas no responden al evangelio o a la dirección bíblica en absoluto. Por un tiempo, David solo escuchaba y trataba de aplicar el consejo bíblico que Peter le daba.

Muchas semanas después de contarnos sobre su lucha, y después de algún tiempo en el proceso de consejería, comenzamos a darnos cuenta de un avance importante en la vida de David. Nos dijo que había llegado al punto en el que había entendido el arrepentimiento y la fe por primera vez. No había confiado en Jesús, y no había estado viviendo con el propósito principal de glorificar a Dios. Reconoció que había una inmensa idolatría en su vida y como resultado de su idolatría había redefinido su identidad basado en sus relaciones y su sexualidad en vez de basarse en su Salvador. Trish y yo vimos y continuamos viendo fruto persistente en la vida de David. Hasta hoy, no tengo reservas cuando digo que Dios usó el proceso de la consejería bíblica para su gloria en la vida de mi hijo. Él fue salvo por el evangelio de Jesucristo, y este es el motivo por el cual es un aspecto tan importante para cualquier padre buscar la ayuda adecuada cuando se encuentra en una situación como la nuestra. La consejería bíblica es un proceso de intenso discipulado centrado en el evangelio. Si hay esperanza para las personas, sin duda está en el Dios Todopoderoso cuyo propósito es salvar al hombre y restaurar toda la creación a través de la victoria en la muerte y resurrección de Cristo, conquistando el pecado y la muerte para toda la eternidad. Ciertamente, esta esperanza es mucho mayor que Freud, Skinner, Rogers, y la variedad de filosofías suyas que se integran disfrazadas de cristianas.

Peter nunca maximizó el pecado de David, pero tampoco lo minimizó. En conversaciones con él, siempre le oí decir que según el punto de vista bíblico todo pecado equivale a la misma rebeldía contra Dios. Lo que Peter maximizó fue la suficiencia en Cristo y el evangelio para dar victoria salvadora sobre el pecado. Esto es lo mismo que nosotros debemos maximizar con todas las personas. Cristo nuestro Rey de hecho es nuestra ayuda suficiente para toda la eternidad. Si de algo puede estar seguro David y todo cristiano es que cuando confiamos en Cristo para la salvación, "el que comenzó en vosotros la buena obra, la perfeccionará hasta el día de Jesucristo" (Filipenses 1:6). Cuando David colocó su confianza en Cristo, no estaba solo lidiando con su pecado, sino que en el poder de Cristo estaba haciendo morir el pecado e iniciando el camino de crecimiento en la gracia de Dios hasta el día en que finalmente será perfeccionado para toda la eternidad. Hizo esto a través de la renovación de su mente en la verdad bíblica. Este es el verdadero entendimiento de la salvación.

La Biblia nunca indica que la salvación deba estar separada de la santificación. Solo tenemos que leer el libro de Santiago para entender esto. A través del proceso de comprender más la profundidad de su pecado, David comenzó a aprender que su salvación no estaba basada en una decisión que había tomado cuando tenía diez años, sino que se trataba de confiar en Cristo de tal manera que ya no pudiera permitir que el pecado reinara; solo podía vivir para su Salvador (Romanos 6:12). Pablo dejó esto claro al escribir a la iglesia en Corinto diciendo: "y por todos murió, para que los que viven, ya no vivan para sí, sino para aquel que murió y resucitó por ellos" (2 Corintios 5:15). La muerte y resurrección de Cristo no fue para que solo creyéramos y viviéramos carnalmente. Esto no sería mejor que la situación de Satanás y los demonios. Su propósito es que seamos salvos para crecer y reflejar su gloria. "Pues la voluntad de Dios es vuestra santificación" (1 Tesalonicenses 4:3). La salvación y la santificación nunca están separadas. Esta es la esencia de la consejería bíblica.

No puedo terminar esta sección sin apelar a usted, el lector. Por favor, no permita que el mundo lo intimide. Las filosofías del hombre no son superiores a la verdad de Dios. No hay solución eterna en ellas cualquiera fuere la forma que adopten, aun si llegan a nosotros vestidas de cristianas. Si se encuentra en lo más profundo de la desesperación y el pecado, busque consejo de hermanos y hermanas que verdaderamente crean en el poder del evangelio y en la suficiencia de la Palabra de Dios. Las asociaciones mencionadas en las notas al pie de página de este capítulo pueden ayudarlo a encontrar consejeros o iglesias que tengan la posición de la autoridad de la Palabra de Dios con relación a la consejería. David Powlison, líder del movimiento de consejería bíblica, ha declarado de manera idónea: "Si el análisis de lo que está mal no nos guía directamente a nuestra necesidad de la persona y obra del Mesías, entonces ese análisis es superficial. En ese caso la solución termina siendo una versión de 'Paz, paz', cuando no hay paz".[19]

Si el consejero bíblico es fiel a la suficiencia de las Escrituras, buscará aplicar los patrones bíblicos a su propia vida mientras trata de ayudar a sus hermanos en Cristo a ver la misma dirección en las Escrituras. Buscará aplicar el testimonio de Cristo en su vida e imitarlo al intentar discipular a otros. Cristo fue el mejor líder de todos los tiempos para con sus discípulos y su ejemplo, como el mayor Consejero de la verdad de todos los tiempos, es perfecto. De hecho, Isaías predice que Jesús sería Admirable Consejero (Isaías 9:6). Nuestro Consejero una vez caminó entre nosotros y mostró inmensa compasión hacia nuestras necesidades:

> Recorría Jesús todas las ciudades y aldeas, enseñando en las sinagogas de ellos, y predicando el evangelio del reino, y sanando toda enfermedad y toda dolencia en el pueblo. Y al ver las multitudes, tuvo compasión de ellas; porque estaban desamparadas y dispersas como ovejas que no tienen pastor (Mateo 9:35-36).

---

19 David Powlison, *Seeing with New Eyes: Counseling and the Human Condition Through the Lens of Scripture* (Phillipsburg, NJ: P & R Publishing, 2003), 238.

Nunca fue la intención de Jesús discipular en persona a cada individuo, sino usar a sus propios discípulos para hacer otros discípulos y así ayudarnos mutuamente según su gran ejemplo y verdad. "Entonces dijo a sus discípulos: A la verdad la mies es mucha, mas los obreros pocos. Rogad, pues, al Señor de la mies, que envíe obreros a su mies" (Mateo 9:37-38).

¿Cómo es el Proceso de la Consejería Bíblica?

Para entender por completo el beneficio de la consejería bíblica sobre la psicología secular o formas sincretistas de la "psicología cristiana", tenemos que conocer las características de la consejería arraigada en la Biblia. Si queremos ser capaces de reconocer la consejería bíblica arraigada en la suficiencia de las Escrituras, debemos entender cómo es el consejero bíblico y cómo funciona el proceso.

¿Cómo es el consejero bíblico?

La encarnación de Cristo no fue solo un cumplimiento único de la promesa de que vendría como Admirable Consejero, sino el cumplimiento *continuo* de esa promesa. Jesús vino e hizo discípulos a quienes les dijo que hicieran más discípulos (Mateo 28:19-21), y sus discípulos recibieron la promesa de la presencia continua del Espíritu Santo. El hecho de que Cristo haya venido al mundo para habitar con nosotros como nuestro Emanuel (Dios con nosotros) no fue solo un evento de unos 33 años de su vida. La morada de Jesús en nuestro medio se completó como algo continuo en el momento en que el velo se rasgó y en la promesa del Espíritu Santo. Esto trae intimidad al proceso de consejería, al saber que no se trata solo del consejero y su aconsejado; trae intimidad con la presencia de Cristo, quien mora en nosotros, mientras procuramos imitarlo en el Espíritu y obedecer su Palabra. Paul Tripp escribió un pasaje maravilloso sobre esto en su libro Instrumentos en las Manos del Redentor:

> La encarnación nos ayuda a entender el propósito y el carácter del ministerio personal. Las personas cambian al ver a Cristo de maneras diferentes, las cuales revelan la insolvencia de sus propios planes y el vacío de las glorias que buscan. Su encuentro más importante no es con el consejero, sino con Cristo. Nosotros (los consejeros) estamos allí para facilitar tal encuentro. Al verlo a él y el vacío de sus propios caminos, comienzan a tener esperanza de que las cosas puedan ser diferentes. Dios ha colocado su gloria en nosotros para que nuestra vida y ministerio revelen al Señor en la tierra. De este modo, la encarnación será el plan para nuestra vida.[20]

---

20 Paul David Tripp, *Instruments in the Redeemer's Hands: People in Need of Change Helping People in Need of Change* (Phillipsburg, NJ: P & R Publishing, 2002), 103.

Ya hemos demostrado que el consejero bíblico confía en las Escrituras y su esperanza está en el poder de Cristo y el evangelio para ayudar a las personas con problemas reales. El otro ingrediente que me ha animado mucho es la oración. Solo si somos personas de oración podremos en verdad demostrar que nuestra confianza está en Dios y no en nosotros mismos. Mientras Peter aconsejaba a David, sabía que tanto él como otros estaban dedicados a orar por él específicamente y también por nuestra familia. Nuestra confianza no estaba colocada en un ser humano falible sino en el Dios de toda verdad, quien puede traer esperanza de salvación eterna y quien es el gran Sanador de nuestra alma. El apóstol Pablo fue un gran ejemplo de esto ya que continuamente oraba por aquellos a quienes les escribía y a quienes ministraba. Él también nos manda a orar en todo momento. En cuanto a vestirnos de la armadura de Dios, Pablo dejó en claro que una parte de la armadura del cristiano consiste en orar "en todo tiempo con toda oración y súplica en el Espíritu, y velando en ello con toda perseverancia y súplica por todos los santos; y por mí, a fin de que al abrir mi boca me sea dada palabra para dar a conocer con denuedo el misterio del evangelio, por el cual soy embajador en cadenas; que con denuedo hable de él, como debo hablar" (Efesios 6:18-20).

¿Cómo se usa la Biblia en la consejería bíblica?

La consejería bíblica es un proceso directivo. Esto es lo opuesto al proceso no directivo en el cual el terapeuta es un conducto para llegar al poder interno del paciente para cambiar o sentirse mejor sobre su situación. La dirección en la consejería bíblica no es la dirección del consejero sino de la Palabra de Dios *a través* del consejero. Sin embargo, *es* dirección, dirección hacia la meta de glorificar a Dios.

En el proceso general de consejería, como el que Peter llevó a cabo con David, hubo descubrimientos de hechos, momentos de preguntar, escuchar, dialogar e instruir. Como ya hemos dicho, la Biblia es la autoridad para el consejero aun antes de comenzar el proceso de consejería ya que el consejero, como hermano o hermana en Cristo, trata de ser un embajador auténtico del Salvador. La Biblia tiene el lugar prioritario en la naturaleza directiva de la instrucción bíblica a través del consejero bíblico. También es importante notar que muchas personas en el ámbito de la "psicología cristiana" aseguran dar prioridad a la Biblia. La diferencia entre estos dos está en la interpretación bíblica. El consejero bíblico no incluye las influencias externas de Freud, Skinner y Rogers en el texto y en la práctica. De hecho, la práctica es en sí la directiva bíblica, y no es igual a lo que veríamos en el proceso influenciado por la psicología, especialmente por Rogers, en la que el terapeuta solo es un espejo para que el paciente descubra las soluciones en su interior.

Uno de los grandes beneficios de confiar en que Dios nos ha dado verdaderas respuestas en su Palabra es que cualquier cristiano que esté dispuesto a estudiar y a someterse a la verdad de las Escrituras puede ser un consejero bíblico. Algunas de las asociaciones de consejeros bíblicos ofrecen certificaciones que son básicamente una confirmación de los estudios bíblicos que alguien ha llevado a cabo diseñados específicamente para ser parte de un discipulado más intenso. En nuestra iglesia, a la que asiste nuestra familia, hay sesiones regulares y conferencias para que las personas aprendan más sobre el discipulado eficaz. Aunque hay un ministerio formal de consejería bíblica en nuestra iglesia, también se ha equipado a toda la congregación para tener la confianza de buscar soluciones para los problemas en la Palabra de Dios. De esto se trata la consejería bíblica. Todo cristiano es llamado a hacer discípulos. Muchas veces olvidamos que Jesús no nos llama solo a hacer convertidos sino discípulos que sigan a Cristo y reflejen su gloria en la vida. Para esto, no necesitamos certificación, pero someterse al estudio bíblico para usar correctamente la Palabra de Dios para ayudar a personas reales con problemas reales es una disciplina digna, sin mencionar que es sumamente útil para quienes son bendecidos por ella.

Los discípulos son personas que ejercitan la fe, o deberían hacerlo. Tantas personas que experimentan dificultades en la vida, especialmente las causadas por el pecado, terminan esperando que Dios quite sus problemas de forma mágica sin ejercitar la fe en Cristo a través del verdadero arrepentimiento y obediencia. Muchas veces cuando un consejero bíblico le pregunta a su aconsejado qué ha hecho con relación a su problema, la respuesta es: "he orado por eso". Aunque la oración es un elemento esencial, no podemos esperar que Dios actúe en nuestra vida cuando nos ha llamado a resistir la tentación, arrepentirnos del pecado, vestirnos de santidad y actuar en obediencia de forma activa si no hemos hecho nada de esto. Todas estas cosas se logran en el poder que Dios mismo nos da. Es aquí que la instrucción bíblica se vuelve un elemento crucial de la consejería. La Biblia provee un mensaje de esperanza, expone nuestro corazón pecaminoso, da instrucciones prácticas y nos manda a obedecer y a actuar. La verdad bíblica también nos ayuda a desarrollar una cosmovisión cristiana para vivir en el mundo y ser conscientes de los peligros. El consejero bíblico guía al aconsejado a aplicar estas y otras verdades bíblicas en su vida de manera práctica y activa. En el poder de Dios, el cristiano es llamado a ejercitar su fe:

> Como todas las cosas que pertenecen a la vida y a la piedad nos han sido dadas por su divino poder, mediante el conocimiento de aquel que nos llamó por su gloria y excelencia, por medio de las cuales nos ha dado preciosas y grandísimas promesas, para que por ellas llegaseis a ser participantes de la naturaleza divina, habiendo huido de la corrupción que hay en el mundo a causa de la concupiscencia (2 Pedro 1:3-4).

Más adelante, el apóstol Pedro continúa diciendo que debemos *poner toda diligencia* para añadir a nuestra fe una lista santa de atributos piadosos del carácter. Mientras David estaba en el proceso de consejería, el pastor

Peter se aseguraba de que cada semana él completara una variedad de tareas que lo ayudaban a poner estos atributos en acción. Estas tareas podían
oscilar entre una simple memorización de las Escrituras, lo cual lo ayudaba
a contemplar la verdad de forma continua, y la participación en actividades
que lo desafiaban a actuar de manera contraria a sus sentimientos los cuales
lo guiaban en direcciones impías.

Si usa bien la Palabra de Dios, el aconsejado descubrirá que en verdad
hay esperanza en el evangelio a través de la obediencia a la instrucción bíblica. Hay numerosos pasajes que proveen dirección y verdadera esperanza en
el evangelio. Esta esperanza se hizo obvia para David en su primera sesión
de consejería con Peter. Por eso Peter estaba tan animado de continuar el
proceso de consejería con él. Sabía que el proceso centrado en el evangelio
le ofrecería más esperanza que cualquier otra cosa desde el inicio. David comenzó profesando que era creyente. Aunque después se dio cuenta de que
no había confiado en Cristo en verdad, la esperanza que Peter le mostró desde el comienzo es la misma esperanza que se le ofrece a todo creyente que
enfrenta el dolor de sus problemas. Ya sea un asunto de mero sufrimiento o
de pecado concreto, existen verdades bíblicas que nos muestran verdadera
esperanza la cual se encuentra en muchos pasajes, como Romanos 8:28-29:

> Y sabemos que a los que aman a Dios, todas las cosas les ayudan
> a bien, esto es, a los que conforme a su propósito son llamados. Por-
> que a los que antes conoció, también los predestinó para que fuesen
> hechos conformes a la imagen de su Hijo, para que él sea el primogé-
> nito entre muchos hermanos.

David llegaría a entender que su situación no sorprendía a Dios. Aun
este asunto de pecado en su vida podía servir para llevarlo al arrepentimiento y a una verdadera confianza en su Salvador, a colocarlo en un camino en
el cual podría crecer en santidad y a reflejar la gloria de Cristo.

En muchas áreas, David necesitaba que la verdad bíblica reemplazara
los pensamientos pecaminosos y egoístas de su mente. Esa dirección bíblica
se observó cuando Peter comenzó a poner en práctica ciertos pasajes que
se aplicaban al contexto de la situación de David. A veces era la manera de
pensar equivocada sobre la hombría y a veces era el pecado en general. Trish
y yo, tanto como podíamos, continuábamos en casa con el seguimiento de
lo que iba aprendiendo. Descubrí que el proceso por el cual David estaba
pasando es exactamente lo que todo cristiano necesita hacer en su vida. Para
mí, en especial, la transferencia y corrección de los pensamientos fue lo más
útil. Si fuéramos totalmente honestos con nosotros mismos, descubriríamos
muchos pensamientos en nuestra mente que corresponderían más al diablo
que a un cristiano. Muchos cristianos se angustian por el pecado en su vida.
Nos parece demasiado como para soportarlo, o que no hay salida posible,
y a veces podemos pensar que Dios nos ha olvidado. Si escribiésemos esos

pensamientos por separado y los colocásemos al lado de 1 Corintios 10:13, descubriríamos que esos pensamientos se corrigen de tal manera que nos da esperanza y fuerzas renovadas para permanecer firmes ante el pecado:

No os ha sobrevenido ninguna tentación que no sea humana; pero fiel es Dios, que no os dejará ser tentados más de lo que podéis resistir, sino que dará también juntamente con la tentación la salida, para que podáis soportar.[21]

No solo se corregían los pensamientos, sino también las acciones. A través de pasajes de las Escrituras que hablan sobre despojarse del viejo hombre, ser renovados en el espíritu y vestirse del nuevo hombre (Efesios 4; Colosenses 3), David siguió aprendiendo que la renovación de nuestra mente a través de la verdad bíblica debe reflejarse en el arrepentimiento y el poder redentor del evangelio que lleva a la transformación de nuestras acciones y toda nuestra vida. A medida que pensaba correctamente, vimos que las acciones de David cambiaban, pero también descubrimos que sus deseos cambiaron. Esto era la obra de Dios, y Dios nunca obra aparte de su propia Palabra.

Dios usó a Peter para enfatizar muchas cosas. Todas las semanas, David tenía que rendir cuentas y la Palabra de Dios se usaba no solo en la consejería, sino también en prácticas semanales para corregir su pensamiento, para exponer su propio corazón, para revelar la maravillosa santidad y belleza de Dios, para enfatizar la victoria de Jesús en la cruz, para provocar nuevas prácticas piadosas y para mostrar la esperanza eterna del evangelio en contraste con los placeres temporales del mundo. A través de esto, Dios atrajo a David a sí mismo y a la sumisión a Cristo como su Señor y Salvador. Fue un cambio que muchos reconocieron.

Pensamientos Finales

Parte del motivo por el cual quise escribir este libro fue porque quería que las personas supieran que aunque la tentación homosexual muchas veces se ve como el Monte Everest de los problemas, no lo es. Al igual que con otros pecados, el evangelio es suficiente y la Palabra de Dios tiene las respuestas. Sí, David, Trish, y yo pedimos ayuda, y me alegra haberlo hecho. Ya no lo considero debilidad. En realidad, lo considero una fortaleza. Aun si la ayuda no hubiera estado disponible, he descubierto desde ese entonces que hay materiales de consejería bíblica confiables a disposición, y estoy agradecido por hombres como Stuart Scott, Heath Lambert, Paul Tripp, David Powlison, Jay Adams y mis propios pastores por poner estos escritos y su propia vida a disposición. Estos hombres y sus materiales no son superiores a la Palabra de Dios, pero han sido una ayuda enorme para guiar a aconsejados a ver la suficiencia de la Palabra de Dios ayudando a personas que están atrapadas

---

21 Paul Tripp presenta un cuadro excelente que muestra la diferencia entre las mentiras del enemigo y la verdad de Dios con este propósito. Ver *Instrumentos en las Manos del Redentor*, 349.

en el pecado como la homosexualidad, o a personas que han experimentado tragedias y sufrimiento en su vida. Lo que más aprecio es que el movimiento de consejería bíblica ha mantenido la confianza incansable en el evangelio de Cristo como mensaje central para la salvación y la transformación. Si no tuviera al pastor Peter a mi disposición hoy, usaría estos materiales para entrenarme en la verdad bíblica, metodología, y soluciones para ayudar a mi propio hijo. Continuaría evitando a Freud, Skinner y Rogers, sin importar su apariencia intellectual.

En casa, Trish y yo amábamos y ayudábamos a David de manera activa y cometiendo errores a lo largo del camino. Hablábamos con Peter y nos informábamos sobre cómo iba cumpliendo David con sus tareas y otras obligaciones. Observábamos que David se animaba por ir a las sesiones de consejería. Fuimos testigos de cómo las verdades de las Escrituras se volvían reales para él. También fuimos testigos de las semanas en las que dio pasos atrás. Al final, hemos sido testigos de la victoria continua de Cristo en su vida. David ha experimentado la transformación que fue, es y continuará siendo una transformación en el evangelio. Así debe ser en todos nosotros.

La Perspectiva de David

En las sesiones de consejería bíblica, todo estaba sobre la mesa y a la luz para conversar. Era un ambiente seguro, y el pastor Peter y yo pudimos hablar sobre los asuntos más difíciles de mi vida. Fue a través de la consejería bíblica que me llegué a sentir cómodo usando los términos de mi pecado, términos como *homosexualidad*. A veces en nuestras sesiones me sentía muy desanimado. Aun en esos momentos, Peter nunca dejaba de mostrarme que hay esperanza en Jesús.

Todo el proceso no fue un paseo suave en una trayectoria ascendente. Semana tras semana, experimentamos altos y bajos. Aunque hubo victorias importantes en mi vida, también hubo tropiezos. Por la gracia de Dios, todo el proceso produjo una transformación en mi vida que reflejó el poder del evangelio.

La Perspectiva de Peter

Amo la Palabra de Dios y me encanta ayudar a las personas con asuntos de la vida. Aunque no lo crea, nunca hice la conexión entre las dos cosas antes de conocer la consejería bíblica hace unos quince años atrás. Con el pasar del tiempo, me he dado cuenta de que muchos son como yo solía ser. Supongo que hay un sentimiento extraño de comodidad en eso ya que a la necedad le gusta la compañía.

Muchas veces, aun el pastor más sólido y experimentado puede ver su Biblia como algo que proclama los domingos por la mañana o los miércoles a la noche. Puede ver el evangelio como el mensaje que debe compartir con aquellos que merecen el infierno y van por ese camino, y no saben que necesitan la ayuda que solo el evangelio de Jesucristo puede proveer. Esto también es verdad. Pero cuando la vida nos lanza algo inesperado un martes o un jueves, un día que no es "de iglesia", o cuando lo inesperado no se puede solucionar ni con un sermón o serie de sermones bien elaborados, ¿qué hará el pastor? ¿qué hará el padre? ¿qué hará la esposa o esposo? ¿Hacia dónde dirigiremos a las personas cuando se necesite un discipulado específico, personal y concentrado, lo cual un mensaje público de la Palabra no puede proveer?

Se me ha confiado la Palabra de Dios y el llamado a pastorear el rebaño; por este motivo le agradezco a Dios que, con confianza, pueda dar esperanza y ayuda, lo cual no está en mí, o en un método, ni en otro hombre o mujer, sino en la Palabra de Dios. Haber podido caminar al lado de esta familia a través del largo proceso de consejería y discipulado es puro gozo. En ningún momento sentí que tenía todas (o algunas) las respuestas. Ni por un momento me sentí suficiente para asumir este tema del tamaño del Monte Everest que tenía frente a mí. Mi esperanza estaba y está construida sobre nada más que la sangre y justicia de Jesús. Lo único que tenía para ofrecer era dirección para todos los involucrados hacia el evangelio que cambia vidas, el cual encontramos en la suficiencia de la Palabra de Dios; esa era mi única jugada. Podíamos buscar ayuda y esperanza práctica, solo en este fundamento seguro colocado para nuestra fe en la excelente Palabra de Dios, y sea Dios alabado porque estaban allí para que las encontrásemos una vez más. *Gracias, Señor, por tu fidelidad.*

Capítulo 7

El Orgullo y la Paternidad

Decir que Angela Yuan ha encontrado obstáculos como madre, probablemente sería poco. Ella y su marido pensaban que estaban construyendo un legado que traería orgullo a su familia, y parecía que sus hijos eran un reflejo directo de su éxito como padres. "Con los artículos de periódicos que recortamos sobre los logros de nuestros hijos pude llenar varios álbumes. Y además de sus distinciones y galardones, León y yo también teníamos una vida exitosa. Teníamos un consultorio dental próspero, y este cuadro de la familia perfecta me enorgullecía".[1]

Es increíble cómo todo puede desmoronarse de repente, y Angela describe cómo fue que eso aconteció solo con un anuncio:

> Estaba abrumada por el hecho de que mi hijo era gay y no quería cambiar. Nuestra familia estaba quebrantada, y mi vida se desmoronaba. Todos los sueños que había tenido por años para mi matrimonio, para mis hijos, para mi futuro, se habían ido. No veía más motivos para vivir. Estaba segura de que no tendría satisfacción o felicidad en este mundo. Solo veía tristeza, desilusión y rechazo. Y no lo quería más.[2]

El testimonio de Angela y su hijo, que fue publicado, es un testimonio increíble de gracia. Mientras leía el libro que ambos escribieron llamado *De un País Lejano*, solo podía responder con gratitud porque Dios aun usa la devastación de nuestro corazón pecaminoso para atraernos a él. Tanto la madre como el hijo han compartido un testimonio increíble de salvación y de la verdadera obra del evangelio que ha resultado en una vida santa que glorifica a Dios.

Quizás Angela podía hacerse la pregunta: "Si Christopher nunca hubiese caído en este pecado en particular, ¿alguna vez hubiera estado tan desesperada como para oír el mensaje de esperanza del evangelio?" ¿Podría ser

---

1 Christopher Yuan y Angela Yuan, *Out of a Far Country: A Gay Son's Journey to God; A Broken Mother's Search for Hope* (Colorado Springs, CO: WaterBrook Press, 2011), 16.
2 Ibid., 14.

que ambos le dieran gracias a Dios por usar aun la rebeldía humana para darles una nueva vida?

Comencé a pensar en mi propia situación. Aunque David nunca nos anunció "soy gay", su lucha con la tentación homosexual era bien real, y la tensión por la situación era una carga pesada para mí. Mientras la preocupación de Angela Yuan era perder la gran satisfacción que había conseguido por la contribución de su hijo a su estante de trofeos, la mía era más por mi reputación y el nombre de mi familia.

Mi enfoque estaba en la pregunta: "¿Qué pensará la gente?"

El Temor al Hombre es Orgullo

Cuando David me dijo de su problema por primera vez, tuve cuidado de cuál sería mi reacción. Solo por gracia, reaccioné de manera opuesta a lo que sentía con relación a mi propia reputación. Es verdad que amaba a David y quería ayudarlo y atravesar esta situación con él, pero mis preocupaciones seguían volviendo. El "¿qué pensará la gente?" me invadía, y detestaba que esta pregunta me acosara. Mi hijo necesitaba mi ayuda, y yo estaba preocupado por *mí*. Mientras David luchaba con su pecado, el pecado del orgullo se expuso en mi vida como una herida abierta. Con el pasar de las semanas, esa herida se irritaría más y más. Necesitaba tratamiento inmediato.

Me encontré con el pastor Peter para almorzar esa semana porque quería ayuda y alguien a quien rendir cuentas. Por supuesto, estaba preocupado por David, y hablamos mucho sobre la manera de ayudarlo. Al mismo tiempo, me horrorizaba mi forma de sentir y de pensar sobre la situación. ¿Cómo podría mostrarle amor a David cuando mi mayor preocupación era cuidar la reputación de un nombre? La tradición de mi familia tenía que ver con estar firmes en la verdad de la autoridad de la Palabra de Dios. ¿Qué pasaría si David, *mi hijo*, abandonaba la verdad? ¿Qué dirían las personas? Parecía que "mi imagen" era más importante para mí que la imagen de Cristo. Esta es la esencia de la idolatría. Dios estaba usando el pecado de David para exponer el mío.

Hay una diferencia enorme entre tener prestigio e idolatrar la reputación. Al fin y al cabo, la idolatría es fácil de reconocer. Cuando nuestras necesidades son otras aparte de Dios, muchas veces andamos en idolatría. Mis mayores "necesidades" estaban más asociadas con mi enfoque en mi reputación, estatus y apariencia superficial que con mi corazón ante Dios. Esta manera de pensar era la mayor amenaza en mi relación con mi hijo. Se puede manifestar de muchas formas destructivas y crear conflictos desgarradores. Las manifestaciones externas del pecado de David estaban provocando al ídolo en mi vida, y para mantener la aprobación y el respeto de otros, David tenía que cambiar. Era demasiado fácil verlo como un representante mío en vez de verlo como a mi hijo al cual amaba y a quien quería ayudar. En vez de preguntarme cómo glorificar a Dios y ejemplificar el evangelio ante David, me encontré preguntándome cómo cambiar a David para que no vaya por el mal camino perjudicando así mi imagen. ¿Cómo podría evitar que las personas no me vieran como un fracaso si todo salía mal? Esta forma de pensar lleva a todo tipo de respuestas equivocadas que al final hieren en vez de ayudar.

1. *Enfoque en lo externo.* Ya hemos señalado en este libro que al principio, mi énfasis estaba sobre las características físicas y de comportamiento más que en su necesidad de enfocarse para llegar a ser un hombre que glorifique a Dios. Mi énfasis provenía mayormente de mi preocupación sobre cómo los otros percibían el comportamiento de David y cómo me juzgarían por eso.

2. *Ver a nuestros hijos como extensiones de nosotros mismos.* Como estaba preocupado por la percepción de los demás, muchas veces veía a mis hijos a base de cómo me representaban y no como un regalo de Dios, y como resultado dejé de buscar oportunidades de servirlos como un padre enfocado en el evangelio.

3. *Mostrar desilusión.* Como no había forma de que David alcanzara mis expectativas, muchas veces veía la desilusión en mi rostro y lo oía en mis palabras. Estos momentos le causaron profundo dolor y lo perjudicaron más de lo que lo ayudaron.

4. *Una tendencia a manipular y controlar.* A veces mis tácticas se trataban más de manipular y controlar para conseguir mi voluntad (o hacer cambiar a David) que de buscar glorificar a Dios y ejemplificar el evangelio en cada situación que se presentara frente mí.

Pese a que estas cosas no representaban mi comportamiento, estaba constantemente en guerra con estas acciones inapropiadas y en seguida me di cuenta de que era mucho más egoísta de lo que imaginaba. Aunque era un padre que deseaba que mis hijos vivieran en santidad, pronto comprendí que con facilidad tomamos las cosas buenas que Dios nos da y las convertimos en una búsqueda pecaminosa y egoísta. La santidad que es para la gloria de Dios se volvió santidad para mi propia gloria a modo de ganar la admiración de los hombres. Necesitaba un llamado al arrepentimiento y la destrucción del ídolo de la reputación. Al final, en comparación estaba más preocupado por lo que los demás pensaran de mí que con mi deseo de que Dios fuera glorificado a través de mí. De esta forma, temía más al hombre que a Dios. Ya sea que describamos esto como "temor al hombre", "agradar al hombre" o "tener el ídolo de la reputación", todo colabora para la elevación del yo. Todo surge del orgullo.

En un estudio bíblico profundo, el Dr. Stuart definió al orgullo como:

...una forma de adoración propia. Los orgullosos creen que son o deberían ser la fuente de lo bueno, lo correcto y dignos de alabanza. También creen que solo ellos son (o deberían ser) quienes *logran* cualquier cosa digna, y que deben ser los *benefactores* en todas las cosas. En esencia, creen que todo tendría que venir *de* ellos, *a través* de ellos, y *a* ellos o *para* ellos. El orgullo quiere estar en la cima. Se dice que Thomas Watson citó lo siguiente: "El orgullo busca quitarle la deidad a Dios". Sin duda esta frase describe al arrogante.[3]

Fue esta arrogancia en mí la que causó tensión entre David y yo. Cuando estamos más preocupados por conseguir lo que queremos que por obedecer a Dios, entramos en guerra, aun contra los miembros de nuestra propia familia. Mientras trataba de contener y lidiar con esta guerra que había empezado con mi hijo, también cedí a la tentación de seguir mi propia agenda. Estos momentos eran evidentes y no ayudaban a David ni a mí. El pastor Brad Bigney escribió el libro *Gospel Treason*, y dio una serie de sermones bajo el mismo título que ayudaron a muchas personas a entender la naturaleza de la guerra interpersonal que surge cuando vamos detrás de nuestros ídolos. Le pidió a nuestra congregación que memorizara el texto de Santiago 4:1-3:

¿De dónde vienen las guerras y los pleitos entre vosotros? ¿No es de vuestras pasiones, las cuales combaten en vuestros miembros? Codiciáis, y no tenéis; matáis y ardéis de envidia, y no podéis alcanzar; combatís y lucháis, pero no tenéis lo que deseáis, porque no pedís. Pedís, y no recibís, porque pedís mal, para gastar en vuestros deleites.

Sin duda estos versículos describen muy bien las tensiones que se pueden manifestar entre dos personas, y debemos recordar que Santiago le escribe a la iglesia. En el centro de nuestra tensión está la idolatría y el orgullo.

El pastor Bigney sabía esto muy bien. Como yo, una vez había estado más preocupado por su reputación que aun por su propio matrimonio.

Las líneas entre el reino de Dios y el mío estaban borrosas. Lo que pensé que estaba haciendo con una motivación pura y para la gloria de Dios estaba manchado con los planes de mi propio reino: "Todos deben pensar bien de mí en la iglesia". Me sentía tan bien al ser amado por tantos en la iglesia. Me sentía bien por ser instrumento de Dios una y otra vez en la vida de tanta gente. Pero mucho de lo que hice fue a costa de mi matrimonio y mi familia. Mientras discipulaba a otros, dejaba que mi hogar se marchitase. Estaba descuidando la responsabilidad que Dios me había dado de amar a mi esposa como Cristo amó a la iglesia, y de entrenar y cuidar a mis propios hijos.[4]

---

3   Stuart Scott, *From Pride to Humility: A Biblical Perspective* (Bemidji, MN: Focus Publishing, 2002), 5.
4   Brad Bigney, *Gospel Treason: Betraying the Gospel with Hidden Idols* (Phillipsburg, NJ: P&R Publishing, 2012), 65.

Testimonios como este han ayudado a muchos a entender que todo ser humano enfrenta la idolatría del orgullo y nuestro pecado afecta a quienes están a nuestro alrededor. A través de su experiencia de arrepentimiento y compromiso con la Palabra de Dios, Brad Bigney es ahora un pastor piadoso. Dios usó su experiencia de hacer morir el pecado en su propia vida para equiparlo para el ministerio. De la misma manera, Dios usó el pecado de David para ayudarme a identificar el mío.

Quizás si David no hubiera tenido sus propios problemas, mi familia hubiera continuado avanzando toda la vida mientras yo me quedaba con el crédito de mi orgullo por ser un padre maravilloso y piadoso. Quizás nunca hubiera enfrentado el horror de mi propio deseo de destronar a Dios y quedarme con su gloria. Aun peor, quizás todos podríamos haber vivido sin preocuparnos por nuestro pecado y hubiéramos vivido en la falsa realidad de que solo importa lo que vemos superficialmente. En vez de eso, era tiempo de que yo entrara en guerra con mi orgullo, y es una batalla que continúa pesando en mí. Cualquier victoria en mis batallas solo la he conseguido por la gracia de Dios y aplicando su Palabra a mi vida. "Para lo cual también trabajo, luchando según la potencia de él, la cual actúa poderosamente en mí" (Colosenses 1:29).

El temor al hombre es una manifestación del orgullo que aparece porque deseamos recibir la alabanza que le pertenece a Dios. La noción ridícula de que podemos tomar la alabanza que es suya debería ser impensable para cualquier cristiano. Es aun más intolerable cuando nos damos cuenta de que Dios en realidad solo se agrada de nosotros cuando reflejamos su gloria y no la nuestra. De este modo, buscar agradar a las personas en vez de a Dios es cambiar lo superior por aquello que es infinitamente inferior.

Hay muchas situaciones en los Evangelios en las que el temor del hombre es aun una gran barrera para creer en Jesús. En Juan 5:30-47, Jesús confronta a los fariseos por su incredulidad. Habían recibido un gran testimonio de Jesús por parte de Juan el Bautista, pero él no era el único que daba testimonio. El mismo Jesús les había mostrado grandes obras y señales que confirmaban que él era el enviado del Padre. Las Escrituras del Antiguo Testamento también testifican de Jesús, y los fariseos las habían estudiado y las conocían bien. Jesús reprende a estos fariseos:

> Escudriñad las Escrituras; porque a vosotros os parece que en ellas tenéis la vida eterna; y ellas son las que dan testimonio de mí; y no queréis venir a mí para que tengáis vida. Gloria de los hombres no recibo. Mas yo os conozco, que no tenéis amor de Dios en vosotros. Yo he venido en nombre de mi Padre, y no me recibís; si otro viniere en su propio nombre, a ése recibiréis. ¿Cómo podéis vosotros creer, pues recibís gloria los unos de los otros, y no buscáis la gloria que viene del Dios único? (vs. 39-44).

En esencia, Jesús les dice a los fariseos que ellos se han cegado por sus propios deseos de ser alabados por los hombres. No pueden ver la gloria de Cristo porque desean su propia alabanza. Este era un gran problema entre los judíos, y Pablo advierte a la iglesia romana sobre esto: "sino que es judío el que lo es en lo interior, y la circuncisión es la del corazón, en espíritu, no en letra; la alabanza del cual no viene de los hombres, sino de Dios" (Romanos 2:29).

En Juan 12 leemos un maravilloso contraste entre el profeta Isaías y las autoridades judías del tiempo de Juan las cuales creyeron en Jesús. El profeta Isaías no tenía intenciones de auto promoverse. Había visto una visión del trono en el cielo (Isaías 6) y había visto la suciedad de su propio pecado frente a un Dios santo y Todopoderoso. Nunca más sería capaz de quedarse con alguna gloria, y proclamó la palabra del Señor a un pueblo incrédulo e infiel. Juan usó las palabras de Isaías para describir el ambiente incrédulo en general que rodeaba a Jesús. "Cegó los ojos de ellos, y endureció su corazón; para que no vean con los ojos, y entiendan con el corazón, y se conviertan, y yo los sane. *Isaías dijo esto cuando vio su gloria, y habló acerca de él*" (Juan 12:40-41, énfasis añadido). Colocar nuestro enfoque en la gloria de Dios hará menos probable que busquemos nuestra propia gloria y más probable que hablemos de él. Los versículos siguientes dicen: "Con todo eso, aun de los gobernantes, muchos creyeron en él; pero a causa de los fariseos no lo confesaban, para no ser expulsados de la sinagoga. Porque amaban más la gloria de los hombres que la gloria de Dios" (vs. 42-43). Aun las autoridades judías que habían creído luchaban con su orgullo egoísta de forma continua ya que seguían temiendo al hombre.

La consejera bíblica Amy Baker le da a Juan 12:43 una perspectiva moderna cuando escribe lo siguiente:

Algunas personas ansiaban más la alabanza de los hombres que la alabanza de Dios. Piensa en las implicaciones de esta decisión. Estaban dispuestos a abandonar la alabanza de:

- Aquel que tiene más riqueza que Bill Gates.
- Aquel que tiene más poder que el presidente de los Estados Unidos.
- Aquel que es más inteligente que Watson y Crick quienes ganaron el Premio Nobel por armar juntos todas las piezas del rompecabezas del ADN.
- Aquel que es más hermoso que cualquiera que se pasea por la alfombra roja de Hollywood.

Estos líderes esencialmente dijeron: "Quiero la amistad de las personas que Dios creó más que la amistad del Creador". Aunque estas palabras nunca fueron dichas en voz alta, estos sentimientos controlaban el corazón de los líderes de Juan 12.[5]

---

5 Amy Baker, *Getting to the Heart of Friendships* (Bemidji, MN: Focus Publishing, 2010), 23.

A veces es fácil pasar por estos versículos maravillosos de las Escrituras sin aplicar la importancia de la visión de la gloria de Dios a nuestra propia vida. La apreciación de Amy Baker de las autoridades judías que creyeron de Juan 12 se aplicaba en gran manera a mi situación con David. En vez de buscar intencionalmente la maravilla de la gloria de Dios en toda su hermosura y brillo, pretendía proveer la errónea de una imagen ante los ojos de hombres falibles. Es increíble cómo el esplendor de Dios hace que todo lo demás parezca insignificante. Cuando colocamos nuestros ojos en los hombres, nos perdemos la verdadera gloria. Qué bueno sería si pudiéramos comprender que buscar los propios intereses sin Dios siempre resulta en el reemplazo de su gloria por desperdicios humanos. Esta es exactamente la razón por la que Pablo consideraba todas sus credenciales judías "basura" o aun "estiércol" (Filipenses 3:8).

En su gracia Dios de inmediato me mostró mi pecado. Había empezado bien reconociendo que estaba mal pensar sobre mí en el momento de necesidad de David. De hecho, estaba sorprendido por mis pensamientos insensibles. Tuve dos ejemplos maravillosos de la gracia de Dios en mi vida. Primero, me di cuenta de que mi orgullo nunca iba a resultar en una actitud amorosa de ayuda hacia David. Segundo, llegué al lugar en el que tuve que reconocer que temía más a la percepción de los demás que a lo que Dios veía cuando miraba mi corazón. Todas las Escrituras parecían señalarme. Esto se hizo evidente cuando leí la oración de arrepentimiento del rey David en el Salmo 51: "Porque no quieres sacrificio, que yo lo daría; No quieres holocausto. Los sacrificios de Dios son el espíritu quebrantado; Al corazón contrito y humillado no despreciarás tú, oh Dios". La última voluntad y testamento de Moisés a los israelitas que vagaban en el desierto parecía hablarme a mí cuando dijo: "Y circuncidará Jehová tu Dios tu corazón, y el corazón de tu descendencia, para que ames a Jehová tu Dios con todo tu corazón y con toda tu alma, a fin de que vivas". Las frases ricas y extensas de la oración de Efesios 1 me hablaban a mí cuando Pablo oraba lo siguiente:

> ...para que el Dios de nuestro Señor Jesucristo, el Padre de gloria, os dé espíritu de sabiduría y de revelación en el conocimiento de él, alumbrando los ojos de vuestro entendimiento, para que sepáis cuál es la esperanza a que él os ha llamado, y cuáles las riquezas de la gloria de su herencia en los santos, y cuál la supereminente grandeza de su poder para con nosotros los que creemos... (Efesios 1:17-19a).

Al encontrar la abundante gloria de Dios revelada de una manera tan maravillosa en el texto de las Escrituras, también descubrí que éste es el Dios que observa *mi* corazón. Ya sea en mi arrepentimiento, en mi compromiso con él o en la gracia reveladora que ha derramado sobre mí, descubrí que Dios está constantemente observando mi corazón y trabajando en él. Lo que importa es lo que Dios ve, no lo que ve el hombre. Dios observa mi corazón, pero el hombre solo puede ver lo externo. La pregunta que tenía que hacer no era "¿Qué pensará la gente?" sino "¿Cómo puedo obedecer y agradar a Dios mientras amo y ayudo a mi hijo?" Fue ésta la pregunta por la cual lloré frente a mi pastor en medio de un restaurante bien concurrido, y fue por esta pregunta que decidí arrepentirme y confiar en Cristo para obtener victoria en el evangelio no solo para David sino también para mí.

Cuanto más me comprometía a ver mi propio pecado ante el Señor, más se me hizo evidente la tendencia de los cristianos evangélicos conservadores, aun en nuestra condición de pecadores, de tener un espíritu crítico. Cuando se trata del tema de la homosexualidad, me he vuelto un poco más sensible cuando observo un crecimiento en el ambiente de la crítica entre muchos hermanos. He oído a predicadores cristianos que proclaman los males de la homosexualidad, especialmente en referencia al juicio de Dios, y muchas veces he sido testigo del aplauso de la multitud evangélica conservadora. No estoy diciendo que el predicador esté equivocado al señalar la verdad escritural de que cuando Dios entrega a las personas a su propio pecado lo hace a modo de juicio, porque así es (Romanos 1). Para mí, se vuelve un problema cuando el pecado de la homosexualidad se eleva como si fuera el pináculo de la maldad y el motivo de la ejecución de juicio más intensa por parte de Dios sobre la sociedad. El predicador proclama esta verdad con la autoridad de sus puños cerrados y la multitud concuerda con sus aplausos. Me he dado cuenta de que esto también puede ser una forma de agradar a los hombres.

En su libro *Pleasing People*, Lou Priolo (director del Eastwood Counseling Ministry en Montgomery, Alabama) de manera idónea expresa lo siguiente:

> Si aun nosotros los cristianos luchamos en mayor o menor grado con la crítica, ¿por qué perder nuestros recursos tratando tanto de agradar a criaturas tan críticas como lo somos todos nosotros? Dios es el único que nos evalúa con justicia. "Muchos buscan el favor del príncipe; mas de Jehová viene el juicio de cada uno" (Proverbios 29:26).[6]

Lou Priolo presenta un buen argumento. Si algunos de estos predicadores fueran más equilibrados bíblicamente en su abordaje, me pregunto si los seguirían como los siguen hoy. ¿Estarían preparados para perder a la multitud por la verdad bíblica y la gracia?

Habiendo sido una de las voces de aprobación, ahora tengo mucho cuidado no solo con lo que digo y cómo lo digo, sino con las palabras y el espíritu que estoy dispuesto a animar. A veces esto puede significar que esté de acuerdo con una declaración pero que no pueda endosarla por faltarle el equilibrio de la gracia. Siempre tenemos que recordar que tenemos filtros escriturales maravillosos para comprender la naturaleza del pecado. Debemos recordar versículos como 1 Corintios 10:12-13:

---

6 Lou Priolo, *Pleasing People: How Not to Be an Approval Junkie* (Phillipsburg, NJ: P&R Publishing, 2007), 91.

Así que, el que piensa estar firme, mire que no caiga. *No os ha sobrevenido ninguna tentación que no sea humana*; pero fiel es Dios, que no os dejará ser tentados más de lo que podéis resistir, sino que dará también juntamente con la tentación la salida, para que podáis soportar (énfasis añadido).

Nunca oí a quienes buscan agradar a las personas usar este versículo en sus mensajes sobre la homosexualidad y la jerarquía del pecado.

Este espíritu crítico que generalmente aparece en los círculos más conservadores de la iglesia fue el motivo por el cual me sentía tan presionado a buscar más la aprobación del hombre que la de Dios. Ese fue mi error. Aunque en principio estemos de acuerdo con la verdad, también es importante estar de acuerdo con el espíritu y el contexto de dicha verdad. Ningún hombre, ni buenos hombres, ni aun un buen número de ellos, pueden siquiera acercarse al poder inconmensurable y a la gloria de Dios. Esto me lo recuerda constantemente 1 Tesalonicenses 2:4: "sino que según fuimos aprobados por Dios para que se nos confiase el evangelio, así hablamos; no como para agradar a los hombres, sino a Dios, que prueba nuestros corazones".

La manifestación del orgullo como temor al hombre se puede detectar de varias maneras. Ya sea la arrogancia intelectual de un erudito que sacrifica la ortodoxia espiritual para evitar perder la permanencia en su cargo académico, o la inquietud de un padre que se preocupa por lo que pensarán los demás si su hijo comete un pecado, el orgullo es el centro del problema. Ya sea el pastor que se preocupa más porque sus palabras sean elogiadas que por persuadir al rebaño en la verdad, o la mujer que realiza su servicio altruista en la iglesia solo para recibir alabanza de otros, el orgullo es el centro del problema. Sin importar lo que sea, para la persona que desea la alabanza y la aceptación de los demás más que la de Dios, el orgullo es el centro del problema. Hay muchos pasajes de las Escrituras que nos advierten contra el temor al hombre; de hecho, veo muchos más versículos que hablan sobre el orgullo de querer agradar a las personas que de la homosexualidad. Estos pasajes de las Escrituras me llevan a seguir cuestionando mi motivación, y muchas veces he tenido que reprenderme a mí mismo usando estos pasajes. Estos recordatorios son necesarios porque se dirigen al fariseo en mí y a los fariseos que todos tenemos en nosotros. Estos recordatorios son tan importantes que el temor al hombre fue uno de los puntos principales del gran sermón de Jesús:

Guardaos de hacer vuestra justicia delante de los hombres, para ser vistos de ellos; de otra manera no tendréis recompensa de vuestro Padre que está en los cielos. Cuando, pues, des limosna, no hagas tocar trompeta delante de ti, como hacen los hipócritas en las sinagogas y en las calles, para ser alabados por los hombres; de cierto os digo que ya tienen su recompensa. Mas cuando tú des limosna, no sepa tu izquierda lo que hace tu derecha, para que sea tu limosna en secreto; y tu Padre que ve en lo secreto te recompensará en público. Y cuando ores, no seas como los hipócritas; porque ellos aman el orar en pie en las sinagogas y en las esquinas de las calles, para ser vistos de los hombres; de cierto os digo que ya tienen su recompensa (Mateo 6:1-5).

Si somos como el hipócrita, el apóstol Pablo nos da la solución: "Pero lejos esté de mí gloriarme, sino en la cruz de nuestro Señor Jesucristo, por quien el mundo me es crucificado a mí, y yo al mundo" (Gálatas 6:14).

Cuando tenía poco más de veinte años, mi hermano Robert una vez me obligó a leer el clásico de J. I. Packer, *El Conocimiento del Dios Santo*. Una porción de este libro aún resuena en mis oídos y es importante para todos los que son susceptibles a agradar a los demás: "El vivir se torna pavoroso cuando se tiene conciencia de que cada momento de la vida acontece a la vista y en la compañía de un Creador omnisciente".[7]

"Merezco Algo Mejor"

"Las cosas no tendrían que ser así. Merezco algo mejor". Cuando Angela Yuan dijo que ya no soportaba más esa situación, en esencia era eso lo que decía. Todos pensamos que merecemos algo mejor. A Angela Yuan le gustaba compartir su vida maravillosa, incluyendo sus hijos sobresalientes y su consultorio dental exitoso junto a su marido. Cuando su hijo Christopher le anunció su homosexualidad y comenzó a involucrarse en relaciones con el mismo sexo y a traficar drogas, Angela sintió que no había nada en su vida por lo cual estar agradecida. Merecía algo mejor. Cuando decimos cosas así, esencialmente estamos diciendo que nosotros mismos determinamos lo que es bueno para nosotros y solo merecemos las cosas buenas según nuestra definición. En el centro está el orgullo humano.

Es verdaderamente increíble cómo el pecado de nuestros hijos puede con tanta facilidad sacar a la luz nuestra propia pecaminosidad. La manera cómo respondemos ante las dificultades muchas veces nos muestra un cuadro de la condición de nuestro corazón. El corazón de Angela Yuan estaba dedicado a su deseo de tener una vida cómoda y sin problemas para su familia. En ese momento, aún no conocía a Cristo, por lo cual esta reacción no nos debería sorprender. Sin embargo, para el cristiano este tipo de respuesta demuestra que hay más amor por las cosas del mundo que por las de Dios. Si colocamos nuestra confianza en nuestra posición y prestigio en el mundo, en nuestro estilo de vida o aun en nuestra familia, de hecho perderemos la satisfacción cuando suframos la pérdida de una o todas las cosas. No hay duda de que este mundo, incluyendo nuestra propia familia, nunca nos satisfará por completo sino que nos defraudará.

---

7   J. I. Packer, *El Conocimiento del Dios Santo* (Miami: Vida, 2006), 111.

Al leer esto, se podría pensar que estoy sugiriendo que Angela Yuan no tendría que haber mostrado dolor por el pecado de su hijo. Trish y yo sin duda experimentamos el dolor por la situación de David. Aunque es fácil que el dolor nos lleve al pecado, Dios no trata el dolor piadoso como pecado. Al leer los Salmos, vemos muchos pasajes de lamentación en los que el salmista clama a Dios y encuentra refugio y consuelo en él. En el Salmo 44:24-26 el salmista escribe: "¿Por qué escondes tu rostro, y te olvidas de nuestra aflicción, y de la opresión nuestra? Porque nuestra alma está agobiada hasta el polvo, y nuestro cuerpo está postrado hasta la tierra. Levántate para ayudarnos, y redímenos por causa de tu misericordia". Aunque el salmista está afligido y profundamente agobiado por su situación, confía en que el Señor le dará redención, consuelo y salvación. Los salmos están inundados de todos los espectros de las emociones humanas, y en cada caso, la confianza, alabanza y protección del salmista, así como su consuelo y agradecimiento, se dirigen hacia Dios. El dolor piadoso muestra la realidad de la condición humana ante Dios y corre hacia él en busca de ayuda. No se abandona a las pérdidas sin esperanza. Solo por Jesús, el cristiano puede perderlo todo y aun retener satisfacción eterna. Solo por Jesús, en caso de que nuestros hijos tomen decisiones que lo deshonren, tendremos contentamiento, aun en medio del dolor.

Cuando tendemos a creer que merecemos una vida libre de dolor y de problemas, en realidad estamos albergando dos pensamientos rebeldes: 1. *Busco contentamiento y satisfacción consiguiendo lo que quiero en este mundo*, y 2. *Dios solo es digno de alabanza cuando me da las cosas buenas que yo "merezco"*.

Si lo que deseamos es la gloria de Dios en y a través de Jesucristo, entonces cuando busquemos contentamiento en lo que deseamos estaremos satisfechos eternamente. El problema es que desde nuestro nacimiento el pecado corrompe nuestros deseos, y nuestra búsqueda de la gloria se vuelve idolatría egoísta. No está mal buscar el contentamiento en la vida mientras el objeto de dicho contentamiento sea el Señor. Solo así lo obtendremos en verdad.

Cuando Pablo le escribía a Timoteo, abundaban las falsas doctrinas en la iglesia de Éfeso. Una de las falsas enseñanzas estaba en el área del contentamiento. En 1 Timoteo 6, Pablo describe a los falsos maestros quienes sugerían que la piedad era un medio para conseguir ganancias financieras y que la meta final del hombre era su propia posición terrenal. Sin embargo, Pablo seguidamente demuestra que las cosas de este mundo no nos pueden traer contentamiento duradero. Pero antes de hacerlo, él lanza una de las declaraciones más profundas de sus cartas: "Pero gran ganancia es la piedad acompañada de contentamiento" (1 Timoteo 6:6). Pablo estaba tratando de ayudar a Timoteo a comunicarle a su iglesia las riquezas que tenían en realidad en Cristo en comparación con la naturaleza temporal de todo lo que hay en el mundo que pudiera satisfacer su sed. Fácilmente podríamos aplicar este principio a nuestra propia familia. Si nuestra satisfacción solo está ligada al éxito de nuestros hijos o a la comodidad de una vida sin problemas, sin duda nunca la alcanzaremos.

Ser justificado y santificado en Cristo no es solo suficiente, lo es todo. Jesús *es* la ganancia en mi vida por lo que sigo buscándolo en plena satisfacción en todo momento. El contentamiento es la posición de descansar realmente en el aquí y ahora en el Señor, y nunca necesitará ni deseará nada porque el contentamiento en Dios lo tiene todo ahora y para toda la eternidad. Es una posición tanto presente como futura. Si creemos que no estaremos satisfechos con algo en el futuro, no podremos tener contentamiento hoy. Si tratamos de encontrarlo en algo que al final no lleva al gozo completo y eterno, no puede ser contentamiento. ¿Cómo podremos estar satisfechos en algo que lleva a la miseria y no al gozo verdadero? Por lo tanto, la naturaleza del objeto de nuestro deseo es lo que determinará si hallaremos verdadero contentamiento o no. Si el objeto de nuestro deseo es imperfecto, no habrá verdadero contentamiento, por lo menos no eterno. La satisfacción, el contentamiento y el gozo verdadero solo se encuentran en aquello que es eterno y sustentablemente perfecto. La pregunta que todo cristiano tiene que hacerse es: "¿Cómo puedo desear algo que sé que es imperfecto cuando conozco a Jesucristo quien es perfecto, quien resucitó y ascendió y quien reina en santidad pura ahora y para siempre?" En Cristo, hay victoria sobre todo problema del ser humano por toda la eternidad y solo en él podremos hallar gozo, amor, bondad, misericordia, gracia, consuelo, paz, santidad y satisfacción eterna. Quizás el conocimiento de Cristo haya sido la razón por la cual Pablo pudo escribir lo siguiente:

> Antes bien, nos recomendamos en todo como ministros de Dios, en mucha paciencia, en tribulaciones, en necesidades, en angustias; en azotes, en cárceles, en tumultos, en trabajos, en desvelos, en ayunos; en pureza, en ciencia, en longanimidad, en bondad, en el Espíritu Santo, en amor sincero, en palabra de verdad, en poder de Dios, con armas de justicia a diestra y a siniestra; por honra y por deshonra, por mala fama y por buena fama; como engañadores, pero veraces; como desconocidos, pero bien conocidos; como moribundos, mas he aquí vivimos; como castigados, mas no muertos; como entristecidos, mas siempre gozosos; como pobres, mas enriqueciendo a muchos; como no teniendo nada, mas poseyéndolo todo (2 Corintios 6:4-10).

Pablo, a quien encarcelaron y aun mataron por su fe, proclamó con denuedo que lo poseía todo porque poseía a Cristo. Si queremos observar el verdadero contentamiento, podemos mirar a Pablo o a cualquier de los mártires cristianos.

Pablo le dice a Timoteo que la piedad acompañada de contentamiento es una gran ganancia. El contentamiento no está separado de la piedad, sino que juntos, el contentamiento en el Señor y el crecimiento en santidad, es el medio para conseguir ganancia abundante y eterna en nuestra vida. Pablo ve nuestro crecimiento en santidad como algo tan importante para la vida cristiana que lo menciona cuatro veces como puntos principales de su carta a Timoteo, además de sus argumentos del capítulo seis (1 Timoteo 2:2, 3:16, 4:7, 4:8). En estos versículos Pablo dirige a Timoteo a lidiar con las falsas enseñanzas que llevan al hombre a centrarse en sí mismo y no en la gloria de Dios. Anima a Timoteo y a la iglesia a orar por los líderes que los rodean, no para que puedan ser libres para buscar lo suyo propio, sino para que puedan vivir vidas *piadosas* (2:2). La iglesia debe vivir en el mundo como pilar y sostén de la verdad y para mostrar la gloria de Cristo al reflejar su santidad (3:15-16). Debe enfocarse en la verdadera integridad con piedad, desde adentro hacia afuera, y no en la naturaleza superficial de las apariencias externas porque la verdadera piedad conlleva una promesa no solo para esta vida sino también para la vida futura (4:7-8). El cristiano debe comprender que como creyente regenerado y justificado su meta en la oración, en la vida y en su esperanza es agradar y glorificar a Dios a medida que crece en santidad. Nuestra visión es la promesa de su perfección desde el día en que lo veamos cara a cara y después por toda la eternidad. Nuestro contentamiento en Cristo y nuestro crecimiento piadoso en obediencia que santifica es lo que señala la seguridad de una herencia gloriosa y de gozo eterno.

El problema para el cristiano es vivir en un mundo en el cual "nada es suficiente". Esto enfatiza el hecho de que no hay nada en el mundo que pueda satisfacer. No hay suficiente dinero, ni suficiente popularidad, ni suficiente éxito, ni suficiente adulación de los demás ni siquiera suficiente satisfacción en nuestra propia familia. Para librarnos del control de este mundo en el que nada es suficiente es necesaria una transformación en el evangelio la cual incluye el arrepentimiento sincero. Y aunque no es fácil, *hay* esperanza. Pablo deja en claro que el contentamiento es algo que puede aprenderse a medida que tomamos la confianza que hemos colocado en otras cosas y la colocamos en Cristo. Escribió lo siguiente a los filipenses sobre su cuidado práctico para con él en el ministerio:

> En gran manera me gocé en el Señor de que ya al fin habéis revivido vuestro cuidado de mí; de lo cual también estabais solícitos, pero os faltaba la oportunidad. No lo digo porque tenga escasez, pues *he aprendido* a *contentarme*, cualquiera que sea mi situación. Sé vivir humildemente, y sé tener abundancia; en todo y por todo *estoy enseñado*, así para estar saciado como para tener hambre, así para tener abundancia como para padecer necesidad. Todo lo puedo en Cristo que me fortalece (Filipenses 4:10-13, énfasis agregado).

Tenemos todo lo que necesitamos para servir y obedecer a Cristo y para vivir piadosamente, y podemos aprender esta verdad fundamental que nos da la habilidad de hallar contentamiento y satisfacción en toda situación, aun en las que traen grandes dificultades a nuestro hogar.

Hubiera sido tan fácil para Angela Yuan sumirse en el pozo de la desesperación por las dificultades en su hogar. La gracia de Dios a través de la transformación por el evangelio le dio nueva esperanza, no solo para ella sino también para su hijo. Ella pasó de la idolatría de tener una familia ejemplar y una vida sin conflictos a considerar todas las cosas de este mundo basura por la causa de Cristo.

No es que merezcamos algo mejor, sino que merecemos algo mucho, mucho peor. No es que "las cosas malas también le ocurren a las personas buenas", sino que las cosas malas le suceden a los pecadores (toda la humanidad) que no merecen nada bueno. La Biblia nunca dice que la humanidad después de la caída merezca algo además de su justo juicio. Hemos pecado contra el Dios eterno, puro, santo y Todopoderoso quien creó todas las cosas para su gloria. El pecado es devastador y ninguno de nosotros puede decir que merece lo bueno de parte de Dios. Este es el motivo por el cual la cruz es tan extraordinaria. Al describir los efectos del evangelio, la Biblia deja bien claro cómo es la humanidad y qué merecemos en comparación con la misericordia y gracia en la muerte y resurrección de Jesucristo. Las Escrituras hablan por sí mismas:

> Porque Cristo, cuando aún éramos débiles, a su tiempo murió por los impíos. Ciertamente, apenas morirá alguno por un justo; con todo, pudiera ser que alguno osara morir por el bueno. *Mas Dios muestra su amor para con nosotros, en que siendo aún pecadores*, Cristo murió por nosotros. Pues mucho más, estando ya justificados en su sangre, por él seremos salvos *de la ira*. Porque si *siendo enemigos*, fuimos reconciliados con Dios por la muerte de su Hijo, mucho más, estando reconciliados, seremos salvos por su vida. Y no sólo esto, sino que también nos gloriamos en Dios por el Señor nuestro Jesucristo, por quien hemos recibido ahora la reconciliación (Romanos 5:6-11, énfasis añadido).

> Y él os dio vida a vosotros, cuando *estabais muertos en vuestros delitos y pecados, en los cuales anduvisteis en otro tiempo,* siguiendo la corriente de este mundo, conforme al príncipe de la potestad del aire, el espíritu que ahora opera en los hijos de desobediencia, *entre los cuales también todos nosotros vivimos* en otro tiempo en los deseos de nuestra carne, haciendo la voluntad de la carne y de los pensamientos, y éramos por naturaleza hijos de ira, lo mismo que los demás. *Pero Dios*, que es rico en misericordia, por su gran amor con que nos amó, *aun estando nosotros muertos en pecados*, nos dio vida juntamente con Cristo (por gracia sois salvos), y juntamente con él nos resucitó, y asimismo nos hizo sentar en los lugares celestiales con Cristo Jesús (Efesios 2:1-6, énfasis añadido).

Y a vosotros, *estando muertos en pecados y en la incircuncisión de vuestra carne*, os dio vida juntamente con él, perdonándoos todos los pecados, *anulando el acta de los decretos que había contra nosotros, que nos era contraria*, quitándola de en medio y clavándola en la cruz, y despojando a los principados y a las potestades, los exhibió públicamente, triunfando sobre ellos en la cruz (Colosenses 2:13-15, énfasis añadido).

Sin importar lo que merezcamos, Dios nos dio gracia y misericordia en Jesucristo. No es que merezcamos algo mejor para nuestra vida, sino que a través de la fe en Jesucristo, se nos da lo que no merecemos: ¡gracia!

Cuando comprendemos nuestra posición como hombres pecadores ante un Dios soberano, justo y santo, podemos ver todo a través de los lentes correctos. La mayoría de las personas conocen el relato de Job en las Escrituras. Él perdió todo lo que tenía en la tierra y ganó una buena dosis de llagas por todo el cuerpo. Su esposa se le acercó diciendo que merecía algo mejor y Job le respondió debidamente:

Entonces le dijo su mujer: ¿Aún retienes tu integridad? Maldice a Dios, y muérete. Y él le dijo: Como suele hablar cualquiera de las mujeres fatuas, has hablado. ¿Qué? ¿Recibiremos de Dios el bien, y el mal no lo recibiremos? En todo esto no pecó Job con sus labios (Job 2:9-10).

La sabiduría de Dios no es la nuestra, y en nuestra capacidad mental finita podemos descansar en el hecho de que él sabe qué es mejor, merecemos lo peor, y nuestro contentamiento se encuentra en la gran verdad de que nuestro gran Redentor se encargará de nuestro mayor problema por toda la eternidad.

Cuando como cristianos pasamos por un momento de dificultad y dolor, no debemos deleitarnos en el pecado de orgullo pensando: "Yo merezco algo mejor". Tenemos un Dios que nos ama y nos ha dado esperanza eterna. No solo eso, sino que también debemos recordar que nunca estamos solos. El rey David sabía esto bien y nos dio seis versículos hermosos a los cuales acudir cuando somos tentados por el pecado del orgullo pensando: "Yo merezco algo mejor".

Jehová es mi pastor; nada me faltará. En lugares de delicados pastos me hará descansar; junto a aguas de reposo me pastoreará. Confortará mi alma; Me guiará por sendas de justicia por amor de su nombre. Aunque ande en valle de sombra de muerte, no temeré mal alguno, porque tú estarás conmigo; Tu vara y tu cayado me infundirán aliento. Aderezas mesa delante de mí en presencia de mis angustiadores; unges mi cabeza con aceite; mi copa está rebosando. Ciertamente el bien y la misericordia me seguirán todos los días de mi vida, y en la casa de Jehová moraré por largos días (Salmo 23).

Superioridad Moral

La Biblia es clara. A pesar del relativismo moderno que penetra en la cultura a nuestro alrededor, la Biblia es un libro de absolutos y verdades objetivas. No solo la Biblia afirma ser la Palabra de Dios, sino que suena como verdad, tiene coherencia interna, y se puede corroborar por lo que vemos y probamos en el mundo. Una y otra vez me he convencido de que la Biblia de hecho es la Palabra infalible, inerrante, suficiente y autoritaria del único y verdadero Dios. La fe cristiana es una fe histórica basada en eventos reales que fueron registrados sin error desde Génesis hasta Apocalipsis, y el fundamento de la verdad sobre el cual pueden estar firmes todos los cristianos es Jesucristo, quien es nuestra Roca. ¡La verdad importa!

Es por tomar esta posición que a veces fui catalogado con palabras como "conservador" o aun "fundamentalista". El Dr. Al Mohler, quien no se considera "fundamentalista", sino quien dice ser un "evangélico profesante", ha declarado: "Si eres un conservador teológico que busca defender la ortodoxia teológica, de todos modos serás llamado fundamentalista".[8] El Dr. Mohler de hecho es un conservador teológico que probó su entereza al defender la ortodoxia teológica en el resurgimiento conservador de la Convención Bautista del Sur. Sin importar las etiquetas, las personas nos llamarán lo que quieran. Aun así, me considero alguien que desea permanecer en la autoridad de la Palabra de Dios, para retener con firmeza las doctrinas esenciales de la fe evangélica, para defender la ortodoxia y para proclamar estas verdades fundamentales.

Desafortunadamente, las etiquetas han producido ciertos estereotipos y percepciones. Algunas personas consideran que la palabra *fundamentalista* está asociada con una retórica dura y crítica que se opone a casi todo y especialmente a lo que cuestiona la inerrancia de la Biblia. Conozco muchas personas que sin duda se llamarían fundamentalistas, quienes preservan y defienden la integridad y ortodoxia bíblicas, pero que también se entristecerían por el tono áspero de otros que se proponen hacer lo mismo. A veces es como si separáramos la verdad y la gracia como si pudieran funcionar de manera independiente. La gracia sin la verdad y la verdad sin gracia nunca representan una posición bíblica.

Sin duda, vale la pena luchar por la verdad. Sin ella no habría evangelio. El evangelio es una afirmación de la verdad a la cual las personas deben responder. Sin gracia no habría evangelio porque es por la gran misericordia de

---

8   R. Albert Mohler Jr., "A Confessional Evangelical Response," en *Four Views on the Spectrum of Evangelicalism*, Andrew David Naselli y Collin Hansen, eds. (Grand Rapids, MI: Zondervan, 2011), 52. Se debe hacer una distinción entre el uso de la palabra *fundamentalista* como término despectivo para describir a los extremistas religiosos, y el uso de la palabra para describir a alguien que se aferra a las normas teológicas apoyadas en *The Fundamentals* (Los Fundamentos), por ejemplo, alguien que se identifica con la reacción contra los eruditos liberales que comenzó a inicios del siglo XX. Cuando se dice que alguien es "fundamentalista", generalmente se refiere al primer sentido. Cuando el Dr. Mohler escribe que no se categoriza como "fundamentalista" parece estar usando el último sentido.

Cristo que pecadores no merecedores pueden obtener el inconmensurable don de la salvación.

Si yo tuviera que medir mi retórica sobre la homosexualidad antes y después de que David me contara su problema, la diferencia sería notable. Esta diferencia requiere arrepentimiento y la defensa de la verdad de la Palabra de Dios de un modo mucho más coherente. Creo que mi testimonio puede servir como advertencia para muchos lectores. Nuestro entendimiento de la verdad, nuestra presentación y las palabras que usamos pueden marcar una gran diferencia en aquellos con quienes no estemos de acuerdo o a quienes tratemos de ayudar. Sin duda sería la verdad si le dijéramos a alguien que para Dios la homosexualidad es abominación. Sin embargo, cuando lo hacemos con una actitud condenadora que ignora la viga en nuestro propio ojo, ignoramos una verdad por la otra. También estaríamos diciendo que estamos dispuestos a aplicar una verdad a nuestra vida pero no la otra. Queremos decir que somos justos y otro no lo es porque reconocemos solo parte de la verdad siendo selectivos. En el centro de la comunicación de la verdad con superioridad moral y sin gracia se encuentra el orgullo.

Siendo que ya tratamos este tema en el capítulo uno, mi intención aquí es solo enfatizar que tener un espíritu de superioridad moral con relación a cualquier pecado incluyendo la homosexualidad es un asunto de orgullo. En el pasado, he sido culpable de defender la verdad de las Escrituras de manera selectiva, y al hacerlo me faltó la gracia. Estoy seguro de que quienes me son cercanos podrían hablarles de mis lapsos más recientes. Por ejemplo, por mi posición sobre la autoridad bíblica, y también por mi experiencia y trabajo, puedo defender con un buen nivel de competencia la historia de los primeros capítulos de Génesis. Hay otros cristianos que yo considero incoherentes en esta área y que están enseñando una mezcla peligrosa de filosofías humanísticas al alterar la narrativa directa de la historia bíblica. Aun así, es en esos momentos que debo recordar que pasajes como Gálatas 6, 2 Timoteo 2 y Mateo 7 tienen tanta autoridad como los versículos de Génesis 1:

> Hermanos, si alguno fuere sorprendido en alguna falta, vosotros que sois espirituales, restauradle con espíritu de *mansedumbre*, considerándote a ti mismo, no sea que tú también seas tentado. Sobrellevad los unos las cargas de los otros, y cumplid así la ley de Cristo. Porque el que se cree ser algo, no siendo nada, a sí mismo se engaña (Gálatas 6:1-3, énfasis añadido).

> Porque el siervo del Señor *no debe ser contencioso*, sino *amable para con todos*, apto para enseñar, sufrido; que *con mansedumbre corrija a los que se oponen*, por si quizá Dios les conceda que se arrepientan para conocer la verdad, y escapen del lazo del diablo, en que están cautivos a voluntad de él (2 Timoteo 2:24-26, énfasis añadido).

¿O cómo dirás a tu hermano: Déjame sacar la paja de tu ojo, y he aquí la viga en el ojo tuyo? ¡Hipócrita! saca primero la viga de tu propio ojo, y entonces verás bien para sacar la paja del ojo de tu hermano (Mateo 7:4-5).

Cuando leemos pasajes como estos, debemos recordar que ésta es la autoridad de la Palabra de Dios. No podemos ser selectivos con relación a la verdad. La Palabra de Dios nos da la verdad que dicta tanto el contenido como la presentación. Primero, usamos la Palabra de Dios como un espejo en nuestra propia vida antes de mirar a los demás. Sí, Pablo quería que la iglesia cumpliera con la disciplina y fue muy directo al instruir a Timoteo a tratar con determinadas personas. Al mismo tiempo, Dios a través de Pablo, le dio a Timoteo verdades preceptivas relativas a cómo hacerlo. Nunca podemos decir que es aceptable ser severo porque Pablo lo fue. Pablo fue sincero y directo al instruir a la iglesia sobre las situaciones con las que tenía que lidiar, y también fue directo sobre la manera de llevarlo a cabo. Antes de decirle a Timoteo que tenía que corregir a sus oponentes con amabilidad, Pablo había advertido a Timoteo sobre las vanas palabrerías que se expandirían como gangrena si no se trataba con ellas. Dijo que Himeneo y Fileto eran los infractores (2 Timoteo 2:16-18). Pablo estaba *describiendo* un problema y *prescribiendo* la solución. El problema era las vanas palabrerías y la solución era la corrección con gentileza apelando al evangelio para que fueran redimidos del pecado. Que un hombre pecador corrija a otro hombre pecador con ira y condenación es pecado de orgullo por superioridad moral. La corrección y la amabilidad van juntas como la verdad y la gracia. Esto es algo en lo que trabajaré por el resto de mis días.

Quizás, en este momento, algunos de nosotros deberíamos volver a leer el capítulo uno.

Pensamientos Finales

Convoqué a mi familia a la mesa de la cocina para una reunión familiar. Era el momento de sincerarme, y ya no podía guardar silencio. Ninguno de ellos sabía qué iba a decir, y me miraban con anticipación como diciendo: "¿Qué hicimos ahora?" Le dije a mi familia que lamentaba haber traicionado la verdad cuando la comuniqué sin gracia. Lamentaba que mi preocupación por nuestro nombre era más importante que mi preocupación por Cristo y por ellos. Lamentaba que por tanto tiempo en mi vida estas cosas habían causado heridas en sus vidas. Después continué diciéndoles que quería algo diferente para todos nosotros. Quería entusiasmarme por Jesús. Si queremos alzar nuestras manos al Rey de gloria y proclamar su nombre, hagámoslo. No contengamos el entusiasmo por nuestro Salvador. Aunque las personas habían asociado nuestro nombre con la autoridad bíblica, ya no quería estar más preocupado por lo que pensaban las personas que por lo que piensa Dios. De hecho, le dije a mi familia que si la gente vería algo en nosotros, querría que primero vieran a Jesús, y a partir de allí todos los aspectos de la autoridad de su Palabra y todo lo demás que surge como resultado. Básicamente, buscaba el perdón de Jesús y de mi familia, y estaba renovando mi compromiso no solo con un libro sino con el Rey del libro.

Mi familia sabe perdonar, especialmente David. Todos somos en parte orgullosos y culpables ante Dios en la manera en la que el orgullo se manifiesta en nuestra vida. Solo la gracia de Dios nos da todo lo que necesitamos para vencer, y para pedir y dar perdón. Esto lo hallamos solo en Cristo.

Le otorgo las últimas palabras sobre el orgullo al gran puritano Richard Baxter:

Hablo más en cuanto a esto (el orgullo) porque es el pecado más común y peligroso, y el que más promueve el gran pecado de la infidelidad, oh cristiano. Si deseas vivir continuamente en la presencia del Señor, acuéstate en el polvo y él te levantará. Aprende de él que es *manso y humilde de corazón; y hallaréis descanso para vuestras almas* (Mateo 11:29). De otro modo tu alma será *como el mar en tempestad, que no puede estarse quieto, y sus aguas arrojan cieno y lodo* (Isaías 57:20), y en lugar de estas delicias, el orgullo te llenará de inquietud perpetua. Así como *cualquiera que se humille como este niño,* es *el mayor en el reino de los cielos* (Mateo 18:4), de la misma manera ése será quien más experimente un anticipo de ese reino. Dios habita "con el quebrantado y humilde de espíritu, para hacer vivir el espíritu de los humildes, y para vivificar el corazón de los quebrantados" (Isaías 57:15). Por lo tanto, "humillaos delante del Señor, y él os exaltará" (Santiago 4:10,[9] énfasis añadido).

La Perspectiva de David

Solía pensar que lo único que mi padre sabía hacer era decirme lo que hacía mal. Muchas veces sentía que nunca lo podía agradar, y a veces notaba su mirada de gran desilusión. Pero también notaba que estaba intentando combatir estos sentimientos, aunque sin éxito. Una vez mi papá se unió a mí en la consejería bíblica para hablar sobre nuestra relación. Fue en esta sesión que ambos nos dimos cuenta de lo mucho que precisábamos el perdón del otro, y el de Dios. En los meses siguientes, ambos trabajamos mucho para perdonarnos mutuamente y para restaurar nuestra relación. Vi que mi padre cada vez estaba menos preocupado por su propia reputación y que me mostraba más su cariño y me ayudaba. Desde ese entonces vi su disposición a exponer su propio pecado y sus fallas en este libro. Dios no solo cambió mi vida, sino que también cambió mi familia. Estoy muy agradecido por eso.

---

9   Richard Baxter, *The Saints' Everlasting Rest,* ed. Timothy K. Beougher (Wheaton, IL: Billy Graham Center, 1994), 40–41.

La Perspectiva de Peter

Construimos el garaje de la casa para el auto. Quizás no todo lo que guardamos ahí es el auto, o aun cosas relacionadas con él. Solo porque algo esté guardado en un garaje, no significa que sea un auto.

Dios diseñó la iglesia para los que aman a Cristo, pero solo porque alguien esté en la iglesia no significa que ame a Jesús. Esto es lo más difícil en nuestra relación con los padres. Las razones por las cuales los padres quieren que sus hijos sean aconsejados son muchas y variadas. Muchas veces, solo quieren que los "arreglemos" y los mandemos de vuelta cuando estén bien. Para que el proceso de consejería sea verdaderamente eficiente en este contexto, el consejero bíblico debe tratar de construir algo semejante a un puente con tres direcciones que conecte al alumno, al padre y la iglesia.

Gracias a Dios, este fue un caso en el que los padres estaban más que dispuestos a asociarse al proceso. Al hacerlo, Steve y Trish tenían que someterse y considerar con humildad lo que yo les estaba pidiendo que hicieran para facilitar el cambio que esperábamos en la vida de David. Después de todo, ¿a quién le gusta que le digan qué hacer? Por la bondad y misericordia de Dios, ellos estuvieron dispuestos a oír, a aprender, a hacer lo que les pedí, y como resultado crecieron llegando a ser más parecidos a Cristo. Siendo yo mismo padre de cuatro hijos, su ejemplo me desafió y orientó, y espero responder aunque sea en parte como ellos si me encontrara en una situación similar con los míos. Con el tiempo, su relación se fortaleció como resultado de estar más arraigados en la clemente Palabra de Dios.

Capítulo 8

Confianza en el Evangelio

El Museo Británico es uno de los más singulares del mundo. Si sabe qué buscar, encontrará muchas piezas que representan cada uno de los imperios mundiales que se relacionan directamente con la historia bíblica. Desafortunadamente, también se dará cuenta de que hay muy pocas referencias a la Biblia en el museo y que la mayoría de los visitantes no tienen idea de lo que están viendo en realidad. Algunas de las salas más intrigantes están en una sección que alberga artefactos del imperio asirio. Mientras caminaba por la sala de Nínive, casi podía oír las voces de los profetas Jonás y Nahúm. La sala rectangular es solo un espacio abierto, pero las paredes están cubiertas con piezas rescatadas de la gran ciudad asiria. Aun tienen marcas ennegrecidas por la destrucción del fuego, y esto nos recuerda la profecía de Nahúm que dice: "Allí te consumirá el fuego..." (Nahúm 3:15). En estos artefactos rescatados se pueden observar evidencias de las atrocidades y de la violencia barbárica típica de los asirios. Hay dibujos de soldados que le traen la cabeza de los enemigos al rey, de hombres empalados en estacas y muchos otros indicios de que los asirios se veían como los conquistadores gobernantes del mundo. No es una sorpresa que Nahúm haya terminado el libro describiendo la respuesta ante su ruina como una gran celebración: "No hay medicina para tu quebradura; tu herida es incurable; todos los que oigan tu fama batirán las manos sobre ti, porque ¿sobre quién no pasó continuamente tu maldad?" (Nahúm 3:19).

Al mirar a mi alrededor en las salas asirias y al pensar en las últimas palabras del libro de Nahúm, me di cuenta de que no sería extraño sentir una especie de satisfacción al saber que este pueblo malvado había recibido lo que merecía. Sería parecido a poder observar los restos humeantes del refugio de Hitler al final de la Segunda Guerra Mundial. Sí, los asirios que se oponían a Dios recibieron exactamente lo que merecían, y Nahúm aun lo predijo. Sin embargo, en el tiempo de estos asirios salvajes hubo una generación de ninivitas que recibió la misericordia de Dios. Me pregunto si sentiríamos la misma satisfacción sabiendo que a los ninivitas se les había extendido misericordia.

Si hubiera sido un israelita durante el tiempo del imperio asirio, vería a los asirios como un cuadro de todo lo que se opone a Dios. Su lealtad sin duda sería para con su nación, y querría hacer todo lo posible para protegerla de estas fuerzas malignas. Para la mayoría de los israelitas, quizás lo último que se les cruzaría por la mente sería tener la oportunidad de entrar en la ciudad de Nínive para predicar sobre su liberación. Tal vez usted aun preguntaría: "¿Por qué querría Dios salvar a un pueblo como este?" Fue así que se sintió el profeta Jonás.

¿Decidiríamos que los asirios están fuera del alcance de la gracia y misericordia de Dios? ¿Nos gustaría verlos actuar como una nación compasiva y ética antes de considerar su evangelización? Quizás nos preocuparía más que recibieran justicia que misericordia. Al salir del Museo Británico, me preguntaba si no es así que mucha gente ve a los homosexuales. ¿Esperan que primero se vuelvan heterosexuales antes de estar dispuestos a hablarles del evangelio? ¿Vemos la salvación o la heterosexualidad como su mayor necesidad? ¿Nuestra mayor tendencia es querer salvar a nuestra nación de la homosexualidad o tratar de proclamar el evangelio en esa comunidad? ¿Es posible que prefiramos ver su juicio antes que el don de la misericordia y gracia de Dios? ¿Vemos al homosexual fuera del alcance del evangelio? Estas son preguntas que debemos responder con absoluta honestidad. Las actitudes reveladas en las respuestas pueden ser las mismas que Dios le mostró a Jonás sobre su rechazo de Nínive.

El Evangelio es Para los Pecadores

"Vino palabra de Jehová a Jonás hijo de Amitai, diciendo: Levántate y ve a Nínive, aquella gran ciudad, y pregona contra ella; porque ha subido su maldad delante de mí" (Jonás 1:1-2).

Jonás no quería ir a Nínive, ni siquiera para darles una advertencia por su maldad. En vez de eso, trató de huir del mandato de Dios. Se escapó y pagó para subir a un barco y viajar a Tarsis "lejos de la presencia de Jehová". Solo podemos imaginar la desilusión en el estado mental de Jonás para que pensara que había una posibilidad de huir de la presencia del Señor o de impedir su voluntad. Después leemos que sin duda Jonás entendía algo del carácter glorioso de Dios, pero parece que, por lo menos en la práctica, necesitaba aprender sobre la voluntad y el propósito soberanos de Dios en su creación.

No es sabio creer que como seres humanos podemos de algún modo ignorar la voluntad soberana de Dios para buscar nuestras propias soluciones. Jonás era profeta, y como tal estaba comprometido a hablar la verdad de Dios al pueblo de Dios. Estaba comprometido con Israel como el pueblo de Dios, y deja bien claro que Israel era *su tierra* (Jonás 4:2). Si alguien necesitaba advertencia sobre el juicio de Dios debería ser Israel, pero advertir a paganos como los violentos asirios simplemente no era necesario. El Señor tendría que aniquilarlos y terminar con todo. En una oración posterior de Jonás, él confiesa ante el Señor que esta actitud lo había llevado a huir de la responsabilidad dada por Dios:

> Y oró a Jehová y dijo: Ahora, oh Jehová, ¿no es esto lo que yo decía estando aún en mi tierra? Por eso me apresuré a huir a Tarsis; porque sabía yo que tú eres Dios clemente y piadoso, tardo en enojarte, y de grande misericordia, y que te arrepientes del mal (Jonás 4:2).

La razón por la cual Jonás huyó no fue por temor a los asirios. Por lo menos esta no es la razón que nos dan las Escrituras. Jonás tenía temor de que Dios les otorgara misericordia si ellos respondían a su advertencia. Él entendía que el carácter de Dios es inmutable y que su propósito para el mundo es firme. Esto es algo que vemos en los otros profetas. Malaquías, por ejemplo, proclama de parte del Señor: "Porque yo Jehová no cambio; por esto, hijos de Jacob, no habéis sido consumidos" (Malaquías 3:6). Es el derecho de Dios el de salvar. Jonás sabía eso, y sabía que el carácter inmutable de Dios era evidente en su advertencia a Nínive. Esta advertencia no era una declaración de un juicio inevitable sino una oportunidad clemente de hallar misericordia. De eso se trata el evangelio hoy. El evangelio advierte que el juicio de Dios es real y que todo ser humano lo merece, pero la gracia de Dios se encuentra en la muerte y resurrección de Jesucristo para todo aquel que se arrepiente y cree. Esta es una proclamación maravillosa que debe predicarse indiscriminadamente a todo hombre de toda posición y toda situación de todas las naciones de todo el mundo. Afirmar esto y después decir: "excepto a aquellos que no consideramos dignos de oír el evangelio" es entender la proclamación del evangelio de un modo distorsionado. No debemos ni podemos colocarnos en la posición de juez definitivo. Esta tarea solo es de Dios.

El corazón de Jonás estaba con Israel, pero su nación parece haberse vuelto su ídolo. Estaba más preocupado por su nación que por la expansión de la gloria del nombre de Dios por otras naciones. Como resultado, Jonás se escondió en un barco, pero Dios en su gran soberanía aun fue misericordioso para con su siervo Jonás. Dios mandó una gran tormenta. Cuando los otros hombres echaron suertes para determinar quién era el culpable por la tormenta, Dios decidió que recayera sobre Jonás. No había escapatoria para él. Era desobediente e intentaba huir de la omnipresencia de Dios quien había creado todo el universo. Aun cuando los hombres trataron de hacer volver la nave a tierra mientras Jonás permanecía en el barco, sus intentos fueron inútiles contra el poder del Dios Omnipotente. Jonás tenía que ser arrojado al mar mientras los hombres le rogaban a Jehová por misericordia. Dios designó un gran pez para que tragara a Jonás, y Jonás permaneció en el vientre del pez por tres días y tres noches. Después Dios estableció que el pez lo vomitara en tierra, donde Jonás recibiría una vez más la orden de predicar en Nínive.

Si tuviéramos que calificar el éxito de los profetas, la calificación de Jonás sería bien alta. Nínive de hecho se arrepintió. No fue por las capacidades de oratoria de Jonás ni por su actitud encantadora, sino que fue a pesar de su aceptación resentida de que no tenía otra opción. Nínive se arrepintió únicamente por la gracia soberana de Dios hacia el corazón de los hombres, incluyendo el mismo rey. Con todo esto, Jonás estaba extremadamente desconforme y enojado. ¿Por qué extendería Dios misericordia a esta gente? Jonás se hizo una enramada en la cual lloriquear, y Dios le dio una planta para que tuviera sombra. Jonás estaba muy contento con esta planta, pero a la mañana siguiente Dios se la quitó y envió un viento solano. Otra vez, Jonás estaba enojado. Durante las dos instancias del enojo de Jonás, Dios le hace una pregunta muy seria: "¿Haces tú bien en enojarte tanto?" (4:4, 9). Me pregunto si Dios estaba siendo un poco sarcástico con Jonás en ese momento. Jonás había intentado huir de la soberana voluntad de Dios por su prejuicio discriminatorio contra los asirios. Él quería que su voluntad falible, fútil y finita se sobrepusiera al Creador Omnipotente. Jonás quería determinar quién podía ser salvo y quién no. Era como si Dios le estuviera preguntando: "¿Y Jonás, cómo te va eso?" El último versículo de Jonás le da a Dios la última palabra en el asunto: "¿Y no tendré yo piedad de Nínive, aquella gran ciudad donde hay más de ciento veinte mil personas que no saben discernir entre su mano derecha y su mano izquierda, y muchos animales?" Dios le extenderá misericordia a quien él quiera (cf. Romanos 9:15, 18).

Antes de empezar a ver el relato histórico de Jonás, hicimos algunas preguntas sobre nuestra actitud "misionera" hacia los homosexuales, los transgénero, y otros que lidian con temas de pecados similares. ¿Los vemos como fuera del alcance del evangelio? Tenemos que agregar una pregunta más. ¿Sería más fácil llevarles el evangelio si primero se conformaran a un estilo de vida moral, heterosexual y normativo en términos de género? El cristiano tiene que tener cuidado con esto. Nuestra meta no es la heterosexualidad o la restauración del género por encima de la salvación. Nuestra meta es esencialmente predicar el evangelio para la gloria de Dios. La vía para la santificación en la sexualidad primero viene a través de la obra salvadora de Dios que da vida.

Al pensar cuidadosamente sobre Jonás, vemos las actitudes discriminatorias expuestas en nuestro propio corazón. Muchas veces, relegamos la proclamación del evangelio a aquellos que pensamos que están listos para oír, o para quienes pensamos que merecen oír. Si Nínive hubiera estado llena de personas morales y amables, es posible que Jonás no hubiera tenido problema en entrar en la ciudad y predicar sobre su necesidad de confiar en el único y verdadero Dios. ¿Estamos tratando a la comunidad gay de la misma manera? Cada vez que veo a quienes están al margen de las marchas de LGBT con las pancartas anti gay en alto, me pregunto si Jonás hubiera estado más cómodo haciendo algo así, levantando una pancarta en protesta. Para muchos, pronunciar juicio sobre el pecado de otros es mucho más cómodo que predicar el evangelio el cual no solo señala el pecado y sus consecuencias, sino que proclama la misericordia y gracia de Dios en la muerte y resurrección de Jesucristo. Si usted es uno de los que necesita cambiar el corazón en esta área, la gran noticia es que la gracia y misericordia de Dios también se extiende a aquellos de nosotros que necesitamos arrepentirnos del pecado de intolerancia.

Todo cristiano es llamado a la misión del evangelio, y ese evangelio es una proclamación indiscriminada para ir a todo hombre de toda tribu, lengua y nación. El evangelio es para los pecadores de toda clase y de todo lugar. Jonás obliga a todo cristiano a observar su propio corazón cuando se trata de pensar en los receptores de la misión del evangelio. John Piper lo explica así:

> Las implicaciones misioneras de Jonás no son solo que Dios está más dispuesto a ser misericordioso con las naciones que su pueblo, sino también que Jesús se identifica como "más que Jonás" (Mateo 12:39-41). Es mayor no solo porque su resurrección es mayor que sobrevivir en el vientre del pez, sino también porque está en armonía con la misericordia de Dios y ahora la extiende a *todas las naciones*. El poema de Thomas Carlisle llamado "Tú, Jonás" concluye con estas palabras:
>
>> Y Jonás se fue ofendido
>> A su refugio en la sombra
>> Y esperó que Dios
>> Adoptara su forma de pensar
>> Y Dios aun espera que muchos como Jonás
>> en sus cómodos hogares
>> adopten su manera de amar.[1]

Una de las grandes transformaciones para mí como padre ocurrió cuando reconocí que mi prioridad no era preocuparme de que David pudiera algún día desviarse hacia un estilo de vida homosexual, sino de que el evangelio es para los pecadores y siempre lo será. Este hecho va mucho más allá del tema de que la atracción hacia el mismo sexo estuviera invadiendo a un joven en nuestro hogar. Se aplica a todo ser humano sobre la faz del planeta tierra. Nuestro corazón no debe ser como el de Jonás sino como el de Cristo, quien es mayor que Jonás. Debemos ver a todo aquel que tenga necesidad de Cristo como respuesta. Este es un punto de vista indiscriminado que es también bíblico.

---

1   John Piper, *Let the Nations Be Glad!: The Supremacy of God in Missions* (Grand Rapids, MI: Baker Academic, 2010), 198.

Los fariseos eran muy críticos de Jesús porque él demostraba el mismo corazón que necesitamos nosotros. Él cenó con pecadores y cobradores de impuestos. Ni una vez pecó ni transigió sus principios. Su carácter perfecto y sin pecado resplandeció hacia aquellos que necesitaban un Salvador y su carácter inmutable les dio esperanza para que también pudieran hallar misericordia en él. Colocarnos los lentes bíblicos nos ayuda a mirar a las personas con la misma compasión que vemos en Jesús. Todo debe comenzar prestándole atención a nuestro propio corazón a través de los lentes bíblicos y considerar si, como los fariseos, estamos haciendo las cosas al revés:

> Cuando vieron esto los fariseos, dijeron a los discípulos: ¿Por qué come vuestro Maestro con los publicanos y pecadores? Al oír esto Jesús, les dijo: Los sanos no tienen necesidad de médico, sino los enfermos. Id, pues, y aprended lo que significa: Misericordia quiero, y no sacrificio. Porque no he venido a llamar a justos, sino a pecadores, al arrepentimiento (Mateo 9:11-13).

Los creyentes pueden tener plena confianza en la declaración de Cristo. Al final no somos nosotros quienes salvamos. Jesús no levanta pancartas, no boicotea compañías, no proclama su disgusto con autoadhesivos en los autos y no escribe en un blog con una actitud condenatoria. Jesús usa la proclamación del evangelio de la boca de sus propios hijos para encontrar sus ovejas. No somos nosotros quienes tenemos que decidir con quiénes compartir el evangelio. La respuesta es aprovechar cada oportunidad con cuantos sea posible. Este concepto en sí intimida. La confianza vendrá cuando nos demos cuenta de que somos mensajeros y que el poder del evangelio es todo de Dios. Al mirar a aquellos que luchan con el pecado sexual y la confusión de género, debemos cambiar nuestra perspectiva. No debemos preguntar quién será juzgado porque la respuesta es que todo hombre será juzgado. Debemos preguntar: "¿A quién, Señor, salvarás?" Si existe un pecador, hay una oportunidad para el evangelio, no importa de qué color esté vestida la persona, aun si lleva los colores del arco iris.

El Evangelio es la Misión de Dios

Cuando la iglesia comprende el panorama de la historia bíblica, es casi imposible que no vea que Dios tiene una misión que se extiende a todas las naciones y a todas las personas en toda situación. Esto incluye a los asirios, e incluye a los homosexuales, al transgénero, y a todo otro pecador.

La misión de Dios comienza en Génesis con el relato de una creación que es muy buena. Dios creó todo en seis días y colocó a los portadores de su imagen (el hombre y la mujer) en el jardín del Edén. A partir de allí debían multiplicarse y llenar la tierra, y como vicegerentes de Dios tendrían dominio sobre la creación (Génesis 1:26-28; 2). En esencia, a la humanidad se le dio el mandato de adorar a nuestro Creador reflejando su imagen y esparciendo la alabanza de su gloria multiplicándose y llenando la tierra.

Desde el principio de la rebelión humana en Génesis 3:6, cumplir nuestra meta solo ha sido posible en la promesa de la simiente de Génesis 3:15. Ahora la alabanza del nombre de Dios sucederá en un campo de batalla universal en el cual habrá enemistad entre la simiente de la mujer y la simiente de la serpiente.

Tras salvar a un remanente de seres humanos después del juicio del diluvio (Génesis 6-8), una vez más Dios instruyó al hombre a multiplicarse y llenar la tierra (Génesis 9:1). Dios espera que quienes fueron creados a imagen de Dios cumplan su tarea como portadores de su imagen en adoración, no solo expandiéndose sobre la faz de la tierra sino también llenándola con su alabanza y adoración. Una vez más, los hombres fallaron, pues se negaron a expandirse por la tierra. En vez de eso, decidieron permanecer en un lugar desafiando el mandato de Dios. Dios los juzgó confundiendo sus idiomas, para que a base del idioma se expandieran en grupos separados los unos de los otros, formando homogeneidad genética dentro de cada grupo y formando características culturales y físicas diferentes para cada grupo aislado. Ahora la humanidad está distribuida en grupos diferentes por todo el mundo.

Aun en un mundo caído la humanidad nunca impedirá los planes de un Dios soberano. Inmediatamente después del relato de Génesis 9-11, Dios le extiende una promesa sorprendente a Abram de que a través de él serán bendecidas todas las "familias" de la tierra (Génesis 12:3). En esta afirmación, Dios deja en claro que su misión de que la humanidad esparza su gloria por toda la tierra permanece en su corazón. A partir de ese punto, el relato bíblico revela continuamente que Dios está construyendo un pueblo suyo que será luz y expandirá la alabanza de su gloria a todas las naciones de la tierra. El Dr. James Hamilton explica que el pueblo de Dios construido a través de Abraham y que vive en medio de otra nación, conecta a Israel con el mandato que Dios le dio a Adán en el jardín. Declara lo siguiente:

> La maldad de los descendientes de Noé resultó en la confusión de los idiomas en Babel, y la tarea que se le había dado a Adán y a Noé pasó a Abraham y su simiente. Por lo tanto, la afirmación que dice: "Y los hijos de Israel fructificaron y se multiplicaron, y fueron aumentados y fortalecidos en extremo, y se llenó de ellos la tierra" (Éxodo 1:7) conecta a Israel con Adán y destaca la importancia cósmica de lo que Dios está haciendo en Israel.[2]

¿Por qué tendríamos que estar interesados en llevar el evangelio a todos los pueblos?

---

2   James M. Hamilton, *God's Glory in Salvation through Judgment: A Biblical Theology* (Wheaton, IL: Crossway, 2010), 90.

Después de Babel y con el establecimiento de Israel como pueblo de Dios, hay referencias constantes a un Dios que muestra su gloria en las naciones del mundo y expresa su misión para con ellas. En Éxodo 9:16, las plagas de Egipto debían mostrar el poder de Dios para que se proclamara su nombre por toda la tierra. En Josué 4:24, Dios mostró su poder al dividir las aguas del río Jordán para que Israel pudiera cruzar. Esto fue no solo para confirmar el liderazgo de Josué sino también para demostrar a los pueblos de la tierra que el Señor es poderoso. En Deuteronomio 4:5, se les otorgaron leyes específicamente a los israelitas para mostrar la sabiduría de Dios. En la dedicación del templo, Salomón ora por los extranjeros que vienen a Israel para oír el gran nombre de Dios (1 Reyes 8:41-42). Ora para que Dios los oiga y para que las otras naciones tengan temor de él. Muchos otros pasajes revelan la declaración de la gloria de Dios a las naciones (Salmos 9:11, 47:1, 96:3, 105:1).

No solo proclama Dios su gran nombre a las naciones a través de su pueblo, sino que también tiene el propósito de traerles salvación. Esto es evidente en muchos textos del Antiguo Testamento como Isaías 49:6, Isaías 66:19, Salmo 86:9, Isaías 52:10, Jonás 4:10-11, Zacarías 2:11, Salmo 22:27 y otros.

En el Nuevo Testamento, encontramos el profundo testimonio de Cristo a todas las naciones comenzando con el mismo Cristo, su testimonio apostólico, y la iglesia en general. Después de la Gran Comisión a sus discípulos, Hechos 1:8 una vez más repite la tarea que tenemos que llevar a cabo hasta que Cristo vuelva. Esta tarea a las naciones se solidifica en Pentecostés (Hechos 2:1-41), y una vez más se nos recuerda la historia fundamental para entender la misión de Dios a las naciones. G. K. Beale escribe lo siguiente:

> El pecado de Babel de unificarse y el juicio consecuente con la confusión de las lenguas y la dispersión del pueblo por toda la tierra se revierte en Pentecostés: Dios hace que los representantes de las mismas naciones dispersas se reúnan en Jerusalén para poder recibir la bendición de entender las lenguas diferentes como si todas fuesen una.[3]

A partir de este punto las Escrituras despliegan la divulgación gloriosa del evangelio por todo el mundo y el establecimiento de la iglesia en medio de las naciones, especialmente como lo vemos en los viajes misioneros de Pablo. Habrá un enfoque continuo en la expansión del evangelio a todas las tribus, lenguas y naciones hasta que sea visible en el cumplimento final en el trono en el cielo (Hechos 13:47; Romanos 1:5, 15:8-9; Gálatas 3:8; 2 Timoteo 4:17; Apocalipsis 7:9-10). A lo largo de sus viajes, el enfoque del apóstol Pablo era plantar comunidades de luz que emitieran el brillo de la vida del evangelio a su alrededor. Aun más, la Biblia muestra explícitamente que el hecho de que este mensaje sea el medio para expandir la gloria de Dios en el

---

3   G. K. Beale, *The Temple and the Church's Mission: A Biblical Theology of the Dwelling Place of God* (Downers Grove, IL: Apollos; Inter-Varsity Press, 2004), 202.

mundo siempre ha sido parte del gran propósito de Dios. Vemos que 1 Pedro 1:18-21 dice:

Sabiendo que fuisteis rescatados de vuestra vana manera de vivir, la cual recibisteis de vuestros padres, no con cosas corruptibles, como oro o plata, sino con la sangre preciosa de Cristo, como de un cordero sin mancha y sin contaminación, ya destinado desde antes de la fundación del mundo, pero manifestado en los postreros tiempos por amor de vosotros, y mediante el cual creéis en Dios, quien le resucitó de los muertos y le ha dado gloria, para que vuestra fe y esperanza sean en Dios (ver también Filipenses 2:5-11).

Apocalipsis 5:8-12 también nos muestra que el evangelio es el tema del trono de Dios, donde se le rendirá alabanza por toda la eternidad:

Y cuando hubo tomado el libro, los cuatro seres vivientes y los veinticuatro ancianos se postraron delante del Cordero; todos tenían arpas, y copas de oro llenas de incienso, que son las oraciones de los santos; y cantaban un nuevo cántico, diciendo: Digno eres de tomar el libro y de abrir sus sellos; porque tú fuiste inmolado, y con tu sangre nos has redimido para Dios, de todo linaje y lengua y pueblo y nación; y nos has hecho para nuestro Dios reyes y sacerdotes, y reinaremos sobre la tierra. Y miré, y oí la voz de muchos ángeles alrededor del trono, y de los seres vivientes, y de los ancianos; y su número era millones de millones, que decían a gran voz: El Cordero que fue inmolado es digno de tomar el poder, las riquezas, la sabiduría, la fortaleza, la honra, la gloria y la alabanza.

No hay duda de que como discípulos de Cristo somos responsables por la tarea de llevar las buenas nuevas a un mundo perdido para que su gloria se extienda y su nombre sea alabado por toda la eternidad. De hecho, esta es la misión de Dios y el mensaje de salvación de esa misión es el poderoso mensaje del evangelio de Cristo Jesús crucificado y resucitado. Este es un mundo formado por culturas, pueblos, lenguas, tribus y naciones. En cada una de estas áreas hay varios subgrupos de personas que viven en su pecado y lo muestran de maneras variadas y visibles. La Gran Comisión de Dios con relación al evangelio es enfocarse en todos los que están fuera de la iglesia de los santos regenerados. Comienza en nuestra comunidad y tiene un alcance global.

Resumiendo, la misión de Dios es expandir su gloria a medida que vidas por todo el mundo se conforman a la imagen de Jesús a través de la extensión del evangelio. Cuando el cristiano observa en esta luz a los homosexuales y quienes luchan con la confusión de género, tiene que confiar que Dios tiene el propósito de salvar a las personas de esta comunidad tanto como a cualquier otra. Cuando alguien sale del estilo de vida homosexual para ser un ciudadano regenerado del reino de Cristo a través de la transformación por el evangelio, esto es una demostración directa de que Dios hace resplandecer su gloria en el mundo.

No solo hemos visto que el evangelio es para pecadores, sino que ahora sabemos que Dios se ha propuesto salvar a los pecadores para su gloria, y éste es el corazón de su misión a lo largo de todos los tiempos y de su creación. Con la expansión de los planes de LGBTQ por el mundo, el cristiano no tiene motivo para tratar a esas personas como un grupo selecto intocable fuera del alcance del evangelio. Predicar el evangelio a estas personas es estar de acuerdo con el corazón de la misión de Dios. La "derrota" de cualquier comunidad definida por un pecado en particular no vendrá por una agenda o fuerza política. La respuesta no es comunitaria, sino individual. Hay individuos que llevan este estilo de vida que no solo necesitan conocer a Jesús, sino que están listos para responder. Se sientan junto a nosotros en aviones. Son nuestros vecinos. Algunos aun pueden ser familiares o viejos amigos. Están perdidos y bajo el poder de nuestro enemigo, Satanás. Al igual que los demás, están en el ámbito del evangelio. La misión de Dios es salvar sin discriminación a las personas de este grupo social definido por su pecado. Dios y su misericordia no cambian, por lo tanto, estas personas no fueron consumidas, pero el tiempo es clave.

El Evangelio es el Poder de Dios para Salvación

¡Transformación! Cuando David tenía unos ocho años, profesó colocar su fe en Jesús. No mucho tiempo después fue bautizado, lo cual de algún modo sucedió por mi influencia. El error que cometí como padre fue el de animarlo a bautizarse sin considerar si David había experimentado la transformación de su corazón a través del evangelio de Cristo, o si solo estaba usando las palabras que pensaba que yo quería oír. Mucho tiempo después, en medio de su mayor crisis, David en verdad vino a Cristo. La transformación fue visible y poderosa. Toda nuestra familia y muchos amigos notaron la diferencia en él. Se había vuelto mucho más sensible a las verdades que aprendía a través de la consejería bíblica y en casa. Mostraba altruismo y tenía iniciativa para ayudar a otros. Estaba interesado en conversaciones sobre Jesús, y se sumergía en ellas. Mostraba el fruto del Espíritu lo cual antes no era evidente en su vida excepto cuando trataba de agradarme. Crecía en piedad y hombría. Él y yo muchas veces hemos hablado sobre los cambios drásticos que tanto disfrutamos de ver en la vida de nuestro hijo. Solo podemos explicarlo como el milagro de la salvación en su vida y agradecemos a Dios porque, por primera vez, puso su fe solo en Cristo para la salvación.

Milton Vincent describe el poder transformador del evangelio de esta manera:

> Aparte del cielo, el poder de Dios en mayor concentración se encuentra en el evangelio. Debe ser así, porque la Biblia describe el

evangelio dos veces como "el poder de Dios". No hay nada en todas las Escrituras que se describa de este modo, excepto la persona de Jesucristo. Esta descripción indica que el evangelio no solo es poderoso, sino que es la entidad principal en la cual reside el poder de Dios y donde hace su mayor obra.

De hecho, el poder de Dios se ve en los volcanes en erupción, en el calor inimaginable de nuestro inmenso sol y en la velocidad de relámpago de una estrella que acaba de ser descubierta y que se ve atravesando los cielos a más de dos millones de kilómetros por hora. Sin embargo en las Escrituras tales maravillas nunca se catalogan como "el poder de Dios". ¡Qué poderoso debe ser entonces el evangelio para merecer tal título! Y cuán grande es la salvación que puede llevar a cabo en mi vida, si yo me aferro a él por la fe y le doy un lugar central en mis pensamientos todos los días.[4]

El poder del evangelio es un Salvador resucitado que fue propiciación por el pecado y quien pagó el precio eterno para reconciliar a todo creyente con Dios. El poder del mensaje es un mensaje sobre un gran poder. Muchas personas han intentado definir el evangelio sin ver el efecto final de este poder. Sin embargo, el apóstol Pablo colocó el poder de Dios en el evangelio a la vista cuando lo definió en la Biblia:

Además os declaro, hermanos, el evangelio que os he predicado, el cual también recibisteis, en el cual también perseveráis; por el cual asimismo, si retenéis la palabra que os he predicado, sois salvos, si no creísteis en vano. Porque primeramente os he enseñado lo que asimismo recibí: *Que Cristo murió por nuestros pecados, conforme a las Escrituras; y que fue sepultado, y que resucitó al tercer día, conforme a las Escrituras* (1 Corintios 15:1-4).

Hay dos aspectos principales en el mensaje del evangelio que exponen el poder del evangelio: (1) El sacrificio propiciatorio de Cristo en la cruz, y (2) la resurrección de nuestro Salvador venciendo el pecado y la muerte. Mientras David estaba sumergido en el pozo de la desesperación por su pecado, no encontró la salvación en las tareas que le dieron en la consejería bíblica (solo en alguna medida, ya que constantemente se señalaba el evangelio). Tampoco encontró la salvación en la aplicación de una manera correcta de pensar sobre la hombría y femineidad bíblicas, o sobre cualquier otra verdad que se le anunciara, sin importar cuán útil haya sido. Llegó el momento en el cual David vino a los pies de la cruz y confió en Cristo y en lo que él había hecho. Al mismo tiempo, encontró victoria en el Jesús resucitado, y en lo que había conquistado para él. Al confiar solo en Jesús para la salvación, David encontró el poder transformador del Señor resucitado en la obra del Espíri-

---

4   Milton Vincent, *A Gospel Primer for Christians: Learning to See the Glories of God's Love* (Bemidji, MN: Focus Publishing, 2008), 14–15.

tu Santo que trajo verdadero arrepentimiento en su vida para la gloria del Padre. En este punto, David entendía que Cristo había pagado por cada mal pensamiento, por cada momento de idolatría y cada actitud egoísta y orgullosa. Ya no estaba bajo la condenación de Dios por su pecado, al contrario, su tendencia homosexual estaba crucificada con su viejo hombre, y él había sido levantado con Cristo (Romanos 6. Mi hijo no solo se hizo hombre, sino que se hizo un nuevo hombre).

Cuando se trata de cualquier pecado individual o de nuestra naturaleza pecaminosa en general, el mensaje del evangelio es que la muerte de Cristo ha satisfecho por completo la penalidad por el pecado, la cual es la muerte y el juicio eterno. Aunque en este capítulo solo podemos echar un vistazo a la maravilla de la expiación de Cristo, por lo menos debemos considerar el aspecto de la verdad histórica objetiva del maravilloso evento de la cruz que otorga perdón completo a todo aquel que cree.

Mientras David estaba atravesando este nuevo descubrimiento del evangelio, yo también lo estaba haciendo. Un amigo querido me dio un libro para leer que renovó mi asombro por lo que Cristo hizo por mí, y mi confianza en la expiación de Cristo por mis pecados. Ese libro fue *La Gloria de Cristo* de John Owen. Constantemente me hacía observar todos los esfuerzos extraordinarios de Dios para traerme salvación. En seguida me di cuenta de que todo lo que había hecho el Señor para expiar mi pecado no solo era extraordinario sino infinito. Voy a dejar que Owen hable por sí mismo sobre este tema, pero para que sea más accesible citaré la versión resumida de esta obra puritana:

> Considere la distancia infinita entre la esencia, naturaleza o ser de Dios, y sus criaturas. Todas las naciones son ante él "como la gota de agua que cae del cubo, y como menudo polvo en las balanzas". De hecho, no son nada. Los considera menos que nada, un absurdo. ¿Podemos medir la distancia entre lo infinito y lo finito? No se puede. Así que, la grandeza infinita y esencial de la naturaleza de Dios, la cual se encuentra a una distancia infinita de la naturaleza de todas sus criaturas, implica que Dios tiene que humillarse para notar las cosas que están infinitamente debajo de él.[5]

> ...entonces cuán gloriosa es la disposición del Hijo de Dios para humillarse a sí mismo y ser nuestro mediador. Qué corazón puede concebir, que lengua puede expresar la gloria de la mente de Cristo que lo hizo descender de su gloria infinita para unir nuestra naturaleza con la suya para interceder con Dios a nuestro favor.[6]

Las palabras del evangelio fácilmente pueden salir de nuestra boca sin pensar demasiado en la riqueza de su profundidad. A veces es muy fácil

---

5   John Owen, *The Glory of Christ*, edición abreviado (Edimburgo: Banner of Truth, 1994), 39–40.
6   Ibid., 40.

decir que Jesús murió por nuestros pecados, y aun así hay un aspecto incomprensible de asombro alrededor de esta verdad. La obra de la expiación comienza con el plan de Dios desde antes de la fundación del mundo. Que Dios haya considerado a criaturas rebeldes que son infinitamente inferiores a él antes de su existencia en el tiempo es una demostración increíble de gracia. Su obra continúa en este trayecto infinito al tomar una naturaleza humana dependiente con todo lo que implica. Vivió entre nosotros en humildad como Jesús de Nazaret, y exhibió con autenticidad una vida perfecta sin pecado en obediencia firme al Padre como hombre judío. Ningún otro ser humano ha logrado jamás esta perfección, y aun así fue rechazado y despreciado por su propio pueblo. Era y es completamente Dios y completamente hombre, Jesús mostró sus dos naturalezas en que era independiente y aun así dependiente, ilimitado y aun así limitado, rompible y aun así indestructible.

Después se hizo nuestro sustituto mediador satisfaciendo por completo la ira de Dios sobre nuestra rebelión. Llegó el día que había sido planeado desde antes de la fundación del mundo. Dios, a través del profeta Isaías, había descrito ese día aproximadamente 700 años antes de que sucediera:

> Todos nosotros nos descarriamos como ovejas, cada cual se apartó por su camino; mas Jehová cargó en él el pecado de todos nosotros. Angustiado él, y afligido, no abrió su boca; como cordero fue llevado al matadero; y como oveja delante de sus trasquiladores, enmudeció, y no abrió su boca. Por cárcel y por juicio fue quitado; y su generación, ¿quién la contará? Porque fue cortado de la tierra de los vivientes, y por la rebelión de mi pueblo fue herido. Y se dispuso con los impíos su sepultura, mas con los ricos fue en su muerte; aunque nunca hizo maldad, ni hubo engaño en su boca. Con todo eso, Jehová quiso quebrantarlo, sujetándole a padecimiento. Cuando haya puesto su vida en expiación por el pecado, verá linaje, vivirá por largos días, y la voluntad de Jehová será en su mano prosperada. Verá el fruto de la aflicción de su alma, y quedará satisfecho; por su conocimiento justificará mi siervo justo a muchos, y llevará las iniquidades de ellos. Por tanto, yo le daré parte con los grandes, y con los fuertes repartirá despojos; por cuanto derramó su vida hasta la muerte, y fue contado con los pecadores, habiendo él llevado el pecado de muchos, y orado por los transgresores (Isaías 53:6-12).

Jesús, Dios hecho hombre, el Yo Soy, llevó el pecado de muchos y se hizo intercesión por los transgresores. El Creador se volvió el Salvador. No hay nada más fantástico y repleto de maravilla y asombro que la realidad de esta verdad histórica. Toda la ira que nosotros merecíamos fue derramada sobre Jesús. Él satisfizo por completo la ira de Dios. No hay pecado, ni estilo de vida pecaminoso, ni comportamiento antinatural, ni hecho inmoral, ni ignorancia intencional egoísta hacia Dios que no encuentre perdón en la cruz.

Jesús de hecho se hizo pecado por nosotros, *a nuestro favor* (Cf. 2 Corintios 5:21)

Isaías 53, que citamos más arriba, realmente captura la esencia de lo que debemos saber sobre la expiación de Cristo. Dios castigó el pecado castigándolo a él, porque se hizo pecado por nosotros. Stephen Charnock, otro puritano, lo explica así:

> No conoció pecado, sin embargo se hizo pecado. No solo llevó el castigo del pecado, sino que fue más allá. Por ley fue acusado en nuestro lugar con la culpa del pecado. Nuestras iniquidades fueron colocadas sobre él (Isaías 53:6). El profeta (versículo 5) había dicho de Cristo que llevaría el castigo de nuestra paz, el castigo de nuestro pecado, y después parece declarar la base para ello, la cual consistió en la imputación del pecado sobre él al colocar sobre él las iniquidades de todos nosotros. ¿Qué iniquidades? Cuando nos descarriamos, cuando nos apartamos por nuestro propio camino. Lo hizo el pecado que no conocía, pero conocía el castigo del pecado. Ese conocimiento era el propósito de su venida. Vino para entregar su vida en rescate por muchos. No conocía el pecado por inherencia experimental (algo en su propia naturaleza), pero lo conocía con relación a la culpa después del juicio de Dios. Era justo en su persona, pero no fue pronunciado justo a los ojos de la ley siendo nuestra garantía, hasta después de su sacrificio, cuando "por cárcel y por juicio fue quitado" (Isaías 53:8). Hasta pagar la deuda, fue considerado deudor de Dios.[7]

Es por la obra expiatoria de Cristo que podemos ser salvos. La muerte y resurrección de Jesucristo es el mensaje que relata el evento histórico de la substitución mediadora de Cristo al expiar el pecado y de la resurrección de los muertos obteniendo victoria completa sobre el pecado y la muerte. Este es el mensaje que trae esperanza a todo hombre. Me trajo esperanza a mí, a David, y a todo aquel que cree verdaderamente en Jesús que fue crucificado y levantado de los muertos. Jesucristo es el Señor de la salvación resucitado. La esperanza de este mensaje que relata tanto el sacrificio expiatorio sobre la cruz y la resurrección de los muertos se explica mejor citando la carta de Pablo a los romanos:

> ¿Qué, pues, diremos a esto? Si Dios es por nosotros, ¿quién contra nosotros? El que no escatimó ni a su propio Hijo, sino que lo entregó por todos nosotros, ¿cómo no nos dará también con él todas las cosas? ¿Quién acusará a los escogidos de Dios? Dios es el que justifica. ¿Quién es el que condenará? Cristo es el que murió; más aun, el que también resucitó, el que además está a la diestra de Dios, el que también intercede por nosotros. ¿Quién nos separará del amor de Cristo? ¿Tribulación, o angustia, o persecución, o hambre, o des-

---

7   Stephen Charnock, *Christ Crucified: A Puritan's View of the Atonement* (Fearn, Ross-shire, R.U.: Christian Focus, 2003), 95.

nudez, o peligro, o espada? Como está escrito: Por causa de ti somos muertos todo el tiempo; somos contados como ovejas de matadero. Antes, en todas estas cosas somos más que vencedores por medio de aquel que nos amó. Por lo cual estoy seguro de que ni la muerte, ni la vida, ni ángeles, ni principados, ni potestades, ni lo presente, ni lo por venir, ni lo alto, ni lo profundo, ni ninguna otra cosa creada nos podrá separar del amor de Dios, que es en Cristo Jesús Señor nuestro (Romanos 8:31-39).

Este poder no se debe subestimar. El mensaje del evangelio es el mensaje más maravilloso, más victorioso, más lleno de esperanza del mundo. No podemos mirar a cualquier pecador en este mundo y pensar que está fuera del alcance de su poder. Este mensaje coloca toda la victoria no sobre algún hombre, o sobre la habilidad de algún hombre, sino en el pago que ya fue efectuado y que conquista el pecado. En el pozo de la tentación homosexual, tantas personas creen que están atrapadas en una situación sin esperanza e incapaces de conquistar los deseos humanos. Usan las teorías de que se nace gay y cualquier otra excusa que se les pueda ocurrir para justificar la desesperanza de la situación. Sin embargo, subestiman el poder del evangelio. Este mensaje es para cualquiera que coloque su fe en Jesús y confíe solo en él, porque él ya ha pagado por todo lo que contribuye a su condición desesperada. Su resurrección nos dice que su señorío vivo significa que nunca estaremos solos y que nunca nos abandonará. La promesa del evangelio es que al arrepentirnos por la fe y al vivir para Cristo, somos "más que vencedores por medio de aquel que nos amó". Hay suprema esperanza en Jesús. No hay pecado que esté más allá del alcance de su obra expiatoria y de su victoria en la resurrección. La falta de esperanza frente al pecado sexual y cualquier otro pecado desaparece en Cristo. Mire a la cruz. Arrepiéntase y crea. Lo que todos debemos entender es que la expiación solo es eficaz individualmente en cualquier vida humana a través de la fe. No solo tenemos que saber que es la verdad, sino que también tenemos que confiar en Cristo nosotros mismos.

El apóstol Pablo tenía un pasado sórdido. Era perseguidor de los cristianos y aprobó el apedreamiento de uno de los primeros mártires cristianos, Esteban. Sería justo decir que Pablo odiaba a Cristo. Después de ser confrontado por el Cristo crucificado y de ser transformado por el poder del evangelio, tuvo una actitud muy diferente. Pablo sufrió golpizas por la causa de Cristo, naufragó por la causa de Cristo, fue encarcelado por la causa de Cristo y finalmente fue al encuentro de la muerte por la causa de Cristo. En todo esto, Pablo entendió algo que solo aquellos que han colocado su fe en Cristo a través del evangelio pueden saber. Se lo escribió a la iglesia de Roma:

> Porque no me avergüenzo del evangelio, porque *es poder de Dios para salvación a todo aquel que cree*; al judío primeramente, y también al griego (Romanos 1:16, énfasis añadido).

La Proclamación del Evangelio en el Contexto Cultural

Como hemos visto, muchos de los asuntos asociados con la sexualidad y el género están arraigados en la cosmovisión. La hombría y la femineidad y todos los temas asociados con el género y la sexualidad serán definidos de maneras diferentes basados en las ideas sobre el origen del ser humano. Si los seres humanos solo son moléculas reorganizadas y el resultado de millones de años de procesos al azar en el marco cronológico de la muerte y la lucha, entonces nuestra apreciación de la humanidad será animalista. Lo que vemos en el reino animal resultará en la definición de lo que es en esencia la humanidad. Si no hay rendimiento de cuentas por la definición de lo que hace al ser humano, humano, entonces la definición puede discutirse y cualquier solución al problema será relativa. Por consiguiente, esto afectará nuestro entendimiento de la humanidad con respecto al género, la sexualidad y otros asuntos de la esencia y ética humanas.

El evangelio llama a las personas a arrepentirse de su pecado y a colocar su fe en Jesucristo. En nuestra cultura, especialmente en el mundo occidental, muchas personas encuentran su identidad en algo que la Biblia define como pecado. Quienes llevan un estilo de vida homosexual, como ya hemos visto, han definido su situación sobre la base de una cosmovisión evolutiva por la cual los teóricos que creen que se nace gay han buscado razones fisiológicas y biológicas para la variedad de expresiones sexuales. Creen que los comportamientos sexuales se heredan de nuestros ancestros animales y pueden explicarse en términos biológicos y fisiológicos, y no en términos morales.

Es importante entender la cultura en la cual Dios les encargó a los cristianos dar testimonio del evangelio, especialmente cuando las personas en dicha cultura están comprometidas con una cosmovisión que afirma el estilo de vida que han elegido. Si la cosmovisión evolucionista apoya mejor mi estilo de vida y mis ideas sobre la sexualidad, ¿por qué me interesaría la definición bíblica de pecado y mi necesidad del Salvador? La cultura que se define a sí misma no tiene una necesidad aparente del evangelio.

No estoy diciendo que en esta instancia el evangelio no puede salvar. Al contrario, creo con todo el corazón en mi afirmación anterior y en las declaraciones bíblicas de que el evangelio es el poder de Dios para salvación. Si compartimos un evangelio que convence a las personas de pecado y sus consecuencias, y revela la muerte y resurrección de Cristo como la mayor esperanza de salvación, esto de hecho es lo único que necesitamos decir. Sin embargo, sugiero que muchas personas tienen una barrera que les impide oír este mensaje como consecuencia de la cosmovisión de nuestros días, especialmente para entender qué es el ser humano y mucho menos el problema de pecado del hombre. Tenemos que ayudar cuanto sea posible predicando el evangelio en una cultura en la cual la mayoría de las personas no tienen un sentido real de sus orígenes, de quiénes son, y de su responsabilidad ante Dios.

El Dr. Mohler cree que en la cultura norteamericana, las personas han llegado a un lugar de autodefinición cuando se trata de entender la naturaleza humana:

> La mayoría de los norteamericanos ahora cree que tenemos la habilidad de definirnos a nosotros mismos. Esto es sobrepasar los límites de la autonomía. Ahora definiremos lo que significa ser humano. Definiremos lo que significa ser hombre y mujer. Definiremos lo que significa ser capaz de cambiar y aun definiremos el matrimonio. Nos estamos autodefiniendo, y pedimos para nosotros mismos el derecho de definir la humanidad, el género, el matrimonio y la sexualidad. También definiremos la autoridad y todo lo demás. Todo esto alcanza su auge en aquellos que sugieren que ahora necesitamos controlar nuestra evolución. Este es el nuevo argumento que proviene de muchos de los teóricos evolucionistas radicales: debemos controlar nuestra evolución usando estas nuevas tecnologías para redefinir lo que significa ser humano. Y, por supuesto, esto viene acompañado de las teorías modernas sobre la verdad, las cuales terminan siendo conveniencias intelectuales en este proceso de autodefinición. Una simplemente argumenta que toda verdad se construye socialmente y niega que la verdad sea de algún modo objetiva y que pueda comunicarse en oraciones o frases; y otra simplemente dice que no existen verdades, definiciones ni autoridades inamovibles. En consecuencia, podemos definirnos a nosotros mismos como queramos.[8]

Presentar el mensaje de Jesús en una cultura que se define según sus propios términos basada en los fundamentos evolucionistas puede requerir un esfuerzo extra. Estas son las mismas filosofías de la cosmovisión evolucionista que impregnan mucha de la retórica de los defensores del estilo de vida del homosexual y el transgénero. De hecho, la cosmovisión evolucionista y las definiciones resultantes sobre la sexualidad humana, el género y el matrimonio son muy visibles en los medios de comunicación modernos. La realidad es que los asuntos relacionados con la sexualidad y el género son visibles constantemente como uno de los mayores ejemplos de la ética resultante de la cosmovisión humanística y evolucionista en los medios de comunicación. Esto sugiere que el cristiano no debe subestimar la necesidad de estar preparado para debatir estos puntos de vista globales con el propósito de restablecer el contexto histórico del evangelio. También muestra que se necesita mucha oración para que la iglesia se comprometa a la unidad de la verdad en el contexto histórico fundamental del evangelio en Génesis.

---

8   R. Albert Mohler Jr., "Preaching with the Culture in View," en Mark Dever et al., *Preaching the Cross*, 1ª edición (Wheaton, IL: Crossway, 2007), 82–83.

Aun cuando las personas entiendan la historia fundamental que provee coherencia constante para el mensaje del evangelio, de ningún modo garantiza que estarán de acuerdo y creerán. En última instancia, las personas llegan al conocimiento de la verdad del evangelio a través del poder iluminador del Espíritu Santo. Esto de ninguna manera reduce la responsabilidad que tiene el cristiano de hacer todos los esfuerzos posibles para ayudar a las personas a entender las buenas nuevas de Jesús. Creo que esto se aplica especialmente a las personas que están expuestas a las filosofías que invaden la comunidad gay. Al entender la credibilidad de Génesis como la historia fundamental de la doctrina cristiana, se consigue un entendimiento de la cosmovisión que explica no solo la condición humana espiritual como resultado del pecado, sino también de la historia que trae coherencia a las doctrinas cristianas relacionadas con la sexualidad, el género y el matrimonio. Demasiadas veces la iglesia predica las verdades de la moralidad cristiana en estas áreas sin explicar la historia fundamental que nos ayuda a comprender por qué son relevantes. La misma historia fundamental señala la necesidad del evangelio de todo ser humano.

Tal como Dr. Mohler se refirió a nuestra cultura diciendo que se autodefine, Pablo le hablaba a una cultura griega en Atenas (en Hechos 17) que también podía describirse como autodefinida. Los filósofos epicúreos y estoicos pensaban que la predicación de Pablo sobre la resurrección era un poco confusa y pensaban que era un charlatán (Hechos 17:18-20). Tenían una cosmovisión fundamental completamente diferente para definir la humanidad y entender el problema del hombre. Ésta es similar a la situación en la cual nos encontramos hoy en el mundo occidental. Hay confusión con relación al evangelio además de la enemistad habitual del hombre contra la verdad de Dios. Si haremos todo esfuerzo posible para colocar el evangelio en nuestro contexto cultural, sería bueno que nos diéramos cuenta de que como resultado de la cosmovisión hay barreras fundamentales para que muchas personas aun oigan este gran mensaje.

Esto es algo de lo que Ken Ham, presidente de *Answers in Genesis* [Respuestas en Génesis], ha estado hablando durante algún tiempo. Él ha visto la conexión de cómo la cosmovisión fundacional de nuestra cultura necesita que el cristiano piense con más cuidado sobre la manera de presentar el evangelio con la intención de exponerlo con claridad y coherencia en el contexto de la cultura:

> Para que las personas entiendan que son pecadoras, también tienen que comprender que todos somos descendientes (y parientes) del primer hombre, Adán. Porque él pecó, todos nosotros pecamos: "Por tanto, como el pecado entró en el mundo por un hombre, y por el pecado la muerte, así la muerte pasó a todos los hombres, por cuanto todos pecaron" (Romanos 5:12). Por lo tanto, Pablo les explicó que Dios estaba a cargo de las acciones de los descendientes

de este hombre; él estaba a cargo de las naciones. Nada en ningún reino estaba fuera del alcance del control de Dios. La cultura griega en realidad estaba en las manos de Dios. Pablo también se opuso a la religión errónea de los griegos. Habló contra los ídolos y les explicó que el Dios Creador era quien gobernaba y juzgaba, y que pronto llegaría el día del juicio. Los animó a arrepentirse de sus caminos equivocados y a creer en el verdadero Dios. Finalmente, Pablo volvió al mensaje de la resurrección, el punto central del evangelio.[9]

Nunca veremos personas llegando a la salvación solo por ganar la batalla de las cosmovisiones. Ya hemos debatido sobre la necesidad de defender la integridad de las Escrituras comenzando por Génesis (la apologética de la cosmovisión) para mostrar la credibilidad y autoridad de las Escrituras cuando señala los temas de la sexualidad bíblica. Preservar y defender Génesis es una espada de doble filo. Es la historia fundamental que afianza tanto la sexualidad bíblica como el mensaje de salvación como verdades claras y autoritarias. En una cultura que se autodefine, promueve la discusión para llegar al diálogo sobre el evangelio desde el punto más fundacional.

En realidad, David nunca tuvo que lidiar con la confusión provocada por la cosmovisión evolucionista. Él entendía la credibilidad de la historia de Génesis y como resultado tenía en alta consideración la autoridad de la Palabra de Dios. Sin las barreras de la cosmovisión evolucionista y en un ambiente en el cual la verdad era aceptada, no tuvimos mucha dificultad en volver a enfatizar los conceptos de pecado, sexualidad bíblica y el evangelio. Para David, el problema nunca fue si la Biblia y el mensaje del evangelio eran en verdad confiables. El asunto era si él mismo podía serlo. Al fin y al cabo, necesitaba que Dios hiciera una obra milagrosa de gracia en su corazón. Y Dios la hizo.

Mi gran preocupación es que muchos jóvenes están enfrentando las mismas tentaciones que David, pero sin la misma confianza en las Escrituras y en la autoridad de la Palabra de Dios. Después de todo, el evangelio se basa en una historia creíble y confiable. Esto es algo que siempre estará en conflicto con una cultura que se autodefine.

El Evangelio Nos Da una Nueva Identidad

Hay un concepto erróneo sobre la identidad en nuestra sociedad, y este error, de algún modo, se ha infiltrado en la iglesia. La Biblia es bastante clara sobre la identidad del hombre y describe la humanidad de dos maneras que se pueden identificar: regenerados o no regenerados. Vemos esto cuando leemos las Escrituras que ya hemos mencionado.

En Romanos 5:19, Pablo claramente dice: "Porque así como por la desobediencia de un hombre los muchos fueron constituidos pecadores, así también por la obediencia de uno, los muchos serán constituidos justos".

9 Ken Ham, *Why Won't They Listen?* (Green Forest, AR: Master Books, 2002), 55.

En esta sección de Romanos 5, Pablo explica que o somos constituidos justos en Cristo o permanecemos en condenación por la desobediencia de Adán. Nuestra identidad o está en Adán o en Cristo. Pablo insiste en lo mismo en su carta a los corintios cuando dice: "Porque así como en Adán todos mueren, también en Cristo todos serán vivificados" (1 Corintios 15:22). Una vez más, el énfasis para la raza humana es que solo hay dos tipos de personas en el mundo, los que están en Adán y los que están en Cristo. El evangelio procura que las personas adopten la "identidad de Cristo". Hay salvos y no salvos.

Además, hay algo en el evangelio que crea un abismo infinitamente ancho entre Adán y Cristo. Al creer en el evangelio, creemos que Jesús fue crucificado y resucitó para nueva vida. La Biblia deja en claro que hemos atravesado este mismo proceso en el sentido espiritual. Vemos este aspecto personal en la transformación del evangelio a lo largo de las Escrituras. En el Antiguo Testamento, vemos que esto se describe en función del cambio que Dios produce en el corazón de piedra haciéndolo de carne (Ezequiel 11:19, 36:26). En Gálatas 2:2, Pablo escribe: "*Con* Cristo estoy juntamente crucificado, y *ya no vivo yo, mas vive Cristo en mí*" (énfasis añadido). Jesús también oró por sus discípulos para que permanecieran en él, en unidad, con el propósito de mostrarle al mundo que el Padre de hecho envió al Hijo al mundo (Juan 17:22-23). Se unieron en Cristo, ya que no se conformaban al mundo sino a él. Ya no eran representantes de Adán sino de Cristo. En los salmos, vemos que cuando Dios transforma la vida de una persona, aleja de ellos sus transgresiones tan lejos como el este del oeste (Salmo 103:12).

En las Escrituras no hay punto medio. Estar en Adán significa permanecer en un estado de condenación bajo el justo juicio de Dios sobre el pecado. Estar en Cristo significa estar crucificado con ese pecado y resucitado para una nueva vida bajo la misericordia y el perdón de Dios. Estas dos identidades son conceptos importantes que debemos entender. Cuando estamos en Cristo, ya no nos identificamos por el pecado. Alcohólicos Anónimos, por ejemplo, usa un método de presentación que requiere que las personas se identifiquen con su alcoholismo (p. ej.: "Mi nombre es Juan y soy alcohólico"). Pero no existe el alcohólico cristiano. Aunque en este mundo el cristiano puede luchar con el alcoholismo, él no se define por ese pecado y de hecho puede encontrar verdadera victoria definitiva sobre ese pecado en Jesucristo. No hay cristianos asesinos, ladrones, murmuradores u homosexuales. No existe el cristiano gay. Nuestra identidad no se encuentra jamás en el pecado sino en el Salvador. Más concretamente, me atrevo a decir que nuestra identidad tampoco se encuentra en la tentación, aunque aún somos tentados. El llamado de todo cristiano es no estar cómodo nunca en el pecado sino hacerlo morir en cada oportunidad.[10]

---

10 Recomiendo encarecidamente al lector a considerar un libro excepcional de Stuart Scott relacionado con este tema: Stuart Scott and Zondra Scott, *Killing Sin Habits: Conquering Sin with Radical Faith* (Bemidji, MN: Focus Publishing, 2013).

Es en esta luz que el cristiano debe cuidarse de publicaciones recientes de libros de personas que dicen ser "cristianos gay". Uno de los ejemplos más populares es el de Matthew Vines, autor de *God and the Gay Christian* (Dios y el Cristiano Gay). En varios lugares Vines usa este término como si fuera un prerrequisito fundamental para su argumentación. Observe cómo busca el oído atento del cristiano y trata de involucrarlo con personas que se identifican como "cristianos gay":

> Si algunas personas están convencidas de que las relaciones con el mismo sexo son pecado, pídeles que consideren qué significa ese punto de vista para el gay cristiano. ¿Piensan que el celibato obligatorio llevará fruto en la vida del gay cristiano? ¿Han caminado al lado de hermanos y hermanas que han tomado esa trayectoria, y han visto las consecuencias que produce? Si el desacuerdo aún persiste puedes ayudar a fomentar más receptividad, compasión y comprensión por la comunidad LGBT.[11]

Matthew Vines se ha vuelto presa del mantra de nuestra cultura que se autodefine y ha descubierto que su identidad está ligada irrevocablemente con su sexualidad.

Mientras que Matthew Vines anunció y defendió su "identidad" escribiendo un libro, otros han usado diferentes métodos. Tal retórica se ha abierto camino hasta los medios de comunicación. Facebook se ha vuelto el noticiero del mundo. Había salido con mi familia cuando me llamó la atención que uno de nuestros amigos recientemente había "salido del armario" en Facebook como "cristiano gay". Había dejado en claro que veía la homosexualidad como pecado y que sabía que bíblicamente nunca podría ceder ante la tentación. Aun así, pensaba que era el momento de identificarse de esta manera. Cuando David oyó esto, vio el problema de inmediato. "Papá, él no entiende su identidad en Cristo". Tenía razón. Pedí reunirme con mi amigo, y discutimos esos asuntos. Mi corazón se entristeció mucho por un hombre que sentía que no había esperanza para él y que este pecado lo definiría para el resto de su vida.

A medida que caminábamos, le pregunté si podíamos ver algunos versículos específicos que nos ayudarían con relación a la identidad. Su confusión no estaba en el pecado en sí. No estaba poniendo en práctica su tentación y, en ese sentido, era muy cuidadoso de su vida. Sin embargo, vivía constantemente con la tentación homosexual. Me dijo que no había encontrado ningún lugar en las Escrituras que como cristiano lo identificara con el pecado, pero tampoco había un lugar que hablara sobre los aspectos de identidad y

---

11 Matthew Vines, *God and the Gay Christian: The Biblical Case in Support of Same-Sex Relationships* (Nueva York: Convergent Books, 2014), 175. Una excelente respuesta a la obra de Matthew Vines con formato eBook por R. Albert Mohler, *God and the Gay Christian: A Response to Matthew Vines,* abril 2014, http://126df895942e26f6b8a0-6b5d65e17b10129dda21364daca4e1f0. r8.cf1.rackcdn.com/GGC-Book.pdf.

tentación. Vimos un par de versículos que se habían vuelto muy familiares al considerar estos temas. Primero, observamos algunos puntos principales en 1 Corintios 10:13. Cuando Pablo dice que no nos "ha sobrevenido ninguna *tentación* que no sea *humana*", señala un punto clave con relación a la identidad. Si cualquier tentación en cualquier dirección es humana, entonces ¿por qué es necesario que un creyente anuncie que es un "cristiano gay" solo por ser tentado? Muchos hombres luchan con la forma codiciosa con la que miran a las mujeres. Jesús dijo que aun mirar de esta manera se considera adulterio. Entonces, ¿todo hombre creyente que luche contra esto debería llamarse "cristiano adúltero"? Aun más, Pablo dice que en Jesús tenemos todo lo necesario para soportar la tentación sin pecar. Esto significa que debemos resistir de forma activa para no caer en la tentación. Por lo tanto, la tentación no parece ser un factor para determinar la identidad.

Nuestra identidad que cambió, pues primero estaba en Adán y después en Jesús, nos ha dejado un patrón aun mayor. Ya no tenemos que someternos a este mundo sino a Dios. No somos definidos por algo que tenemos que resistir de forma activa. Es por eso que Santiago escribió: "Someteos, pues, a Dios; resistid al diablo, y huirá de vosotros. Acercaos a Dios, y él se acercará a vosotros. Pecadores, limpiad las manos; y vosotros los de doble ánimo, purificad vuestros corazones" (Santiago 4:7-8).

Después de un tiempo maravilloso y dichoso con este hermano, descubrió algo de su identidad sobre lo cual antes estaba muy confundido. Fue en ese momento que pude animarlo con la maravillosa esperanza y victoria que encontramos en el evangelio de Cristo. Hoy camina firme con el Señor, identificado solo con Cristo, y ha conseguido el beneficio adicional del apoyo amoroso de su pastor, consejero bíblico y hermanos y hermanas en Cristo. De manera activa está matando el viejo hombre y renovándose en Cristo y vistiéndose del nuevo hombre.

Pensamientos Finales

Al escribir este capítulo, me acordé muchas veces que no le estoy haciendo justicia al efecto maravilloso del evangelio en estas cortas páginas. Espero que por lo menos haber apuntado en esa dirección. En Jesús, tenemos nueva vida por su muerte y resurrección. Hemos sido crucificados en Cristo y fuimos vivificados con él. Tenemos nueva esperanza para toda la eternidad. Fuimos adoptados en la familia de Dios nuestro Padre. Por eso, daré toda mi vida. Por eso, mi mayor deseo es glorificar a Dios y disfrutar de él para siempre.

La transformación de la gracia del evangelio de Dios no fue solo evidente en la vida de David. También me cambió a mí. No había pecado demasiado grande o demasiado pequeño que pudiera escapar al poder de la obra regeneradora de Dios en nuestra vida. Mi hijo es un nuevo hombre y, por la gracia de Dios, yo también. Después de venir a Cristo, David se me acercó para decirme que quería bautizarse como creyente. En su bautismo, compartió su testimonio con cientos de personas en nuestra iglesia, señalando la transformación del evangelio en su vida y proclamando a Cristo. El pastor Peter lo bautizó y dijo estas palabras al hablarle a David:

> Quiero decirte qué gran honor es compartir este momento contigo y cuán bendecido he sido por estar sentado en la primera fila para observar la gracia de Dios que hizo una obra poderosa en tu vida... y para continuar viendo la obra de la gracia de Dios en tu vida. Ya no es algo que solo vemos en la sala de consejería, sino que es un cambio que Dios ha producido, y él continúa obrando y fortaleciéndote todos los días para que puedas con tu vida agradar a Dios. Pero como tú mismo dijiste, ya estás en Cristo, no por lo que tú hiciste sino por lo que él hizo en la cruz. Así que, David, basado en tu profesión de fe solo en Jesucristo para salvación, es mi privilegio bautizarte, mi hermano, en el nombre del Padre, del Hijo y del Espíritu Santo.

No podría decirlo mejor que el autor y pastor C. J. Mahaney:

> Recordar el evangelio todos los días es el hábito más importante que podemos establecer. Si el evangelio es la noticia más vital del mundo, y si la salvación por gracia es la verdad que define nuestra existencia, deberíamos buscar la manera de sumergirnos en estas verdades todos los días. No se permiten días libres.[12]

La Perspectiva de David

Cuando pienso en lo que hizo Jesús por mí pienso en su amor. Ha cambiado mi corazón y me ha dado la esperanza de la vida eterna. Es por esa esperanza que encontré en la muerte y resurrección de Jesús que mi perspectiva de la vida ha cambiado, aun en los momentos difíciles.

Antes de llegar a Cristo, no sabía lidiar con mis problemas, que no eran solo mis batallas internas. También era víctima de acoso por parte de algunos muchachos que estaban decididos a burlarse de mí y a desparramar rumores sobre mí. Estaba deprimido y me preguntaba cómo podría sentirme aliviado de ese dolor tan grande. A pesar de mi sufrimiento, Dios me recordaba su evangelio regularmente. Peter, mis padres y otros me decían que el evangelio tenía un inmenso poder para transformar mi vida.

El momento llegó en el que me di cuenta de que había colocado toda mi identidad en mis sentimientos y tentaciones y no en Jesús quien me podía salvar de esas cosas. Era un pecador perdido y necesitaba desesperadamente el perdón. Jesús había pagado el precio completo de la penalidad por mi

---

12 C. J. Mahaney, *Living the Cross Centered Life: Keeping the Gospel the Main Thing* (Sisters, OR: Multnomah, 2006), 132.

pecado. Él me compró para que ahora fuera suyo por mi confianza en él. A partir de ese momento, hubo situaciones en las que personas hablaron sobre mí esparciendo rumores, pero yo pude permanecer firme en mi identidad en Cristo sabiendo que él me salvó y me estaba cambiando. Ya no importa lo que las personas piensan de mí. Mi pecado fue perdonado y mi Salvador, no mi pecado, ahora me define.

La Perspectiva de Peter

El cristiano que limita el evangelio a los esfuerzos evangelísticos lo hace para su propia perdición. Esto hice yo por años. Entendía el evangelio, y lo compartía activamente con los incrédulos cuando surgía una oportunidad. Me encantaba compartir el evangelio con los perdidos. Cuando llegó el momento de trabajar en mi andar cristiano, dejé el evangelio de lado y dependí de mi propia fuerza la cual, al igual que la tuya, es muy limitada. Darme cuenta de que el evangelio es mi fuente de esperanza y poder mientras intento agradar a Dios literalmente cambió mi vida. También cambia la vida de los aconsejados cuando encuentran un pozo de gracia, misericordia y esperanza en las verdades del mensaje del evangelio que con el tiempo han olvidado.

La consejería bíblica incluye bastante instrucción ya que el consejero presta atención y busca aplicar la Palabra de Dios de forma apropiada al caso que tiene entre manos. Sin embargo, si mi consejo sobre lo que el aconsejado debe hacer no está arraigado en lo que Dios ha _hecho_ por él en el evangelio, en poco tiempo perderá el entusiasmo y volverá para más conserjería, o simplemente se dará por vencido. Aunque yo quería ver estimulada la confianza de David, sabía que no duraría mucho si el ímpetu estaba centrado en algo aparte de Cristo (lo cual sería idolatría). Tenía que hacer uso de la verdad centrada en el evangelio y tener confianza en la obra que Dios comenzó y completará a su tiempo (Filipenses 1:3-6).

David no lo entendía, y yo sabía eso. Después de todo, ¿cuánto me llevó a mí entenderlo? Con el pasar del tiempo, lentamente lo comprendió y el cambio fue visible. Se veía en su rostro... Aun en la forma en la que actuaba, ya no arrastraba los pies; pues ya no llevaba sus cargas solo, porque recordó que Cristo las había llevado por él en el Calvario. Este momento fue definitorio en el proceso de consejería mientras David y sus padres comenzaban a "conectar los puntos" entre el evangelio y su vida diaria.

Capítulo 9

Salir del Armario y Volver a Casa

"Soy gay".

La mayoría de las personas ya ha visto a alguien en su iglesia anunciar de este modo su identidad, o conoce a alguien que lo ha visto. En este libro, ya he citado a Justin Lee y Matthew Vines quienes hicieron esto mismo, y hay muchos más como ellos que ahora quieren asociarse a la comunidad gay.[1] Matthew Vines cuenta la historia de uno de sus amigos que "salió del armario" y tuvo una experiencia muy negativa tanto con su familia como con la iglesia: "Para Josh, salir del armario frente a su familia había sido angustioso. Él adivinó bien que nuestra iglesia tampoco estaría feliz de oír las noticias. Por no querer exponerse al rechazo generalizado, se fue de la ciudad a una universidad en otro estado. También dejó la iglesia".[2] Después Vines menciona los sentimientos intensos de rechazo y aislamiento por los que atravesó su amigo como resultado de su situación. Su amigo Josh había negado cualquier profesión de fe y la Biblia sabiendo que las Escrituras claramente prohíben aquello que él creía ser un factor definitorio de su identidad. Además, Vines escribe: "Afortunadamente, su familia finalmente lo aceptó con el tiempo, y ahora lo aceptan. Pero el daño que nuestra iglesia le causó ya estaba hecho. La fe de Josh, junto con la comunidad eclesiástica que antes lo había nutrido, se había perdido".[3]

Me pregunto cómo fue realmente la reacción de la familia e iglesia de Josh. Quizás la iglesia no pudo responder de manera apropiada, dado que Josh simplemente se alejó de la situación. Como lector, me quedó la duda si la iglesia lo sermoneó sobre la homosexualidad con un tono falto de gracia o si Josh simplemente se enojó porque no le dijeron lo que quería oír. ¿La familia de Josh lo aceptó rechazando la verdad bíblica sobre la homosexualidad o lo aceptaron a él siendo transparentes con relación a su compromiso con la verdad de la Palabra de Dios y la enseñanza de que la homosexualidad

---

1 Vines y Lee defienden el casamiento homosexual y la tolerancia escritural de la homosexualidad en este contexto.

2 Matthew Vines, *God and the Gay Christian: The Biblical Case in Support of Same-Sex Relationships* (Nueva York: Convergent Books, 2014), 7.

3 Ibid.

es pecado? Si existe un tono descortés que desanima a las personas a buscar ayuda en la iglesia, no hay buenas nuevas. Si hay disposición para justificar el pecado en aras de una relación, no hay buenas nuevas. Si no hay disposición para enfrentar el pecado en nuestra vida y buscar el perdón de Dios a través de Cristo, no hay buenas noticias.

Esos anuncios de que alguien es gay requieren una respuesta que muestre interés por el corazón del pecador. Quien lo anuncia posiblemente esté en un estado entre la confusión y el rechazo abierto de Dios. De cualquier modo, la iglesia debe responder a través de la enseñanza, la corrección, la reprensión y— en un contexto de arrepentimiento y fe— la instrucción en justicia. Mientras que todo pecado tiene sus propias características, el pecado es pecado, y la iglesia recibió enseñanzas claras sobre las actitudes y acciones para lidiar con el pecado dentro de la congregación. También hay líneas definitorias entre la iglesia y la familia que deben comprenderse con cuidado si contestaremos apropiadamente a la pregunta: "¿Cómo debo responder si mi hijo o miembro de mi iglesia anuncia ser gay?" Más específicamente, ¿cómo responderemos si esa persona asegura que Jesús es su Salvador? Debemos considerar la respuesta de la iglesia y la respuesta de la familia. Aunque iguales medidas de la gracia de Dios y de la verdad deben permanecer en ambos ámbitos, las acciones y los procesos son diferentes, y las líneas divisorias están en las líneas definitorias.

La Naturaleza de la Iglesia

El cielo estará lleno de creyentes regenerados, y la Biblia describe a la iglesia de la misma manera. Cada una de las siguientes secciones de las Escrituras revela la naturaleza regenerada de la iglesia. Decir que alguien fue regenerado es decir que ha tenido una verdadera transformación redentora en Cristo. Ha experimentado un nuevo nacimiento.

En 1 Timoteo 3:15-16 dice: "Para que si tardo, sepas cómo debes conducirte en la casa de Dios, que es la iglesia del Dios viviente, columna y baluarte de la verdad. E indiscutiblemente, grande es el misterio de la piedad: Dios fue manifestado en carne, justificado en el Espíritu, visto de los ángeles, predicado a los gentiles, creído en el mundo, recibido arriba en gloria". Escribiéndole a Timoteo, Pablo explica que la Iglesia es la protectora y proclamadora de la verdad. También dice que la familia de Dios son aquellos que confiesan el misterio de Cristo. Se incluye a sí mismo en dicha confesión.

Juan 15 habla mucho sobre permanecer en Cristo. Quienes no permanecen en Cristo serán echados fuera (Juan 15:6). La familia de Dios son aquellos que ya no están en el mundo, y el mundo los aborrece porque primero aborreció a Cristo (Juan 15:18-19). En estas declaraciones vemos que el pueblo de Dios solo se define de una manera: están "en Cristo". La única categoría diferente es la de quienes están en el mundo.

En 1 Pedro 4:17 dice: "Porque es tiempo de que el juicio comience por la casa de Dios; y si primero comienza por nosotros, ¿cuál será el fin de aquellos que no obedecen al evangelio de Dios?" Pedro aquí estaba escribiéndole a una iglesia esparcida y sufrida. Dice que quienes son de la "casa de Dios" (la iglesia) son aquellos que obedecen al evangelio de Dios. Mientras la iglesia se purifica a través del juicio de Dios, los no regenerados, que son desobedientes al evangelio, encontrarán un juicio aun mayor. La iglesia purificada permanecerá de pie bajo la protección de su Salvador en el día final.

Efesios 1:3-6: "Bendito sea el Dios y Padre de nuestro Señor Jesucristo, que nos bendijo con toda bendición espiritual en los lugares celestiales en Cristo, según nos escogió en él antes de la fundación del mundo, para que fuésemos santos y sin mancha delante de él, en amor habiéndonos predestinado para ser adoptados hijos suyos por medio de Jesucristo, según el puro afecto de su voluntad, para alabanza de la gloria de su gracia, con la cual nos hizo aceptos en el Amado". Pablo anima a la iglesia de Éfeso escribiéndoles que fueron adoptados en la familia de Dios por su gracia a través de Jesucristo. Son creyentes adoptados y regenerados. Después Pablo les dice que ellos ya no son "extranjeros y advenedizos". Ahora son "conciudadanos de los santos, y miembros de la familia de Dios, edificados sobre el fundamento de los apóstoles y profetas, siendo la principal piedra del ángulo Jesucristo mismo" (Efesios 2:19-20). En Jesús han crecido hasta ser el santo templo del Señor y en él son el lugar de habitación del Espíritu Santo. No hay indicios de que la iglesia en este escenario se describa de otro modo sino como creyentes regenerados que son el templo de Dios, adoptados en su familia y viviendo en el Espíritu. Pablo también le dice cosas similares a la iglesia de Galacia (Gálatas 4).

Estos versículos, y muchos otros como estos, son muy importantes. La iglesia que Dios conoce no solo como su pueblo, sino también como su familia, se define por aquellos que creen solo en el Señor Jesucristo para la salvación. Son creyentes en Jesús que han sido crucificados al mundo y ahora viven para Cristo. La regeneración es la manera más simple de describir la iglesia de Dios, la cual se manifiesta de forma visible en la iglesia local cuando se reúne. El hombre no puede ver el corazón como Dios, por lo que primero reconocemos una representación auténtica de la iglesia en aquellos que declaran su fe y se reúnen juntos como creyentes. También puede identificarse a través de cosas como la predicación del evangelio, la administración de las ordenanzas de la santa cena y el bautismo, el gobierno bíblico en la iglesia y el cumplimiento de la disciplina bíblica.

Ya sea a nivel local o universal, la Gran Comisión es la misión que apremia a la iglesia. Debemos hacer discípulos, no miembros, no números y tampoco ciudadanos morales. La iglesia es una colección de los discípulos de Cristo. Estos discípulos deben llevar el mensaje del evangelio al mundo y, por la gracia de Dios, hacer más discípulos. O sea, lo que más nos debe preocupar es la predicación del evangelio a todos los pueblos de todas las naciones para que en respuesta al mensaje del evangelio de Jesucristo, las personas puedan experimentar la verdadera salvación y regeneración. La predicación del evangelio es la manera en la que Cristo edifica su iglesia, y también es la mayor respuesta que tiene la iglesia para cualquier situación en el mundo.

En su ministerio, Jesús enseñó que la regeneración es la respuesta al problema del hombre y lo que nos permite la entrada a la iglesia de Dios. Los fariseos estaban constantemente mofándose de Jesús por su aparente desconsideración por la interpretación de la ley y por su asociación con pecadores y cobradores de impuestos. Nunca fue la intención de Jesús traer victoria política a un judaísmo legalista y farisaico, sino encontrar ovejas perdidas. Este es el punto de la conversación de Jesús con Nicodemo en Juan 3. Nicodemo era un líder fariseo que se acercó a Jesús sabiendo que había realizado grandes señales. Nicodemo probablemente se preguntaba cómo se podrían usar esos grandes hechos para promover la causa judaica, en especial en un mundo gobernado por romanos. Jesús le muestra que él no está allí por causa de los fariseos y que la verdadera respuesta en este mundo es el "nuevo nacimiento". Los problemas que los fariseos enfrentaban no se podían solucionar ni políticamente ni de ningún otro modo. La respuesta a los problemas del mundo es el ministerio de la iglesia, predicar el evangelio de Cristo para que las personas puedan nacer de nuevo y ser miembros de la familia de Dios.

En un artículo sobre este tema, el Dr. Jim Hamilton escribe lo siguiente:

> En Juan 3:3, Jesús le dice a Nicodemo: "El que no naciere de nuevo, no puede ver el reino de Dios". Literalmente dice: "no es capaz de ver el reino de Dios". Esta es una declaración sobre la habilidad humana. Sin el nuevo nacimiento, el hombre no es capaz de experimentar la realidad del reino. Después de la declaración de que el hombre no es capaz de percibir el reino a menos que nazca de nuevo, Juan 3:5 dice que el nuevo nacimiento es un requisito para entrar al reino: "el que no naciere de agua y del Espíritu, no puede entrar en el reino de Dios". Esta es una afirmación sobre el requisito para la entrada al reino de Dios. Aquellos que no han nacido de nuevo no serán capaces de ver el reino, y no les será permitido entrar.[4]

Al considerar la naturaleza de la iglesia, debemos entender que la regeneración es importante. Es la solución a los problemas del mundo, es la obra de Dios ya que utiliza a la iglesia que predica el evangelio como el medio para hacer discípulos, y es la definición de todo miembro de la casa de Dios.[5]

---

4   James M. Hamilton, "The Church Militant and Her Warfare: We Are Not Another Interest Group," *Southern Baptist Journal of Theology* 11, no. 4 (2007): 70–80, http://jimhamilton.info/wp-content/uploads/2008/02/the-church-militant-and-her-warfaresbjtformatted.pdf.

5   El sentido principal en el que se usa el término *miembro* en este capítulo no es en el sentido formal de estar inscripto en la membresía, sino en el sentido de ser simplemente hermano o

Los regenerados integran la iglesia, y son ellos quienes buscan en Jesús a aquellos que vendrán a ser regenerados.

¿Por Qué Es Tan Importante la Naturaleza de la Iglesia?

Al considerar nuestra respuesta hacia la persona que "sale del armario" y se identifica como "gay", ¿por qué es tan importante también considerar la naturaleza de la iglesia? La respuesta se encuentra en cómo la iglesia y la familia tratan con el pecado impenitente en su medio. Mientras que la iglesia puede describirse como creyentes regenerados en Jesucristo, no podemos definir la familia de la misma manera. Con seguridad habrá ocasiones en las que cada miembro de una familia ha colocado su fe en Jesucristo y al hacerlo ha experimentado el nuevo nacimiento que viene por la gracia a través de la fe. Sin embargo, entendemos que solo ser hijo de padres cristianos no hace que sea cristiano. Juan les explicó a los líderes judíos que su herencia familiar no es un asunto de salvación porque Dios puede levantar hijos de las piedras (Mateo 3:9). Aunque nacer en una familia cristiana no nos hace parte de la iglesia, la regeneración sí lo hace. Esto quiere decir que cuando la iglesia recibe instrucciones para tratar con el pecado, debemos tener el cuidado de usar nuestro discernimiento para saber qué instrucciones son específicamente para la congregación y cuáles pueden considerarse de manera general por los padres cristianos en su hogar. Si un hijo o hija de edad responsable que afirma ser cristiano les dice a sus padres que es gay y se niega a recibir corrección, habrá diferencias entre cómo los padres tratarán la situación en su hogar y cómo lo tratará la iglesia como congregación del pueblo de Dios. Los procedimientos para tratar con el pecado en la iglesia sirven para proteger la naturaleza regenerada que vemos en la santidad de la iglesia. Para ser miembro de la familia no existe el requisito del nuevo nacimiento, y como Nicodemo le dijo con razón a Jesús, no se puede volver a entrar en el vientre para nacer otra vez. Una vez que eres miembro de la familia, eres miembro de la familia, sin importar si ésta te niega o te acepta.

La familia no es la iglesia. Esto es evidente si se entiende correctamente la necesidad de la regeneración. Por lo tanto, deberíamos cuidarnos de afirmaciones como "la iglesia es una familia de familias". En el contexto del ministerio a la familia de la iglesia local, muchas personas creen que esto solo significa que no debemos segregar el ministerio en la iglesia basándonos en la edad y otras designaciones.[6] Promueven que la iglesia local debería ministrar a toda la familia como familia. Muchas personas tienen una gran pasión por la forma de abordar el ministerio con la familia, pero no es esto de

---

hermana en Cristo en una congregación local.

6   Dr. Voddie Baucham es uno de los que promueven este aspecto del ministerio a las familias sin reclamar que la iglesia es una familia de familias. Ver Baucham's "Is the Church a Family of Families? Part 1," *Grace Family Baptist Church*, citado 5 de enero 2014, http://www.gracefamilybaptist.net/topics-and-issues/church-family-families-part-1/.

lo que estamos hablando aquí. El ministerio de la iglesia a toda la familia en contraste con la separación de los miembros por su edad y otros factores no presentan ningún problema teológico o eclesiástico (doctrina de la iglesia). Sin embargo, hay algunos líderes que entienden que la afirmación de que "la iglesia es una familia de familias" significa que ser miembro de una familia cristiana es ser miembro de la iglesia. Tal entendimiento puede colocar a los incrédulos en la membresía de la iglesia y presentar grandes dificultades teológicas, entre ellas la necesidad de proclamar el evangelio para salvación.

Tener el concepto de que un cuerpo regenerado de creyentes que se conoce como la iglesia tampoco menosprecia la familia. La familia es una institución de enorme importancia en la Biblia. Los padres son instruidos a criar a sus hijos en la disciplina y amonestación del Señor (Efesios 6:4). Hay versículos y mandatos sobre la necesidad de que los hijos obedezcan a sus padres, y uno de los elementos calificativos para ser obispo (anciano) es que como padre pueda mostrar un hogar respetuoso y obediente. Parece que el campo de entrenamiento de los ancianos es mostrar liderazgo piadoso en la familia. El hecho de que la familia no es la iglesia de ningún modo subestima su valor. Es también en la relación matrimonial que vemos reflejado a Cristo y su iglesia. El reflejo del amor de Cristo por su iglesia sin duda debe culminar con la predicación del evangelio a los niños, tanto de palabra como en hecho, dentro de la unidad familiar. La familia es importante.

Cuando leemos pasajes como 1 Corintios 5, en el cual se le dice a la iglesia que trate con el pecado visible en su medio, debemos tener cuidado de hacer la distinción entre el ambiente eclesiástico y el ambiente familiar. Pasajes como 1 Corintios 5 nos ayudan a identificar la responsabilidad de la *iglesia* en este asunto, la cual consideraremos ahora.

El Pecado en Medio de la Iglesia

El pecado nunca ha sido un factor de identidad para el pueblo de Dios en el Antiguo o en el Nuevo Testamento. El pueblo de Dios del Antiguo Testamento fue llamado a la santidad. El pueblo de Dios del Nuevo Testamento también fue llamado a la santidad. Experimentar la sexualidad dentro del contexto del matrimonio cristiano entre un hombre y su esposa es hacer realidad un aspecto de esta santidad. Aunque el pecado aun invade al pueblo de Dios, a quienes carecen de perfección en este mundo caído, nunca se les dio licencia para tolerar el pecado en su medio. La instrucción bíblica para la iglesia es clara: el pueblo de Dios debe buscar con amor que el hermano involucrado en el pecado se arrepienta. Si el creyente se niega a alejarse de su pecado para vivir en obediencia a Cristo, la instrucción a la iglesia es que debe usar disciplina bíblica con el objetivo principal de animar, regenerar y restaurar al pecador, y para proteger la santidad de la novia de Dios.

En Corinto, la iglesia no estaba preocupada por el pecado visible en su medio. Esto muestra que a los corintios poco les preocupaba la santidad de

Cristo y su esposa, y la restauración del pecador. Por su tolerancia hacia el pecado, estaban permitiendo que un hombre viviera con la esposa de su padre sin reprenderlo. Aun se jactaban de eso. Vemos algunas iglesias que están haciendo lo mismo hoy con varios pecados incluyendo la homosexualidad. Mientras que antes había líneas claras para aceptar o rechazar la homosexualidad, algunas iglesias ahora han planteado un "tercer camino", el cual permite el desacuerdo entre los miembros de la iglesia sin afectar a la "unidad". De hecho, algunas iglesias piensan que pueden promover la desunión en unidad. Tal como señala el Dr. Mohler: "la única manera de construir un "tercer camino" es sugerir que alguien puede permitir la revalidación de la homosexualidad sin afirmarla. Eso no funciona. Permitir esta afirmación es afirmarla".[7]

Pablo le escribió a la iglesia de Corinto porque estaban promoviendo la tolerancia del pecado como si la única manera de mostrar amor fuera aceptando estilos de vida pecaminosos. Debemos observar que Pablo no le escribe al hombre que está cometiendo el pecado ni a la familia del hombre. La carta es para instruir a la iglesia sobre cómo lidiar con el pecado evidente en su medio. Dejar a alguien que afirma ser hermano en un estado de rebelión impenitente contra Dios sin duda no es mostrar amor. Es en verdad una situación muy peligrosa y no permite la oportunidad de recibir perdón y esperanza en Cristo. La restauración y el perdón son en realidad la meta amorosa de la disciplina eclesiástica, como enfatiza Pablo.

Considera 1 Corintios 5:

> De cierto se oye que hay entre vosotros fornicación, y tal fornicación cual ni aun se nombra entre los gentiles; tanto que alguno tiene la mujer de su padre. Y vosotros estáis envanecidos. ¿No debierais más bien haberos lamentado, para que fuese quitado de en medio de vosotros el que cometió tal acción? Ciertamente yo, como ausente en cuerpo, pero presente en espíritu, ya como presente he juzgado al que tal cosa ha hecho. En el nombre de nuestro Señor Jesucristo, reunidos vosotros y mi espíritu, con el poder de nuestro Señor Jesucristo, el tal sea entregado a Satanás para destrucción de la carne, a fin de que el espíritu sea salvo en el día del Señor Jesús. No es buena vuestra jactancia. ¿No sabéis que un poco de levadura leuda toda la masa? Limpiaos, pues, de la vieja levadura, para que seáis nueva masa, sin levadura como sois.

Hay varias cosas que podemos ver en este pasaje. Primero, el contexto es la iglesia local. Lo vemos por la manera en la que Pablo habla de congregarse. Dentro de ese cuerpo local, aceptaron como miembro a alguien que profesaba ser creyente en Jesús pero cometía el pecado del incesto con la

---

7   R. Albert Mohler, Jr. "Homosexuality as Dividing Line—The Inescapable Issue," *AlbertMohler. com*, citado 26 de septiembre 2014, http://www.albertmohler.com/2014/09/24/homosexuality-as-dividing-line-the-inescapable-issue/.

esposa de su padre (probablemente su madrastra). Por su forma de vida, estaba profanando el nombre de Cristo, lo cual era visible ante el mundo. La iglesia debía llorar por este hombre y su pecado porque veía la santidad de la vida de la iglesia como un tema de extrema seriedad.

En este pasaje hay varios indicios de que la iglesia debe tomar el pecado muy en serio. Este pecado ni siquiera era típico en Corinto, lo cual significa que aun la sociedad pagana que los rodeaba no aceptaba tal comportamiento. Pablo no sugiere que la iglesia solo se debe preocupar por el pecado que la sociedad repudia, sino que señala que la iglesia de Corinto no se presenta como un ejemplo de santidad, y lo que es aun peor, está dando motivos para que la cultura difame el carácter cristiano. Pablo también señala que un poco de levadura leuda toda la masa. Observe lo que menciona el estudioso del griego A. T. Robertson: "Es posible que algunos miembros hayan argumentado que un solo caso no podía afectar la totalidad de la iglesia, una excusa engañosa para su negligencia a la cual Pablo responde aquí. El énfasis está en la palabra 'poco' ($\mu\iota\kappa\rho\alpha$ [*mikra*])".[8] Aun si la iglesia de Corinto pensaba que era solo una persona en su medio, no era correcto que evitasen la disciplina del hermano que a sabiendas y sin arrepentimiento permanecía en pecado. Más de una vez en este texto Pablo enfatiza la necesidad de apartarlo. Después de haber sido apartado, la iglesia estaría lista para comenzar de nuevo con la expectativa de obediencia santa a Dios en la congregación. Cuando quitaran la levadura, estarían preparados para ser una nueva masa y así proclamar la santidad de Dios a través de la vida de un cuerpo eclesiástico renovado.

Pablo también les afirmó a los corintios que el objetivo de la disciplina en la iglesia era la restauración del pecador. Escribe que el hermano tenía que ser "entregado a Satanás para destrucción de la carne, a fin de que el espíritu sea salvo en el día del Señor Jesús". Vivir lejos del amor y cuidado de la iglesia en un mundo sin Dios es una lucha enorme. Si alguien verdaderamente es de Cristo padecerá gran aflicción por estar fuera del ámbito de cuidado. Aun si la persona bajo la disciplina de la iglesia es un falso convertido, la descripción de Pablo sobre la destrucción de la carne por parte de Satanás no era una subestimación. La vida en el mundo sin Jesús es dura, oscura y sin esperanza. Es como el hijo pródigo que se dio cuenta de la profundidad de su pecado contra su padre solo después de haberse ido para vivir en el mundo, de perder su herencia y de desear comer las algarrobas de los cerdos (Lucas 15:11-32). Pablo dice que tal sufrimiento en la carne puede ser lo que se necesite para la salvación del espíritu. El acto de quitar al impenitente de su medio puede llevarlo a contemplar el pecado correctamente y el resultado puede ser el arrepentimiento y la fe para lograr la restauración tanto con Cristo como con su cuerpo, la iglesia. Esta es la meta de la disciplina en la iglesia, y eso es amor. Cuando hay desobediencia, nunca hay verdadera

---

8   A. T. Robertson, *Word Pictures (#04 What is this?) Paul* (Nashville, TN: Broadman & Holman, 1960), 113.

paz si no hay disciplina amorosa. La unidad en la iglesia también se pierde cuando todos pueden vivir con desacuerdos, porque se han apartado de la verdad que está en Cristo y su Palabra. La disciplina es amor.

Cuando Pablo escribió esta carta, ya había determinado su criterio sobre el tema (versículo 3), pero no es él mismo quien quita al pecador. Le escribe a la iglesia para instruirlos sobre lo que ellos tenían que hacer (versículos 5-6). En el versículo 4, Pablo hace una fuerte alusión al proceso de la disciplina de la iglesia que se describe en Mateo 18. En 1 Corintios 5:4-5, afirma: "En el nombre de nuestro Señor Jesucristo, reunidos vosotros y mi espíritu, con el poder de nuestro Señor Jesucristo, el tal sea entregado a Satanás para destrucción de la carne, a fin de que el espíritu sea salvo en el día del Señor Jesús". En Mateo 18:18-20, Jesús dice lo siguiente:

> De cierto os digo que todo lo que atéis en la tierra, será atado en el cielo; y todo lo que desatéis en la tierra, será desatado en el cielo. Otra vez os digo, que si dos de vosotros se pusieren de acuerdo en la tierra acerca de cualquiera cosa que pidieren, les será hecho por mi Padre que está en los cielos. Porque donde están dos o tres congregados en mi nombre, allí estoy yo en medio de ellos.

Mientras muchas personas usan esos versículos para confirmar la presencia de Jesús cuando un grupo de más de dos se reúne, en realidad hablan sobre la autoridad de Jesús dentro de la congregación en los asuntos pertinentes a la disciplina de la iglesia. Si los hermanos han determinado que alguien debe apartarse de la iglesia después de un proceso cuidadoso, la autoridad de Jesús está presente con ellos para hacerlo.

En los versículos anteriores de Mateo 18, aprendimos cómo es todo el proceso:

> Por tanto, si tu hermano peca contra ti, ve y repréndele estando tú y él solos; si te oyere, has ganado a tu hermano. Mas si no te oyere, toma aún contigo a uno o dos, para que en boca de dos o tres testigos conste toda palabra. Si no los oyere a ellos, dilo a la iglesia; y si no oyere a la iglesia, tenle por gentil y publicano.

Este pasaje es bastante explícito. Primero nos acercamos a nuestro hermano o hermana en privado. Muchas veces, en el proceso disciplinario de la iglesia, este es el primer y el último paso. Al pensar sobre su propia vida, la mayoría de las personas está agradecida por alguien que alguna vez lo ayudó a identificar el pecado en su vida por lo cual se arrepintió ante el Señor y enderezó su camino. La mayoría de nosotros probablemente puede recordar varias ocasiones así. La gran mayoría de las situaciones de disciplina en la iglesia no pasa de este paso. Cuando esto acontece, es una señal de una iglesia saludable. Si el hermano se niega a arrepentirse, el siguiente paso es traer a otros hermanos o hermanas, si es necesario, para hablar con toda la congregación. En cada etapa, la meta es buscar la restauración del hermano que está en pecado en el nombre y autoridad de Jesús.

Este proceso también se resume en Gálatas 6:1: "Hermanos, si alguno fuere sorprendido en alguna falta, vosotros que sois espirituales, restauradle con espíritu de mansedumbre, considerándote a ti mismo, no sea que tú también seas tentado". No es el entendido ni quien se cree justo el que tiene que acercarse al hermano en pecado, sino el espiritual. En Gálatas 5, Pablo determina quiénes son los espirituales definiendo el fruto del Espíritu como amor, gozo, paz, paciencia, benignidad, bondad, fe, mansedumbre y templanza. Si los espirituales se acercan al hermano en pecado enfocados en su restauración en ningún momento del proceso se hará algo sin amor y sin misericordia. La disciplina de la iglesia es amor.

Cuando David atravesaba el proceso de consejería bíblica, él no solo estaba tratando de solucionar un problema. El Señor usó al pastor Peter para ayudar a David a identificar la idolatría en su vida. Identificó sus deseos egoístas y el orgullo que lo llevaban a tener pensamientos y deseos pecaminosos mal orientados. Este fue un proceso difícil para David, pero tener un hermano cristiano (y un padre y una madre) que estaba dispuesto a ser honesto con él lo ayudó a tomar conciencia de su pecado. Dios usó eso para convencer a David de pecado y para que viera su estado general de pecaminosidad. Encontró perdón y salvación en Jesús. Ahora camina en victoria con Cristo, y aunque su andar no es perfecto, tenemos asegurada la perfección en el día del Señor.

La disciplina de la iglesia raras veces se practica en la iglesia moderna, y mientras esta es una afirmación generalizada, sigue siendo triste. Al comentar sobre 1 Corintios 5, *The New Bible Commentary* señala lo siguiente:

> La facilidad con la que la iglesia de hoy muchas veces juzga la mala conducta ética o estructural de la comunidad de afuera es solo proporcional a su reticencia de actuar para remediar la conducta ética de sus propios miembros. Según Pablo, hemos invertido el orden de las cosas.[9]

Cuando es posible corregir y restaurar a un hermano en un ambiente cristiano amoroso en lugar de dejarlo en una situación de hostilidad ante Dios, esto glorifica a Dios y es una victoria para él y la iglesia. Cuando a un hermano se le permite seguir en su pecado sin corrección o represión, la iglesia deja bien claro que la santidad dentro del cuerpo no importa. Es por esto que la disciplina eclesiástica es en realidad un factor que identifica a la iglesia como verdadera.

En contraste con la mayoría de las iglesias que ya no practican la disciplina eclesiástica, la historia muestra que la misma probablemente contribuyó

---

9   D. A. Carson, ed. *New Bible Commentary: 21st Century Edition*, 4ª edición, (Leicester, R.U.; Downers Grove, IL: Inter-Varsity Press, 1994), 1169.

para el crecimiento de la iglesia. A fines del siglo XVIII y a principios del XIX, especialmente entre las iglesias bautistas, la disciplina se llevaba a cabo en las reuniones habituales. Gregory Wills, historiador de la iglesia, señala varios casos en los que las iglesias comprometidas con la disciplina crecieron con rapidez: "En 1874, la Asociación 'Stone Mountain', regocijándose por el número récord de bautismos, trató de explicar por qué las exclusiones de ese año también excedían a las de los últimos diecisiete". Se llegó a la conclusión de que el fervor renovado por la disciplina fue un "gran indicio del crecimiento y no del decrecimiento de la espiritualidad en las iglesias. La pureza produce vigor espiritual".[10]

El aspecto más difícil de la disciplina eclesiástica ocurre cuando un miembro en pecado se niega a arrepentirse, aun después de ser reprendido en amor en las tres fases. En Mateo 18, Jesús dice que se debe tratar a esta persona como a un gentil o a un publicano. En 1 Corintios 5, Pablo dice que la persona debe ser quitada de la iglesia y que la iglesia ni siquiera debe comer con ella. Cuando se considera que una persona ya no es parte del cuerpo de creyentes local, la iglesia no debe permitir ningún tipo de confusión. Se había informado que la iglesia en Corinto toleraba el pecado sexual dentro de la comunidad de creyentes. Es en este contexto que Pablo le dice a los miembros de esta iglesia que ni debían comer con esta persona.[11] Debían disociarse de la aceptación del pecado en su medio. La aceptación del pecado impenitente no caracteriza la regeneración. Jesús deja en claro que el último paso del proceso disciplinario es tratar al rebelde como si fuera un incrédulo. Este no es un rechazo permanente sino una suspensión disciplinaria hasta que la persona se arrepienta de su pecado y vuelva al rebaño de Cristo en obediencia santa a la Palabra de Dios.

Pablo también señala que no asociarse con la persona en cuestión, no quiere decir que haya que desasociarse de cualquiera en el mundo:

> Os he escrito por carta, que no os juntéis con los fornicarios; no absolutamente con los fornicarios de este mundo, o con los avaros, o con los ladrones, o con los idólatras; pues en tal caso os sería necesario salir del mundo. Más bien os escribí que no os juntéis con ninguno que, llamándose hermano, fuere fornicario, o avaro, o idólatra, o maldiciente, o borracho, o ladrón; con el tal ni aun comáis. Porque ¿qué razón tendría yo para juzgar a los que están fuera? ¿No juzgáis vosotros a los que están dentro? (1 Corintios 5:9-12).

Este juicio se realiza con razón y únicamente con respecto a la iglesia. Una vez más, vemos el poder de la presencia de Jesús entre los creyentes al tratar con alguien que proclama ser creyente pero que prefiere su pecado a

---

10 Gregory A. Wills, *Democratic Religion: Freedom, Authority, and Church Discipline in the Baptist South, 1785–1900* (Nueva York: Oxford University Press, 2003), 35.

11 Al considerar que Pablo le habla a la congregación y que en el contexto ya ha mencionado a Jesús como el Cordero de la Pascua y la celebración de la Santa Cena, como mínimo, la comida que no deben "comer juntos" es la Mesa del Señor.

la santidad de Dios. La iglesia falla a favor de la santidad y la preservación del nombre de Cristo dentro del cuerpo. Cristo mismo le dio autoridad a la iglesia para llevar esto a cabo. Dios es quien juzga el corazón de todo hombre en el mundo.

El Pecado en Medio del Hogar

La confusión surge cuando un creyente profesante sigue en pecado sin arrepentirse mientras vive en el hogar, o cuando visita a una familia cristiana. Algunos podrían preguntar: si la disciplina de la iglesia resulta en la desvinculación, ¿también tendría que haber disociación en el hogar? ¿Los padres tendrían que dejar de comer con un hijo que profesa ser creyente pero lleva un estilo de vida homosexual? También debemos recordar que la lista de pecados que nos da Pablo no es solo de carácter sexual. Si una esposa que profesa a Cristo se vuelve alcohólica y no responde a la disciplina eclesiástica, ¿el marido tendría que evitar que se siente a la mesa con la familia? ¿Sus hijos creyentes tendrían que disociarse de ella, desobedeciendo y deshonrando a su madre? La desobediencia a los padres está en una lista bastante importante en Romanos 1:29-32.

La única manera en la que alguien respondería de manera positiva a estas preguntas sería si creyera que no hay diferencia entre la naturaleza de la familia y la naturaleza de la iglesia.

No vemos que se le dé a la familia la misma autoridad y responsabilidad que a la iglesia para juzgar al creyente. De hecho, no hay situaciones en las Escrituras en las que una persona sea condenada por los miembros de su familia. Vemos que se dan mandamientos a padres, madres e hijos para la obediencia a Cristo en el ambiente familiar. Vemos un gran ejemplo de esto en Efesios 5:22-6:1.

En un ambiente familiar en el que los padres son creyentes, puede haber un punto de cruce en el cual también sean miembros de la iglesia. Si usamos la misma hipótesis de la mujer que es dada al alcoholismo y que no responde ante la disciplina eclesiástica, su marido es parte de la misma congregación de creyentes que apeló al arrepentimiento de ella. Es posible que haya sido parte del proceso de excomunión de la iglesia. En tal situación, sería de esperarse que la iglesia hiciera todo lo posible para ayudarlos a permanecer juntos mientras el marido trata de llegar a su esposa con el evangelio de Cristo y su liderazgo piadoso. La disociación dentro de la familia en este caso sería crucial, como si la iglesia aprobase el divorcio. Sin duda esta no es la intención de Dios.

En 1 Corintios 5, Pablo no separa el pecado sexual del hombre en cuestión en comparación con cualquier otro pecado de la lista. No importa si se trata de una esposa que cae en el alcoholismo o un hijo que lucha con la homosexualidad, las líneas diferenciadoras entre el hogar y la iglesia son claras. Esto no facilita la situación o el sufrimiento, pero permite que padres y madres se enfoquen en su función de padres centrados en el evangelio, honrando a Dios y usando todas las oportunidades posibles para enseñarles la Palabra de Dios a sus hijos buscando en oración constante que Dios obre en sus vidas.

Durante años, tuve la falsa impresión de que tenía un hijo creyente. La simple realidad es que estaba equivocado. Pero si David no hubiera respondido al llamado con fe y arrepentimiento en su vida hubiera tenido que atravesar por el proceso de la disciplina eclesiástica. En el peor de los casos, si David se hubiera negado a responder al pedido de la iglesia de arrepentimiento, como padre tendría que haber tratado a mi hijo como a un falso cristiano. La pregunta es: ¿cómo se hace esto?

Hay varios artículos de historias de personas que "salieron del armario" y pueden verse por doquier en Internet. Un relato que en particular fue triste era el de un hijo que compartió la carta de su padre como respuesta a su anuncio:

James:

Esta es una carta difícil de escribir pero necesaria. Espero que tu llamada telefónica no haya sido para recibir mi bendición para tu estilo de vida degradante. Tengo gratos recuerdos de nuestro tiempo juntos, pero ahora está todo en el pasado. No esperes más conversaciones conmigo. No habrá ninguna comunicación. No te visitaré y tampoco quiero que entres en mi casa. Has tomado una decisión, aunque equivocada. Este estilo de vida antinatural no es lo que Dios planeó. Si decides no asistir a mi funeral, mis amigos y familia lo entenderán. Que tengas un lindo cumpleaños y una buena vida. No aceptaré ningún intercambio de presentes.

Adiós,

Papá[12]

El bloguero David Murray se entristeció tanto con esta respuesta que escribió una carta que él hubiera preferido que un padre cristiano escribiera:

Mi querido James:

Preferiría decirte esto de hombre a hombre y de cara a cara, y espero tener la oportunidad de hacerlo pronto. Sin embargo, para evitar cualquier malentendido, y para cerciorarme de que no te queden dudas y tengas algo seguro que puedas guardar y a lo que puedas recurrir, quiero asegurarme de que sepas una cosa: **Te amo y siempre te amaré. No te odio y nunca te odiaré.** Probablemente nuestra relación cambiará un poco como resultado del estilo de

---

12 "What Letter Would You Write to a Gay Son?," *HeadHeartHand* (blog), citado 23 de septiembre 2014, http://headhearthand.org/blog/2012/08/08/what-letter-would-you-write-to-a-gay-son/.

vida que elegiste, pero mi amor por ti nunca cambiará. Continuaré ambicionando lo mejor para ti como siempre lo he hecho. A decir verdad, a través de la oración y otros medios, probablemente procuraré tu bien como nunca antes. Quizás tuviste miedo de que te rechazara y te expulsara de mi vida. Quiero que sepas que siempre serás bienvenido en nuestro hogar. Envía emails y mensajes de texto y llamadas telefónicas con frecuencia. Yo lo haré. En especial nos gustaría que vengas a casa para los cumpleaños y otras ocasiones especiales. Espero poder seguir yendo a pescar contigo y compartiendo otras áreas de nuestra vida. Tu amigo puede visitar nuestra casa, pero tendremos que hablar de algunos límites. Por ejemplo, no puedo permitir que compartan el cuarto o la cama mientras estén aquí, y no permitiré demostraciones de afecto públicas entre ustedes, especialmente frente a los otros niños. Si te quedas con nosotros, participarás de los devocionales familiares y si estás con nosotros el domingo irás con nosotros a la iglesia para oír el evangelio. Quizás estos límites no sean fáciles de aceptar, pero por favor trata de entender que tengo un deber para con Dios de liderar mi hogar de manera que lo glorifique. El Salmo 101 me manda a evitar comportamientos pecaminosos en mi hogar. Aunque estoy muy ansioso por preservar mi relación contigo, estoy especialmente preocupado porque tus hermanos sean influenciados a pensar que tu estilo de vida es aceptable ante Dios o nosotros. Sé que no te gusta que diga que tu estilo de vida y prácticas sexuales son pecado. Sin embargo, recuerda que siempre te dije que yo soy un gran pecador, pero tengo un Salvador aun más grande. Espero que llegue el día en el que tú mismo busques a este gran Salvador. Él nos puede limpiar hasta ser blancos como la nieve. También nos puede liberar de las ataduras de nuestros deseos y de la condenación eterna. No mencionaré tu pecado y el evangelio cada vez que nos encontremos, pero quiero que sepas cuál es mi posición desde el principio, y que estoy dispuesto a hablar contigo del evangelio de Cristo cuando lo desees. Espero que no pienses que este mensaje proviene del odio. Así suena el amor. Siempre seré tu papá, y siempre serás mi hijo. Tal como nunca dejaré de amarte, nunca dejaré de orar por ti.

Con todo mi amor,

Papá (Salmo 103:13)[13]

Por lo menos a mí me parece que David Murray entiende la diferencia entre la iglesia y la familia, y su responsabilidad como padre y como siervo de Cristo. A menos que protestara, interrumpiera o estuviera en desacuerdo con el proceso disciplinario de la iglesia local, él solo estaría cumpliendo con su llamado bíblico como padre cristiano.

---

13 Ibid.

Olvida el Orgullo Familiar

Si usted tuviera que escribir la carta anterior, es posible que piense que ha fallado como padre. Espero que después de leer este libro, no juzgue el éxito o el fracaso de la educación de sus hijos a base de un pecado en particular. Un hijo o una hija que ha rechazado a Dios y ha seguido el pecado homosexual no es diferente a un hijo que ha rechazado a Dios en nombre de cualquier otro pecado. Si algo he enfatizado en este libro es que el pecado es pecado y el evangelio es la respuesta. Como padre, cuestioné mis fracasos, y muchas veces me comparé con otras personas. Esto era parte de mi pecado de orgullo.

Al pensar sobre el pecado homosexual en el ambiente familiar, es posible que algunos de los padres que lean esto continúen jugando el juego de las comparaciones. En especial con temas como la homosexualidad, una manera de pensar desviada sobre el pecado puede llevar a los padres de hijos homosexuales a aislarse de sus pares que tienen hijos heterosexuales como si fueran un fracaso. Esto no es solo malentender el pecado, sino también malentender la paternidad.

Stuart Scott y Martha Peace hacen comentarios conmovedores sobre este tema de la comparación y el orgullo en la paternidad:

A veces nos comparamos con otros con envidia dolorosa porque creemos que debemos tener lo que *ellos* tienen. Nos comparamos con autocompasión (dejando a Dios en el banquillo de los testigos)... Examinar nuestra paternidad para evaluar la fidelidad y la necesidad de arrepentimiento es bueno, pero hacer comparaciones ilusorias y examinar resultados con el propósito de encontrar culpables no es bueno. ¡Lleva esos pensamientos cautivos!

A veces usted verá evidencias de buenas prácticas de crianza y jóvenes que están bien sirviendo a Dios. El Señor quiere que responda con gratitud. Sin embargo, es importante saber que cuando piense que está viendo a una familia perfecta y feliz, ¡no es así! Ninguna familia es perfecta ni perfectamente feliz. Todos los hogares tienen sus desafíos y pecados. Todas las personas tienen pruebas en su vida aun si sus hijos no son la causa en el momento. Solo en el cielo tendremos gozo duradero, y nuestras dificultades nos ayudarán a anhelarlo....

También es arrogante medir a otros padres o niños por un momento de comportamiento pecaminoso y egoísta. Cuidado cuando no conoce toda la historia. En otras palabras, evite las comparaciones y los juicios, especialmente a la distancia. Si Dios no lo ha colocado en una posición de tener toda la información y de ser de ayuda, crea lo mejor y recuerde que es responsabilidad del Señor revelar la verdad cuando regrese (1 Corintios 4:5). Mientras tanto, sea un padre fiel y no se compare con otros padres, sean buenos o malos.[14]

El apóstol Pablo después escribió a la iglesia en Corinto: "Porque no nos atrevemos a contarnos ni a compararnos con algunos que se alaban a sí mismos; pero ellos, midiéndose a sí mismos por sí mismos, y comparándose consigo mismos, no son juiciosos" (2 Corintios 10:12).

Cuando valoramos más a nuestros hijos por lo que sus logros contribuyan a nuestra carta familiar de navidad, hemos perdido terreno en su crianza. Si es padre y su hijo o hija anuncia que va a "salir del armario" o que tiene tentaciones relacionadas con la homosexualidad, te animo a no comparar, sino a servir a Dios con fidelidad, y con fidelidad extender gracia y verdad.

Arrepentimiento y Regreso

Entre 1 Corintios y 2 Corintios parece que la iglesia tomó la represión de Pablo con mucha seriedad pero olvidó la meta principal de la disciplina. Para cuando Pablo escribió la carta conocida como 2 Corintios, esta iglesia había llevado a cabo la disciplina a tal punto que el miembro arrepentido no estaba siendo restaurado para volver a la congregación. Esta era una gran oportunidad para que el apóstol le enseñara a la iglesia algo más sobre el verdadero objetivo del proceso disciplinario y la verdadera naturaleza del arrepentimiento.

Pablo demostró verdadera confianza en los hermanos en Corinto. Les había escrito una carta muy dura lo cual les había causado mucha angustia. También se abstuvo de ir a ellos (2 Corintios 1:23), confiando que pondrían atención a sus palabras y obedecerían a Cristo en la situación en la que estaban. Les expresa a los corintios estos sentimientos:

> Esto, pues, determiné para conmigo, no ir otra vez a vosotros con tristeza. Porque si yo os contristo, ¿quién será luego el que me alegre, sino aquel a quien yo contristé? Y esto mismo os escribí, para que cuando llegue no tenga tristeza de parte de aquellos de quienes me debiera gozar; confiando en vosotros todos que mi gozo es el de todos vosotros. Porque por la mucha tribulación y angustia del corazón os escribí con muchas lágrimas, no para que fueseis contristados, sino para que supieseis cuán grande es el amor que os tengo (2 Corintios 2:1-4).

Aquí y en los versículos siguientes, Pablo describe una verdadera situación con la cual la iglesia estaba lidiando. Había una persona real que había causado verdadero dolor en la iglesia por su pecado. La iglesia había confrontado a esta persona y había llevado a cabo la disciplina, y era evidente que esta persona sentía verdadera convicción de pecado y arrepentimiento.

14 Martha Peace y Stuart Scott, *The Faithful Parent: A Biblical Guide to Raising a Family* (Phillipsburg, NJ: P&R Publishing, 2010), 186–187.

Ahora era el momento de que la iglesia restaurase a esa persona, para que no fuera abandonada a una posición desesperada de dolor. La iglesia debía mostrar el mismo perdón que Cristo les había mostrado a ellos:

> Pero si alguno me ha causado tristeza, no me la ha causado a mí solo, sino en cierto modo (por no exagerar) a todos vosotros. Le basta a tal persona esta represión hecha por muchos; así que, al contrario, vosotros más bien debéis perdonarle y consolarle, para que no sea consumido de demasiada tristeza. Por lo cual os ruego que confirméis el amor para con él (1 Corintios 2:5-8).

Algunos teólogos suponen que la persona en cuestión en 2 Corintios 2 es la misma persona que había necesitado la disciplina en 1 Corintios 5. Si esta era la misma persona o no, el pecado nunca afecta solo al pecador. El dolor del pecado en la iglesia afecta a toda la congregación. El pecado debería llevar a toda la congregación a lamentarse. La mayoría quita de su medio al hermano o a la hermana impenitente, y la mayoría debe estar preparada para darle la bienvenida al arrepentido.

Pablo hizo otra cosa para mostrar la belleza extraordinaria de la iglesia. El apóstol guió a sus hijos con relación a esto. Ya les había dicho que no era su intención "señorear" sobre ellos. De hecho, se esforzó por mostrarles que como todos estaban juntos en Cristo, tenían una solidaridad orgánica. Hizo conocer tal solidaridad al animarlos a perdonar y al unirse a ellos en el perdón:

> Y al que vosotros perdonáis, yo también; porque también yo lo que he perdonado, si algo he perdonado, por vosotros lo he hecho en presencia de Cristo, para que Satanás no gane ventaja alguna sobre nosotros; pues no ignoramos sus maquinaciones (2 Corintios 2:10-11).

Aunque Pablo no era miembro de la iglesia local, se unió a ellos en la disciplina y en el perdón. Una vez les había dicho que entregaran al pecador a Satanás para la destrucción de la carne y la salvación del espíritu, pero ahora le dice a la iglesia que no deje al pecador en las garras de Satanás. Tenían que estar unidos en el momento de mandar a los pecadores al mundo y para recibir de vuelta a los arrepentidos. La iglesia local representa a Cristo y a todo su cuerpo en un ambiente local. Si un hermano o hermana tiene que alejarse al ser disciplinado por el pecado, la autoridad para completar esa tarea viene de Cristo. Que el disciplinado solo se vaya a otra iglesia donde su pecado es aceptado no puede ser la respuesta. Hay unidad en Cristo en la disciplina por el pecado y en la restauración del santo arrepentido para que vuelva al cuerpo local como reflejo de Cristo y su cuerpo. Es una solidaridad orgánica que cambiar de iglesia no solucionará, por lo menos no a los ojos de Dios. Aquellos que no estén dispuestos a aceptar la represión amorosa, al final sufrirán pérdida al no experimentar la maravilla del perdón y del crecimiento en santidad.

"Mejor es represión manifiesta que amor oculto. Fieles son las heridas del que ama; pero importunos los besos del que aborrece" (Proverbios 27:5-6). Cuando somos parte de una iglesia realmente bíblica descubrimos lo que es el verdadero amor. Pablo demostró este amor al reprender a los corintios por aprobar el pecado en 1 Corintios 5. Les escribió cartas que equivalían a lo que podríamos llamar "amor severo", pero lo hizo sin remordimiento. Su amor severo había resultado en un verdadero arrepentimiento:

> Porque aunque os contristé con la carta, no me pesa, aunque entonces lo lamenté; porque veo que aquella carta, aunque por algún tiempo, os contristó. Ahora me gozo, no porque hayáis sido contristados, sino porque fuisteis contristados para arrepentimiento; porque habéis sido contristados según Dios, para que ninguna pérdida padecieseis por nuestra parte. Porque la tristeza que es según Dios produce arrepentimiento para salvación, de que no hay que arrepentirse; pero la tristeza del mundo produce muerte. Porque he aquí, esto mismo de que hayáis sido contristados según Dios, ¡qué solicitud produjo en vosotros, qué defensa, qué indignación, qué temor, qué ardiente afecto, qué celo, y qué vindicación! En todo os habéis mostrado limpios en el asunto (2 Corintios 7:8-11).

Esta es la apariencia del verdadero dolor y de la convicción. No es vergüenza o pesar por haber sido descubierto. El objetivo de esta disciplina es que la persona reconozca, se convenza de pecado y se lamente con un dolor piadoso que lo lleve al verdadero arrepentimiento. Esto puede acontecer en cualquiera de las etapas de la disciplina de la iglesia, y la mayoría de las veces ocurre con la amonestación de un verdadero amigo.

En el área de la homosexualidad veo mucho dolor mundano. Puede sonar muy duro, pero libros como los que Justin Lee y Matthew Vines escribieron muestran que sienten una sincera angustia por su situación y por la falta de aceptación de su homosexualidad. Pero este dolor no parece ser el dolor piadoso del que habla Pablo. Sus argumentos están repletos de pasajes de las Escrituras tergiversados para justificar su rechazo hacia la prohibición de Dios de su pecado. Solo podemos apelar a su corazón y advertirles de que están andando en un camino peligroso. Es evidente que tanto Justin Lee como Mathew Vines y otros en la misma situación están afligidos, pero solo el dolor *piadoso* puede producir verdadero arrepentimiento. No podemos lamentarnos en secreto sin responsabilizarnos. El verdadero dolor lleva a una verdadera restauración a través del verdadero arrepentimiento. La comunidad eclesiástica en parte existe para fortalecernos mutuamente. Cualquier hermano o hermana que esté convencido de pecado debería encontrar brazos abiertos en el cuerpo de Cristo para aceptarlo de vuelta al rebaño y para darle tanto apoyo como sea posible para ayudarlo a hacer morir el pecado en su vida. Todos nosotros necesitamos esto.

El dolor de la iglesia en Corinto era una fuente de gozo para Pablo. En esta carta, termina jactándose de ellos porque la obra de Cristo en su vida se había manifestado en su obediencia. Culmina esta sección escribiendo: "Me gozo de que en todo tengo confianza en vosotros" (2 Corintios 7:16).

Todos Tenemos Pródigos

Ya sea un hermano o una hermana que resistió a la corrección amorosa de la iglesia local o un hijo o hija que vive en rebeldía intencional contra Dios, nuestro anhelo en la iglesia y en la familia es ver que todo individuo venga al arrepentimiento y a la fe en Cristo, viviendo en sumisión a su señorío. El corazón de Cristo en este asunto se describe de una manera excelente en las parábolas que encontramos en Lucas 15, especialmente en la historia del hijo pródigo. En el contexto, cada una de las parábolas de Lucas 15 demuestra la gracia y el perdón de Dios para instruir a los fariseos que se sentían superiores y acusaban a Jesús. Cada uno de los puntos es relevante para todos nosotros en la iglesia. Nuestra naturaleza humana con facilidad nos puede colocar en una posición en la cual pensamos que somos mejores que los demás y más merecedores de la gracia, como si la gracia se pudiera merecer. Por nuestro orgullo y sentido de superioridad humanos guardamos rencor y tratamos a los demás con desdén. Los fariseos miraban a Jesús de esta manera cuando lo veían comiendo con los publicanos y pecadores. Estaban tan ocupados filtrando su propio desprecio a través de su piedad falsa y actitud de superioridad que no eran capaces de ver su propia necesidad de un Salvador. También eran incapaces de ver el valor precioso de cada alma perdida frente a ellos.

Jesús proclama que en vez de responder con desprecio y superioridad debemos tener compasión por los pecadores y esperanza en el evangelio para que abunde el gozo. Cuando hay una oveja perdida, el pastor deja las noventa y nueve restantes para encontrarla. Cuando la encuentra, llama a sus amigos porque es motivo para regocijarse. Cuando se pierde una moneda valiosa, la mujer da vuelta la casa buscándola hasta encontrarla. Cuando la encuentra, llama a sus amigas porque es motivo para regocijarse (Lucas 15:4-10). En ambas parábolas, Jesús compara el gozo con la alegría en el cielo cuando un individuo experimenta la gracia de Dios en la salvación a través de la fe. "Así os digo que hay gozo delante de los ángeles de Dios por un pecador que se arrepiente" (Lucas 15:10).

En la famosa parábola del hijo perdido (pródigo), se describe la misma celebración:

> Y el hijo le dijo: Padre, he pecado contra el cielo y contra ti, y ya no soy digno de ser llamado tu hijo. Pero el padre dijo a sus siervos:

Sacad el mejor vestido, y vestidle; y poned un anillo en su mano, y calzado en sus pies. Y traed el becerro gordo y matadlo, y comamos y hagamos fiesta; porque este mi hijo muerto era, y ha revivido; se había perdido, y es hallado. Y comenzaron a regocijarse (Lucas 15:21-24).

Observe que aquí el hijo ha vuelto verdaderamente arrepentido reconociendo que no es digno de ser llamado hijo. En el padre vemos representada la naturaleza de la gracia de Dios que da misericordia a su hijo indigno. Las riquezas de esa misericordia se demuestran no solo en el hecho de que acepta de nuevo al hijo sino también en que el hijo está sentado en un gran banquete.

Si el proceso de la disciplina en la iglesia resulta en el arrepentimiento de un hermano perdido, ésta tendría que ser la reacción de la iglesia. La celebración tendría que ser un reflejo terrenal de la misma celebración en el cielo cada vez que una oveja perdida se arrepiente. Nuestra celebración no es solo por el regreso del pecador arrepentido sino por la gloria visible del amor y gracia de Dios en su vida. Es la celebración del Salvador.

El punto principal al cual tenemos que prestar atención en la parábola del hijo pródigo es el que Jesús les señaló a los fariseos. El enfoque de Jesús aquí está sobre el hermano mayor, quien se opuso en gran manera al gozo de su padre y al trato generoso del hijo pródigo. El hermano mayor estaba enojado. "Mas él, respondiendo, dijo al padre: He aquí, tantos años te sirvo, no habiéndote desobedecido jamás, y nunca me has dado ni un cabrito para gozarme con mis amigos" (Lucas 15:29). En el hijo mayor Jesús ilustra la misma desilusión de las "obras de la salvación" que se encuentran detrás de las actitudes de superioridad que muchos de nosotros solemos tener. El hijo mayor nunca se había ganado su posición de hijo, y francamente nunca hubiera podido hacerlo. Era un reflejo directo de la hipocresía de los fariseos que estaban engañados al pensar que guardaban la ley y merecían su lugar en la familia de Dios.

John MacArthur explica la hipocresía del hijo mayor:

¿Cómo es que la hipocresía alimenta el orgullo? Podríamos pensar que el hipócrita sería capaz de manejar una pizca de humildad para equilibrar las cosas. Después de todo, sin duda él, entre todas las personas, sabe que lo que pretende ser no coincide con la realidad de quien realmente es. ¿Por qué este tipo de persona también es orgullosa sin excepción?

La respuesta obvia es que es tan bueno para mentirse a sí mismo como para engañar a otros. Por lo tanto, está completamente engañado. Siendo que el hipócrita finge ser bueno, está bajo la ilusión de que ha hecho algo bueno, y por lo tanto, piensa que es bueno. Hizo todas las "buenas obras" para beneficiarse a sí mismo, y por supuesto, se siente satisfecho. Entierra la verdad de quien él es en su interior, lo más profundo que puede, sofoca su conciencia, y de ese modo no tiene dificultades en mantener la ilusión en su propia mente de que nunca jamás descuidó algún mandamiento.[15]

¿Cuál es la moraleja de la historia? El corazón de Dios de perdón y amor nunca se demuestra mejor que cuando vemos a alguien perdido encontrar la salvación. Este corazón debe representarse en las actitudes y acciones de la iglesia. La iglesia debe mostrar un corazón lleno de gracia como el de Cristo y no el corazón legalista de los fariseos. Este corazón también debe representarse en las actitudes y acciones de los padres que tratan de alcanzar a sus hijos perdidos. Nuestro Dios es perdonador, y espera que tengamos el mismo espíritu de perdón. Cuando un hermano o hermana se arrepiente, perdonamos. Cuando no se arrepiente, permanecemos listos para perdonar. Podemos perdonar porque Cristo primero nos perdonó a nosotros. La única razón por la que no lo haríamos con un hermano o hermana que ha renunciado a la homosexualidad, y busca la restauración como creyente en Jesús, sería si estuviéramos manifestando la misma actitud que vimos en los fariseos y en el hijo mayor. En este momento, volvamos a 1 Corintios 6:11: "Y esto erais algunos".

Este es un recordatorio para la iglesia. El verdadero amor por los hermanos en la iglesia se refleja en nuestras verdaderas expectativas mutuas de vivir vidas santas que glorifiquen a nuestro Salvador. Esto se refleja en una disposición fiel para decirnos la verdad y ayudarnos a identificar y hacer morir el pecado. También se refleja en nuestra disposición para tolerar a quienes se llaman hermanos pero permanecen rebeldes en pecado sin arrepentimiento. Se refleja en el "amor severo". Continuamos reflejando el corazón de Dios cuando nos lamentamos por la seriedad del pecado y por la oveja perdida. Ese corazón se refleja aun más, no solo en la disposición para volver a aceptar al pecador arrepentido, sino en hacerlo con gozo y celebración alabando a Dios quien trajo restauración y salvación a través del evangelio. Es aquí que el perdón llega a ser un banquete de celebración. Estaba perdido, pero fue hallado, así que maten el becerro gordo.

Éste también es un recordatorio para la familia. Cuando se concibe un hijo, los padres ya están cuidando a un pródigo. Todos tenemos pródigos, y por ese motivo tenemos gran afinidad con la parábola del hijo pródigo. Nosotros también fuimos pródigos. Siempre hay solo una respuesta para los pródigos. Es la misma siempre: el evangelio de Jesucristo.

Pensamientos Finales

Escribí este último capítulo con gran preocupación. La pregunta de cómo lidiar con un hijo que anuncia ser gay ha desconcertado a mucha gen-

---

15 John MacArthur, *A Tale of Two Sons: The Inside Story of a Father, His Sons, and a Shocking Murder* (Nashville, TN: Thomas Nelson, 2008), 178.

te. Algunos pueden estar desconcertados solo porque son ignorantes de la naturaleza humana del pecado y colocan el pecado de la homosexualidad en la cima de la pila de suciedad. Algunos pueden estar desconcertados porque cuando aparecen en las Escrituras afirmaciones como "con el tal ni aun comáis" (1 Corintios 5), cometen el error de aplicar mal la responsabilidad de la iglesia local a la familia. Si confundimos la naturaleza de la iglesia con la de la familia, le causamos un gran perjuicio a ambas instituciones y podríamos dañar la prioridad del evangelio. Si un miembro no regenerado de la familia puede ser conocido como parte de la iglesia, de verdad tenemos el problema de un evangelio indirecto, o sea, uno que no es claro.

Aplicar los pasajes sobre la disciplina eclesiástica a la unidad familiar es aplicar un patrón disciplinario completamente diferente a los padres. ¿Vamos a pedirle al pastor local que comience a usar la vara para no malcriar a los niños de su congregación? Creo que no. No debemos confundir el amor severo que se requiere para proteger la naturaleza de la iglesia con la severidad innecesaria en el hogar, lo cual tiene como resultado la exasperación de nuestros hijos, aun los adultos.

Cualquiera que esté leyendo este libro se dará cuenta de que hay un fuerte énfasis aquí en la autoridad bíblica. Es mi esperanza que esta autoridad también haya enfatizado nuestra necesidad de bondad y gracia. Aunque me doy cuenta de que terminar el libro con un capítulo sobre la disciplina en la iglesia podría fácilmente resultar en el énfasis equivocado, necesitamos que las iglesias enseñen correctamente sobre temas como la homosexualidad, con equilibrio y gracia, de manera a proveer un ambiente seguro en el cual los jóvenes pecadores que estén luchando o confundidos puedan pedir ayuda. Un pedido de ayuda no significa que de inmediato debamos a lanzarnos a la profundidad de la piscina de la disciplina eclesiástica. La iglesia tampoco debería permitir que los miembros rebeldes que resisten a la corrección amorosa mantengan el nombre de hermano o hermana. Aun así, es mi esperanza haberlo animado a permanecer firme en la fuerza bíblica con gracia y a guiar a los pecadores en dirección a Jesús como la única respuesta. También espero y oro para que como resultado de estas palabras haya pródigos que estaban atrapados en la desesperación del pecado sexual que sean bienvenidos con una cálida celebración de vuelta a las congregaciones que los aman a través del arrepentimiento y el perdón.

Como padre, este viaje a través de las respuestas bíblicas para la tentación homosexual no era solo algo que necesitaba yo mismo, sino que después de comprender este tema con mucha más claridad, se volvió algo que quería compartir desesperadamente. Si todos pudiéramos responder a estos asuntos tanto en la iglesia como en la familia o en ambos, llegaríamos muy lejos ayudando a la próxima generación a atacar uno de los asuntos cruciales que definen hoy nuestra cultura, algo que no va a desaparecer. Como resultado de la lectura de este libro espero que haya aprendido lo siguiente:

1. Cuál debe ser nuestra actitud hacia la tentación y el pecado homosexual.
2. Por qué hay una conexión tan clara entre Génesis y este tema.
3. Cómo defendernos contra los ataques hacia la enseñanza bíblica en esta área.
4. Qué debemos saber sobre los argumentos de nuestra cultura.
5. Por qué podemos confiar en que la Biblia es la única autoridad verdadera para enseñar sobre la sexualidad.
6. Cómo entender los fundamentos bíblicos de la hombría y la femineidad bíblicas.
7. Cómo identificar las distinciones bíblicas de género.
8. Cómo encontrar ayuda basada en la suficiencia bíblica.
9. Por qué el evangelio de Cristo es *la* solución para todo ser humano.
10. Por qué debemos identificar y luchar contra el orgullo para ayudar a otros.
11. Cómo debemos responder cuando un ser querido o miembro de la iglesia dice "soy gay".

A lo largo de este libro ha habido elementos de testimonios de padre e hijo. Obviamente, escribir un testimonio así no siempre es fácil, considerando que muchas veces este tema se representa mal tanto por el público en general como en los contextos de la iglesia. Todas las veces que advertí a David en cuanto a esto, respondió con gran confianza: "Papá, la gente necesita estas respuestas. No me importa lo que digan sobre mí". Bien, el tiempo dirá. Sin embargo, confío en una cosa: quien ha hecho una buena obra en mí y en mi hijo continuará haciéndola hasta su regreso (Cf. Filipenses 1:6).

Por último, estoy agradecido. Sí, agradecido. Estoy agradecido porque por el pecado de David, Dios señaló el mío. Estoy agradecido porque Dios es tan soberano que aun usa nuestra rebeldía para mostrar su gloria. Estoy agradecido porque Dios ha sido clemente sin medida. Y estoy agradecido porque Jesús murió en la cruz y resucitó en victoria.

Es por mi precioso Jesús que también puedo decir las siguientes palabras con completa convicción: Amo a las personas que están atrapadas en la desesperación de la homosexualidad, y oro para que el Señor me use aun a mí para proclamarles la esperanza del evangelio. Hay un joven que solía ser pródigo, llamado David, quien es un ejemplo vivo de la gracia de Cristo.

Solo en Jesús hay esperanza.

La Perspectiva de David

Si ha leído este libro, probablemente es porque lo necesitaba. Después de compartir mi testimonio en la iglesia, muchas personas se me acercaron y me dijeron que mi historia los había ayudado y los había animado. No me miraban como a un sucio pecador, sino que veían cómo me había salvado Jesús. Como resultado de mi testimonio, un joven me dijo que iba a decirles a sus padres sobre su problema y pediría ser aconsejado bíblicamente. Si este libro anima a más personas a buscar ayuda y a dar ayuda, ha valido la pena.

Cuando mi papá y yo comenzamos a hablar sobre este libro, los dos queríamos lo mismo. Queríamos hablar la verdad en amor. Queríamos contar una historia de esperanza, y queríamos que las personas supieran que en Jesús la victoria en verdad es posible. Lamentablemente, la mayoría de las personas no sabe qué hacer con relación a la atracción hacia el mismo sexo o a la homosexualidad. Parecen tenerle miedo, como si fuera diferente a los otros pecados. Experimenté muchas reacciones diferentes de mis amigos y otros cuando los rumores volaban. Muchas personas querían tratarme de manera diferente, y quizás algunos todavía lo deseen. Este libro también es para ellos. Ninguno de nosotros en realidad es diferente. Todos necesitamos perdón. Como cualquier pecador, mi lucha acontecía porque mi corazón pecaminoso la causaba. Mi esperanza es que este libro haya ayudado a que las personas se den cuenta de que el corazón pecaminoso nos coloca a todos en el mismo nivel. También puede servir para que más personas estén preparadas para ayudar a otros pecadores a encontrar perdón y esperanza en Jesús al leer este libro. Estoy agradecido porque tuve amigos y familia que me amaron lo suficiente como para ayudarme a aplicar la verdad bíblica a mi vida y a encontrar la esperanza del evangelio.

Quizás esperas oírme decir que ahora deseo un día casarme con una hermosa muchacha. De verdad espero que Dios me dé esa oportunidad, y estoy ansioso por hacer lo mejor que pueda para honrar a Dios y a mi futura esposa como un marido piadoso. Espero que mi matrimonio un día sea un reflejo real de Cristo y su iglesia. De este modo, si alguna vez tengo la oportunidad de amar a una novia, quiero hacerlo como Jesús. Lo amamos porque él nos amó primero.

La Perspectiva de Peter

Muchas veces los cristianos somos conocidos por disparar y después dibujar el blanco alrededor de la marca que hicimos. Lo hacemos porque queremos estar agradecidos por lo que Dios ha hecho, y celebrar el "triunfo" que nos consiguió. Sin embargo, también lo hacemos porque en realidad no sabemos a qué le estamos disparando.

¿Cómo se define el "triunfo" en el caso de David? Puedes estar tentado a pensar, como yo a veces, que la meta para quien lucha con la homosexualidad es la heterosexualidad. A primera vista, esto parece obvio ya que parece la mayor señal de arrepentimiento, la prueba positiva de que alguien anda en dirección opuesta a la anterior.

Sin embargo, esta manera de pensar erra al blanco según la Palabra de Dios. En 2 Corintios 5:9 dice: "Por tanto procuramos también, o ausentes o presentes, serle agradables". Tan simple, pero tan profundo.

La meta de David para su vida no es la heterosexualidad, sino la *santidad*. La misión de la vida de David no se define por las prohibiciones escriturales, sino por su obediencia a los mandatos a lo largo de la Biblia que nos instruyen sobre cómo agradar a Dios con nuestras vidas. Esta búsqueda de la santidad es la que el apóstol Pablo llama "racional" en Romanos 12:2. En otras palabras, solo tiene sentido que respondamos al evangelio con un deseo de vivir vidas santas, aceptables y agradables a Dios. David se esfuerza para ese fin, yo también debería hacerlo y usted también si es hijo de Dios como nosotros.

Es mi esperanza y oración que esta historia de una vida transformada produzca en usted entusiasmo por la gracia transformadora de Dios y su Palabra que nos fue dada para que seamos completos, preparados para toda buena obra (2 Timoteo 3:17). En Cristo hay esperanza y ayuda para todas las cosas que pertenecen a la vida y a la piedad a medida que buscamos conocerlo (2 Pedro 1:3) Hay esperanza y ayuda para aquellos que se involucran con otros en comunión con la misma meta de agradar al Señor con su vida. Cuando nuestros ojos se cierren al morir, que se diga de usted y de mí, amigo, que procuramos acompañar la obra del Espíritu en nuestro corazón y mente, y que nuestro amor por Cristo abundó más y más a medida que buscábamos conocer y vivir de acuerdo con la omnipotente Palabra de Dios.

Para completar estos pensamientos, quiero expresar una gran alegría. He sido testigo de una trasformación en mi hijo. Le doy gracias a Dios por la vida de David y por darme un amor tan grande por él. Me di cuenta que de hecho David "salió del armario", pero fue algo diferente, salió de la oscuridad a la luz. En agradecimiento a Dios, escribo estas últimas palabras para mi hijo a quien amo.

Un Nuevo Salir

Ven y deja la oscuridad de la cual viniste

Concebido en pecado y con culpa naciste

Sordo a la verdad salvadora

Ciego por tu juventud pretenciosa

Sal de aquello que te tiene atado

Sal, hijo mío,

Sal.

Ven y a quien te esclaviza quiero que veas

Obligado por el poder de lo que deseas

En la prisión de un tirano que te gobierna

Que se opone a la luz en plena guerra

Sal de las garras malvadas de Satanás

Sal, hijo mío,

Sal.

Ven y ve detrás de su máscara al mundo

Ya no escondas su plan inmundo

Hoy tus deseos son una desilusión

Pues no le importa el desvío de tu corazón

Sal de esta vida en el mundo

Sal, hijo mío,

Sal.

Ven y huye de la oscuridad eterna
La vida después de la tumba te espera
Cuando Dios juzgará todo tu camino
El cual determina tu destino
Sal de la ira que tienes sobre tu alma
Sal, hijo mío,
Sal.

Ven y oye el llamado ancestral
Que comenzó antes de tu pecar
Desde el pasado infinito llega
Donde tu esperanza es verdadera
Sal y oye la voz de tu Salvador
Sal, hijo mío,
Sal.

Ven y encuentra ese hecho que ilumina
Escondido en un acto que expía
El Mesías no murió en vano
Fue por ti que el Cordero fue inmolado
Sal para ver la cruz
Sal, hijo mío,
Sal.

Ven y conoce el evangelio glorioso y su victoria
Ya no eres condenado desde ahora
Por gracia a través de la fe en Jesucristo
El perdón desde el trono del cielo has recibido
Sal y confía en Jesucristo
Sal, hijo mío,
Sal.

Ven y mata al viejo hombre donde está
Al nuevo hombre Jesucristo abrazará
La vieja vida ha sido crucificada
Ya no estarás en la celda mundana
Sal y vive en la ley de Cristo
Sal, hijo mío,
Sal.

Ven y ve tu descanso eterno
Reclama tu derecho de heredero
Esta esperanza para siempre es tuya
Para perseverar en la lucha
Sal y espera a tu Salvador
Sal, hijo mío,
Sal.

Ven y cuéntales lo que ha hecho Dios
La gracia que por su Hijo derramó
Proclama las buenas nuevas en toda nación
Fuente inagotable de salvación
Sal y haz discípulos del Señor
Sal, hijo mío,
Sal.

Bibliografía

Libros

Alexander, T. Desmond. *From Paradise to the Promised Land: An Introduction to the Pentateuch.* Grand Rapids, MI: Baker Academic, 2012.

Bagemihl, Bruce, *Biological Exuberance: Animal Homosexuality and Natural Diversity.* Nueva York: St. Martin's Press, 1999.

Baker, Amy, *Getting to the Heart of Friendships.* Bemidji, MN: Focus Publishing, 2010.

Baucham, Voddie. *What He Must Be—If He Wants to Marry My Daughter.* Wheaton, IL: Crossway Books, 2009.

Baxter, Richard. *The Practical Works of Richard Baxter: With a Preface; Giving Some Account of the Author, and of This Edition of his Practical Works: An Essay on His Genius, Works, and Times; and a Portrait, in Four Volumes.* Grand Rapids, MI: Soli Deo Gloria Pub., 2008.

.... *The Saints' Everlasting Rest.* Editado por Timothy K. Beougher. Wheaton, IL: Billy Graham Center, 1994.

Beale, G. K. *The Temple and the Church's Mission: A Biblical Theology of the Dwelling Place of God.* Downers Grove, IL: Apollos; Inter-Varsity Press, 2004.

Beeke, Joel R., y Mark Jones. *A Puritan Theology.* Grand Rapids, MI: Reformation Heritage Books, 2012.

Bigney, Brad. *Gospel Treason: Betraying the Gospel with Hidden Idols.* Phillipsburg, NJ: P & R Publishing, 2012.

Burk, Denny. *What Is the Meaning of Sex?,* Wheaton. IL: Crossway, 2013.

Butler, Judith. *Gender Trouble: Feminism and the Subversion of Identity.* 1ª edición, Nueva York: Routledge, 2006.

Butterfield, Rosaria. *The Secret Thoughts of an Unlikely Convert.* Pittsburgh, PA: Crown & Covenant Publications, 2012.

Calvino, Juan, y Rob Roy McGregor. *Sermons on Genesis, Chapters 1:1– 11:4: Forty-Nine Sermons Delivered in Geneva Between 4 September 1559 and 23 January 1560.* Edinburgo; Carlisle, PA: Banner of Truth Trust, 2009.

.... *Sermons on Genesis Chapters 1–11*. Traducido por Rob Roy Mc-Gregor. Edinburgo: Banner of Truth, 2009.

Carson, D. A. ed. *New Bible Commentary: 21st Century Edition*. 4ª edición, Leicester, Inglatierra; Downers Grove, IL: Inter-Varsity Press, 1994.

Charnock, Stephen. *Christ Crucified: A Puritan's View of the Atonement*. Fearn, Ross-shire, RU: Christian Focus, 2003.

Dempster, Stephen G. *Dominion and Dynasty: A Biblical Theology of the Hebrew Bible*. Leicester, Inglatierra; Downers Grove, IL: Apollos; InterVarsity Press, 2003.

Fernando, Ajith. *Crucial Questions about Hell*. Sussex, RU: Kingsway Publications, 1991.

Freud, Sigmund. "Freud", en el tomo 54, *Great Books of the Western World*. Editado por Mortimer J. Adler. Encyclopedia Britannica, Inc., 1952.

.... "Letter 277", *Letters of Sigmund Freud*. Nueva York: Dover Publications, 1992.

Gagnon, Robert A. J. *The Bible and Homosexual Practice: Texts and Hermeneutics*. Nashville, TN: Abingdon Press, 2001.

Gordon, T. David. *Why Johnny Can't Preach: The Media Shaped the Messengers*. New Jersey: P & R Publishing, 2009.

Grudem, Wayne. *Evangelical Feminism & Biblical Truth*, Sisters. OR: Multnomah, 2004.

Hallman, Janelle M. *The Heart of Female Same-Sex Attraction: A Comprehensive Counseling Resource*. Downers Grove, IL: IVP Books, 2008.

Ham, Ken. *Why Won't They Listen?* Green Forest, AR: Master Books, 2002.

.........., Britt Beemer y Todd Hillard, *Already Gone: Why Your Kids Will Quit Church and What You Can Do to Stop It*. Green Forest, AR: Master Books, 2009.

Hamilton, James M. *God's Glory in Salvation through Judgment: A Biblical Theology*. Wheaton, IL: Crossway, 2010.

Hirshman, Linda R. *Victory: The Triumphant Gay Revolution*. Nueva York: Harper Perennial, 2013.

Hoekema, Anthony. *Created in God's Image*. Grand Rapids, MI: Eerdmans, 1986.

Hollinger, Dennis P. *The Meaning of Sex, Christian Ethics, and the Moral Life*. Grand Rapids, MI: Baker Academic, 2009,

Kennedy, D. James, y Jerry Newcombe. *What's Wrong with Same-Sex Marriage?* Wheaton, IL: Crossway Books, 2004.

Lambert, Heath. *Counseling the Hard Cases: True Stories Illustrating the Sufficiency of God's Resources in Scripture.* Nashville, TN: B&H Academic, 2012.

Lee, Justin. *Torn: Rescuing the Gospel from the Gays-vs.-Christian Debate.* Nueva York: Jericho Books, 2012.

LeVay, Simon. *Gay, Straight, and the Reason Why: The Science of Sexual Orientation.* Nueva York; Oxford: Oxford University Press, 2012.

MacArthur, John F. *Our Sufficiency in Christ.* Wheaton, IL: Crossway, 1998.

.... *A Tale of Two Sons: The Inside Story of a Father, His Sons, and a Shocking Murder.* Nashville, TN: Thomas Nelson, 2008.

Mahaney, C. J. *Living the Cross Centered Life: Keeping the Gospel the Main Thing.* Sisters, OR: Multnomah, 2006.

Mohler, Jr., R. Albert. "A Confessional Evangelical Response", *Four Views on the Spectrum of Evangelicalism.* Editado por Andrew David Naselli y Collin Hansen. Grand Rapids, MI: Zondervan, 2011.

.... *Culture Shift: The Battle for the Moral Heart of America.* Nueva York: Multnomah, 2011.

.... "Preaching with the Culture in View", Mark Dever et al., *Preaching the Cross.* 1ª edición, Wheaton, IL: Crossway, 2007.

Owen, John. *The Glory of Christ.* Edición abreviado, Edimburgo: Banner of Truth, 1994.

Packer, J. I. *El Conocimiento del Dios Santo.* Miami: Vida, 2006.

Peace, Martha, y Stuart Scott, *The Faithful Parent: A Biblical Guide to Raising a Family.* Phillipsburg, NJ: P & R Publishing, 2010.

Piper, John. *What's the Difference? Manhood and Womanhood Defined According to the Bible.* Wheaton, IL: Crossway Books, 2001.=

.... y Justin Taylor. *Sex and the Supremacy of Christ.* Wheaton, IL: Crossway Books, 2005.

Polhill, John B. *Paul and His Letters.* Nashville, TN: Broadman & Holman, 1999.

Powlison, David. *Seeing with New Eyes: Counseling and the Human Condition Through the Lens of Scripture.* Phillipsburg, NJ: P & R Publishing, 2003.

Priolo, Lou. *Pleasing People: How Not to Be an Approval Junkie.* Phillipsburg, NJ: P & R Publishing, 2007.

Reymond, Robert L. *A New Systematic Theology of the Christian Faith.* Nashville, TN: Thomas Nelson, 1998.

Robertson, A. T. *Word Pictures (#04 What is this?) Paul.* Nashville, TN: Broadman & Holman, 1960.

Rogers, Carl, y Peter D. Kramer, *On Becoming a Person: A Therapist's View of Psychotherapy.* 1ª edición. Milwaukee, WI: Mariner Books, 1995.

Scott, Stuart. *From Pride to Humility: A Biblical Perspective.* Bemidji, MN: Focus Publishing, 2002.

.... y Heath Lambert, eds., *Counseling the Hard Cases.* Nashville, TN: Broadman & Holman, 2012.

.... y Zondra Scott. *Killing Sin Habits: Conquering Sin with Radical Faith.* Bemidji, MN: Focus Publishing, 2013.

Skinner, B. F. *Beyond Freedom and Dignity.* Nueva York: Knopf, 1971.

Spurgeon, C. H. *The Metropolitan Tabernacle Pulpit: Sermons Preached by C. H. Spurgeon.* tomo 46, Texas: Pilgrim Publications, 1977.

Stinson, Randy, y Timothy P. Jones, eds., *Trained in the Fear of God: Family Ministry in Theological, Historical, and Practical Perspective.* Grand Rapids, MI: Kregel, 2011.

Tripp, Paul David. *Instruments in the Redeemer's Hands: People in Need of Change Helping People in Need of Change.* Phillipsburg, NJ: P & R Publishing, 2002.

Trobisch, Walter. *I Married You.* Bolivar, MO: Quiet Waters, 2000.

Vincent, Milton. *A Gospel Primer for Christians: Learning to See the Glories of God's Love.* Bemidji, MN: Focus Publishing, 2008.

Vines, Matthew. *God and the Gay Christian: The Biblical Case in Support of Same-Sex Relationships.* Nueva York: Convergent Books, 2014.

Wills, Gregory A. *Democratic Religion: Freedom, Authority, and Church Discipline in the Baptist South. 1785–1900,* Nueva York: Oxford University Press, 2003.

Winslow, Octavius. *The Sympathy of Christ.* Harrisonburg, VA: Sprinkle Publications, 1994.

Wright, Steve, y Chris Graves, *A Parent Privilege: That the Next Generation Might Know—Psalm 78:6.* Wake Forest, NC: In Quest Publishing, 2010.

Yuan, Christopher, y Angela Yuan. *Out of a Far Country: A Gay Son's Journey to God; A Broken Mother's Search for Hope.* Colorado Springs, CO: WaterBrook Press, 2011.

Revistas

Bailey, Michael, y Richard Pillard. "A Genetic Study of Male Sexual Orientation", *Archives of General Psychiatry* 48, no. 12 (1991).

LeVay, Simon. "A difference in hypothalamic structure between heterosexual and homosexual men", *Science* 253, no. 5023 (agosto 1991).

Schreiner, Thomas R. "A New Testament Perspective on Homosexuality", *Themelios* 31, no. 3 (1 de abril 2006).

Wenham, G. J. "The Old Testament Attitude to Homosexuality", *The Expository Times* 102, no. 12 (1 de septiembre 1991).

Internet

Baucham, Voddie. "Is the Church a Family of Families? Part 1", *Grace Family Baptist Church*, citado 5 de enero 2014, http://www.gracefamilybaptist.net/topics-and-issues/church-family-families-part-1/.

Denson, G. Roger. "Homosexuality as Population Control?" Why Gays & Lesbians Are Essential to the Balance of Nature". *Huffington Post*, 17 de noviembre 2010, http://www.huffingtonpost.com/g-roger-denson/is-homosexuality-populati_b_784449.html.

"Family Acceptance Project Publications", Family Acceptance Project, citado 8 de agosto 2014, familyproject.sfsu.edu/publications.

"Gay Conversion Therapy Ban Stands in California", *TIME*, citado 8 de agosto 2014, http://time.com/2940790/california-ban-on-gay-conversion-therapy-stands/.

Golden, Steve. "The Influence of Postmodernism, Part 6: Queer Theory", Answers in Genesis, 27 de marzo 2013, http://www.answersingenesis.org/articles/aid/v8/n1/influence-of-postmodernism-queer-theory.

Hamilton, James M. "The Church Militant and Her Warfare: We Are Not Another Interest Group", *Southern Baptist Journal of Theology* 11, no. 4 (2007): 70–80, http://jimhamilton.info/wp-content/uploads/2008/02/the-church-militant-and-her-warfaresbjtformatted.pdf.

Kaplan, Karen. "Did Neil Armstrong Really Say, 'That's One Small Step for a Man'?", *Los Angeles Times*, 5 de junio 2013, http://www.latimes.com/science/sciencenow/la-sci-sn-neil-armstrong-one-small-step-for-a-man-20150605-story.html.

Mohler, R. Albert. *God and the Gay Christian: A Response to Matthew Vines*, abril 2014, http://126df895942e26f6b8a0-6b5d65e17b10129dda-21364daca4e1f0.r8.cf1.rackcdn.com/GGC-Book.pdf.

………. "Homosexuality as Dividing Line—The Inescapable Issue", *AlbertMohler.com*, citado 26 de septiembre 2014, http://www.albertmohler.com/2014/09/24/homosexuality-as-dividing-line-the-inescapable-issue/.

Orenstein, Peggy. "Does Stripping Gender From Toys Really Make Sense?", *The New York: Times*, 29 de diciembre 2011, sec. Opinion, http://www.nytimes.com/2011/12/30/opinion/does-stripping-gender-from-toys-really-make-sense.html.

Piper, John, y Wayne Grudem. *Fifty Crucial Questions*, CMBW, citado el 15 de marzo 2014, http://cbmw.org/uncategorized/fifty-crucial-questions/.

Smith, Dinitia. "Love That Dare Not Squeak Its Name", *The New York: Times*, 7 de febrero 2004, sec. Arts, http://www.nytimes.com/2004/02/07/arts/love-that-dare-not-squeak-its-name.html.

Tagliabue, John. "Swedish School De-Emphasizes Gender Lines", *The New York: Times*, 13 de noviembre 2012, sec. World/Europe, http://www.nytimes.com/2012/11/14/world/europe/ swedish-school-de-emphasizes-gender-lines.html.

"The Lies and Dangers of Efforts to Change Sexual Orientation", *Human Rights Campaign*, citado 7 de agosto 2014, http://www.hrc.org/resources/entry/the-lies-and-dangers-of-reparative-therapy.

"You Are What—and How—You Read", The Gospel Coalition, citado 8 de agosto 2014, http://thegospelcoalition.org/article/you-are-whatand-howyou-read.

Otra Publicación por
Editorial Bautista Independiente -EB-500

CONSEJERÍA BÍBLICA CRISTO-CÉNTRICA
Cambiando vidas con la verdad inmutable

James MacDonald
Bob Kellemen y Steve Viars

Dominio de Los Principios Básicos de la Consejería Bíblica Eficaz

La *Consejería Bíblica Cristo-Céntrica* es un recurso amplio que le ayudará a comprender la verdad de Dios y cómo utilizarla para cambiar vidas. Con la sabiduría acumulativa de 40 colaboradores con credenciales y experiencia excepcionales, usted descubrirá un modelo valioso para la consejería que explica…

El Por Qué de la Consejería Bíblica

- Por qué la Biblia es suficiente y relevante para abordar cada asunto que enfrentamos.

- Por qué es la consejería bíblica tan eficiente para ayudar a la gente a enfrentar las luchas de la vida en el poder de Cristo.

El Cómo de la Consejería Bíblica

- Cómo se puede guiar a la gente que lucha y sufre a la esperanza y la fuerza que están disponibles sólo en Cristo.

- Cómo aconsejar de manera que la consejería sea Cristo-céntrica y que glorifique a Dios.

Cada capítulo provee una maravillosa combinación de sabiduría teológica y pericia práctica; y está escrito para ser accesible a cualquier que desea extender el amor de Cristo a otros-pastores, líderes eclesiales, consejeros practicantes/profesionales, instructores, laicos y estudiantes.

UN LIBRO DE LA COALICIÓN DE CONSEJERÍA BÍBLICA

EBI
EDITORIAL
BAUTISTA INDEPENDIENTE

www.ebi-bmm.org